IDIOMAU CYMRAEG
Y LLYFR CYNTAF

IDIOMAU CYMRAEG

Y Llyfr Cyntaf

R.E. JONES

Gyda Chyflwyniad gan Dr. Thomas Parry

TŶ JOHN PENRI
ABERTAWE

Argraffiad cyntaf – Gorffennaf 1975
Ail-argraffiad – Rhagfyr 1975
Trydydd argraffiad – Mawrth 1979
Pedwerydd argraffiad – 1984
Pumed argraffiad (wedi ei olygu o'r newydd) – Tachwedd 1995

ISBN 1 871799 24 4

I
BETI, GWYN a SIÔN

Dymunir cydnabod yn ddiolchgar ganiatâd Llys yr Eisteddfod i gyhoeddi'r gyfrol hon

Cyflwyniad

Y MAE pryder mawr ymhlith pawb meddylgar yng Nghymru heddiw ynghylch yr iaith. Pryder ynghylch ei pharhad yw hwnnw y rhan amlaf, ofn iddi beidio â bod fel cyfrwng cyfathrach lafar a mynegiant llenyddol. Y mae cymaint o gyfnewidiadau gwleidyddol, economaidd, diwydiannol a diwylliadol yn digwydd heddiw, a hynny'n gyflym, nes peri fod pob gwareiddiad lleiafrif mewn perygl enbyd. Fe geir lliaws o weithgareddau mewn addysg plant ac adloniant a llenyddiaeth a gwleidyddiaeth sy'n amcanu sicrhau parhad yr iaith. Diolch amdanynt.

Ond y mae pryder arall ym meddyliau rhai Cymry, a minnau'n un ohonynt, sef pryder, nid am ddyfodol yr iaith yn unig, ond am ei hansawdd. Y mae dros bedwar ugain mlynedd er pan gychwynnwyd y diwygiad a gysylltir ag enw John Morris-Jones, y diwygiad a roes yn y diwedd, wedi dygn ymdrech a pherswadio, orgraff safonol i'r iaith, ac a adferodd burdeb ei chystrawennau. Gwir fod y diwygiad hwn, fel pob adwaith, wedi mynd yn eithafol mewn rhai pethau, ac y gellir cymedroli peth ar rai o'i reolau. Ond fe roes inni norm o iaith lenyddol urddasol sy'n gyfaddas i'r gŵr mwyaf celfydd ar air a brawddeg, ac sy'n gyfryw y gellir ymhyfrydu yn ei glendid a'i cheinder er ei mwyn ei hun — yr hyn sy'n rhan bwysig o swyddogaeth iaith fel elfen mewn llenyddiaeth. Gwnaed y Gymraeg yn gyfran deg o etifeddiaeth y Cymry, yn rhywbeth i ymffrostio yn ei syberwyd, fel y mae Ffrangeg i'r Ffrancwyr a Saesneg i'r Saeson.

Yn y blynyddoedd diwethaf, fel rhan o'r diffyg parch at ddisgyblaeth a threfn yng ngwledydd y gorllewin, y mae llawer ohonom ninnau yng Nghymru yn gwrthod safonau sefydledig ein hiaith. Y mae ein llyfrau a'n cylchgronau — rhai o'n cylchgronau yn arbennig — yn frith o wallau iaith o bob math. Aeth llawer o'n hysgrifenwyr, ac amryw ohonynt yn awduron cydnabyddedig, yn rhy haerllug a ffroenuchel i sillafu'n gywir, gan daflu fod "orgraff" yn air i gellwair yn ei gylch. Canmoladwy ddigon ar un ystyr yw'r hyn a wneir yn enw "Cymraeg Byw", a gellir dadlau dros ysgrifennu "maen nhw", "aton ni" a'r cyffelyb mewn rhai cysylltiadau. Ond o fewn terfynau go gyfyng yn unig y dylid gwneud hyn. Y trychineb (ac nid yw'n ddim llai) yw bod rhai ysgrifenwyr, ar yr esgus o ysgrifennu Cymraeg byw, yn gwadu pob arfer draddodiadol a rheol. Yn sicr ddigon, nid cymwynas â'r sawl sy'n dysgu'r iaith nac â'r iaith ei hun yw mynd yn groes i'r confensiynau ysgrifenedig a dyfodd yn y corff o lenyddiaeth a gynhyrchwyd yn y tair canrif ddiwethaf, heb sôn am ddodwy rhyw greadigaethau di-dras fel "ydy", na fu ar dafod neb erioed nac ar femrwn na phapur chwaith.

Y mae rhai awduron yn credu fod rhinwedd mewn ysgrifennu mewn tafodiaith fratiog ac aflêr, yn arbennig wrth groniclo sgwrs mewn stori neu ddrama. Mewn nofel dda a gyhoeddwyd yn ddiweddar fe geir "mi fues", "rwbath", "naci", "dwn i'm", a llu o bethau llwgr cyffelyb. Fe ddylai pob llenor wybod mai nid atgynhyrchu annibendod yr iaith fel y mae'n cael ei siarad yw ei fusnes. Nid oes dim creu llenyddol yn hynny. Ac i wneud y stomp yn waeth fe geir cymysgfa o ffurfiau llafar a ffurfiau traddodiadol — "ydach" mewn un man, ac "ydych" ar yr un tudalen; "fuodd" mewn lle arall, a "fu" yn y paragraff nesaf.

Canlyniad damcaniaethu a gwybodaeth ar gyfeiliorn yw'r tueddiadau yna. Y mae hefyd ganlyniadau anwybodaeth. Y mae'n edrych i mi fod gafael ein llenorion a'n beirniaid ar hanfodion yr iaith yn llacio, un ai am fod eu cefndir yn y bywyd bob dydd yn teneuo o ran ei Gymreigrwydd, neu am nad ydynt hwy eu hunain yn darllen digon o Gymraeg clasurol, gwaith awduron hen a diweddar fel ei gilydd, gwŷr yr oedd eu greddf yn gwbl ddiogel ar bopeth ynglŷn â'r iaith. Syndod i mi yw gweld mor aml y mae ysgrifenwyr medrus yn trin geiriau gwrywaidd fel petaent yn fenywaidd ac i'r gwrthwyneb, yn defnyddio'r rhagenw "minnau", "tithau", etc., yn anghywir, ac yn anffurfio cystrawennau'r iaith.

Y dull mwyaf cyffredin o gam-drin cystrawennau yw trosi priod-ddulliau'r iaith Saesneg air am air i'r Gymraeg. Ceir sylwadau pwysig ar hyn gan Miss Enid Roberts yn *Mabon* (rhifyn Gwanwyn 1974), gydag enghreifftiau o iaith lafar ac ysgrifenedig pobl ifanc, a gellid ychwanegu llawer o enghreifftiau eraill o waith llenorion, fel yr anferthwch hwn: "unwaith fod y bardd wedi dychwelyd at ei oes ei hun . . ." Mi wn fod llawer o ddulliau ymadroddi'r iaith Saesneg wedi eu trosi'n llythrennol i'r Gymraeg ers llawer blwyddyn, ac yn wir nid hawdd bob tro eu hadnabod fel y cyfryw gan mor gynefin ydynt inni. (Mi synnais i weld fod "bwrw i'r dannedd" yng Ngeiriadur John Davies, ac felly mor hen â 1632). Ond pan fydd ysgrifenwyr heddiw yn defnyddio esiamplau newydd o'r ymadroddion hyn, praw ydyw mai yn Saesneg y maent yn meddwl, a bod yr iaith honno yn fwy cynefin iddynt na'u hiaith hwy eu hunain. Ac ni ddylai llenor, yn anad neb, fod yn y cyflwr hwnnw.

Y mae ffyrdd eraill i lygru cystrawennau, ac os am eu clywed, gwrandawer ar ddarllenwyr y newyddion ar y radio. Heddiw ddiwethaf mi glywais "'Dyw'r heddlu heb ddatguddio'i enw," cawdel o ddwy gystrawen: "Nid yw'r heddlu wedi datguddio'i enw" a "Y mae'r heddlu heb ddatguddio'i enw".

Peth elfennol yng nghynhysgaeth pawb sy'n agor ei big yw cywirdeb cystrawen, neu felly y dylai fod, ac fe ddylid anelu at rywbeth llawer uwch a phwysicach, sef ymadroddi'n fyw a darluniadol. Yr wyf eisoes wedi dwrdio'r sawl sy'n cynnwys yn eu gwaith lygriadau'r iaith lafar. Ond y mae i'r iaith lafar ei swyddogaeth i bawb sy'n mynnu ysgrifennu Cymraeg cydnerth a lliwgar, oherwydd fe geir ynddi gannoedd o ymadroddion graenus wedi eu corffori mewn cystrawennau glân. Yn y rhifyn o *Mabon* a grybwyllwyd uchod y mae gan Mr. Ernest Roberts restr o ddywediadau felly, llawer ohonynt yn ddelweddol fyw, fel "naddu'n agos i'r drafel", "rhoi caead ar ei biser", "tynnu gwinedd o'r blew", ac yn arbennig "gwên fenthyg".

Y mae'n debyg fod rhywun athrylithgar a naws y bardd ynddo wedi dyfeisio pob un o'r ymadroddion hyn rywdro, ac eraill wedi eu cadw'n fyw ar lafar o genhedlaeth i genhedlaeth. Damwain yn fynych oedd eu parhad mewn ysgrifen — rhyw Ellis Wynne neu Theophilus Evans neu Oronwy Owen neu Syr Thomas Parry-Williams yn eu dyrchafu i wastad llenyddol, a thrwy hynny yn eu diogelu, ac ar yr un pryd yn rhoi i'w gwaith llenyddol hwy eu hunain ruddin ac egni.

Yn y llyfr hwn yr wyf fi'n cael y fraint o'i gyflwyno y mae Mr. R. E. Jones wedi dwyn ynghyd nifer helaeth o briod-ddulliau'r iaith Gymraeg wedi eu cywain oddi ar lafar ac o lyfrau. Dyma megis fêr esgyrn yr iaith. Ac y mae'r awdur wedi gwneud mwy na chasglu'n ddiwyd. Defnyddiodd ei graffter i wahaniaethu rhwng ystyron cyfagos ac i egluro union ystyr rhai ymadroddion, ac egluro hefyd sut y mae'r ystyr wedi datblygu a newid. Gwelir hyn yn ei nodiadau ar "cael ail", "torri", "tywyllu", ac enwi ond ychydig.

Yr wyf yn gobeithio y bydd pawb sy'n defnyddio'r Gymraeg o ddifri mewn sgwrs ac mewn ysgrifen yn rhoi lle i'r ymadroddion hyn yn eu hiaith, er mwyn eu hadfer i'n hymwybyddiaeth ieithyddol ni fel cenedl. Ond peidied neb â thybio y gwna'r llyfr hwn y tro yn lle darllen. Wrth ddarllen y daeth yr awdur o hyd i'r priod-ddulliau, ac wrth ddarllen gweithiau'r meistri y gallwn ninnau ymgyfarwyddo ag union ystyr a blas yr ymadroddion hyn. Ni bu erioed fwy o angen nag y sydd heddiw am fyfyrio ar eiriau doeth Emrys ap Iwan: "Fel y bydd yr iaith, felly y bydd y dyn, ac felly y bydd y genedl. Y mae iaith dda'n hyrwyddo gwareiddiad, ac iaith wael, neu iaith nad ydys yn ei medru'n dda, yn rhwystro gwareiddiad".

THOMAS PARRY.

Byrfoddau

Defnyddir y byrfoddau canlynol i ddynodi enwau awduron a gweithiau y cyfeirir atynt, neu y dyfynnir ohonynt enghreifftiau o'r idiomiau "ar waith." Lle bo ffynhonnell dyfyniad yn anhysbys nodir hynny â [?]. Lle y rhoir enghraifft foel, h.y. heb enwi ffynhonnell, gellir cymryd mai enghraifft "wneud" o waith y casglydd yw honno. Lle y ceir, yng nghorff dyfyniad, eiriau mewn bachau petryal [. . .]. geiriau esboniadol o eiddo'r casglydd yw'r rheini. Nid mewn ysbryd aneciwmenaidd y dyfynnir emynau, fel rheol, o LlEM, ond am mai â hwnnw y mae'r casglydd fwyaf cyfarwydd! Defnyddir y byrfoddau cyffredin i gyfeirio at adnodau o'r Beibl. Cysonwyd a diweddarwyd yr orgraff, at ei gilydd, oddieithr wrth ddyfynnu darnau a ysgrifennwyd mewn tafodiaith.

AG. Ann Griffiths.
AL. BG. Alun Lewis. *Blwyddyn o Garchar.* Gwasg Gee 1962.
AL. CT. Alun Lewis. *Corlan Twsog.*
ALMA. *Additional Letters of the Morrises of Anglesey.* Gol. H. Owen *(Y Cymmrodwr* XLIX).
AlIW. NNH. Alun Llewelyn Williams. *Nes na'r Hanesydd.*
BC. *Blodeugerdd Cymru.*
BGO. *Barddoniaeth Goronwy Owen.* Arg. Lerpwl.
BJ. TRh. Bobi Jones (Gol) *Y Tair Rhamant* (1960).
Br. *Brewer's Dictionary of Phrase and Fable* (Centenary Edition Edition 1970).
CAC. Y Cyfieithiad Awdurdodedig (Cymraeg).
CC. *Caniadau Cymru.* Gol. Lewis Jones.
CSA. Cyfieithiad Saesneg Awdurdodedig o'r Beibl.
ChCh. Cyfres *Chwedl a Chân* (Llyfr VI) D. J. Williams (Llanbedr).
ChO. *Chwedlau Odo.* Gol. Ifor Williams, Wrecsam 1926.
DEE. PW. D. Emrys Evans. *Plato, y Wladwriaeth* (Cyf.) Gwasg y Brifysgol 1956.
DEM. BCA. D. Eirwyn Morgan. *Bedydd, Cred ac Arfer.*
DGG. *Dafydd ap Gwilym a'i Gyfoeswyr* (2). Gwasg Prifysgol Cymru 1935.
DGJ. Dafydd Glyn Jones.
DHS. *Dictionary of Historical Slang.* Eric Partridge (Penguin Reference Books).
DJ. CH. Dafydd Jenkins. *Cyfraith Hywel.*
DJW. ST. D. J. Williams. *Storiau'r Tir.*
DMF. CGC. Dewi Mai o Feirion. *Casgliad o Gerddi Cymru.* Swyddfa'r Cyfnod. Y Bala 1935.
DO. EH. Daniel Owen. *Enoc Huws.* Wrecsam 1891.
DO. GT. Daniel Owen. *Gwen Tomos.* Wrecsam 1894.
DO. RL. Daniel Owen. *Rhys Lewis.* Wrecsam 1885.
DO. S. Daniel Owen. *Y Siswrn.*
DO. YDr. Daniel Owen. *Y Dreflan.* Wrecsam 1895.
DTL. LG. D. Tecwyn Lloyd. *Lady Gwladys a Phobl Eraill.* Gwasg John Penry.
DW. Dafydd Williams, Llandeilo Fach.
EapI. E(1) *Erthyglau Emrys ap Iwan.* Gol. D. Myrddin Lloyd. Cyf. 1. Clwb Llyfrau Cymreig. 1937.

EapI. E(2) *Erthyglau Emrys ap Iwan.* Gol. D. Myrddin Lloyd. Cyf. Clwb Llyfrau Cymreig.
EapI. H(1) *Homiliau Emrys ap Iwan.* Cyf. 1.
EapI H(2) *Homiliau Emrys ap Iwan.* Cyf 2.
EE. CyngNgh. Emrys Evans. *Y Clasuron yng Nghymru* (Darlith Radio 1952) BBC.
EMH. CLlD. E. Morgan Humphreys. *Ceulan y Llyn Du.*
EMH. DA. E. Morgan Humphreys. *Dirgelwch yr Anialwch.*
EP. Edmwnd Prys.
EP. SC. Edmwnd Prys. *Salmau Cân* (Cyfeirir at Rif y Salm).
EPR. CPR. *Cerddi Prosser Rhys.* gol. J. M. Edwards.
ER. Evan Rees (Dyfed).
ERs. Ernest Roberts, Bangor.
EdR. Edward Richard, Ystrad Meurig. *Gwaith Edward Richard.* Cyfres y Fil.
ETD. N. E. Tegla Davies. *Nedw.*
EW. BC. Ellis Wynne. *Gweledigaethau y Bardd Cwsc.* Caerdydd 1948.
EW. RBS. Ellis Wynne. *Rheol Buchedd Sanctaidd.*
EWms. DE. Elizabeth Williams. *Dirwyn Edafedd.*
EWyn. CA. Eifion Wyn. *Caniadau'r Allt.* Gwasg Foyle.
Geir Beibl. *Y Geiriadur Beiblaidd.*
GBC. *Gorchestion Beirdd Cymru.* (Rhys Jones o'r Blaenau 1773).
GDG. *Gwaith Dafydd ap Gwilym.* Gol. Thomas Parry. Gwasg Prifysgol Cymru 1952.
GD. Ll. Gerallt Davies. *Llên Cymru.*
GDN. *Gwaith Dafydd Nanmor.* Gol. Thomas Roberts ac Ifor Williams.
GE. AM. Gwynfor Evans. *Aros Mae.* Gwasg John Penry.
GGGl. *Gwaith Guto'r Glyn.* Goln. Ifor Williams a John Llewelyn Williams. Gwasg Prifysgol Cymru. 1961.
GGG. (CF.) *Gwaith Glan y Gors.* Cyfres y Fil.
GM. *Gweithiau Mynyddog.* (1, 2, 3) Wrecsam 1866. (Tair Cyfrol yn Un.)
GR. GC. *Gruffudd Robert.* Gramadeg Cymraeg. Gwasg Prifysgol Cymru.
GRJ. SE. Gwilym R. Jones. *Seirff yn Eden.*
GPC. *Geiriadur Prifysgol Cymru.*
GTA. TGJ. *Gwaith Tudur Aled.* (Gol. T. Gwynn Jones) Caerdydd 1926.
HB. *Hen Benillion.* Gol. T.H. Parry-Williams. (Y Clwb Llyfrau Cymreig 1940).
HD. *Hen Destament.*
HEL. Can. H. Elfed Lewis. *Caniedydd.*
HL. PMA. Huw Lewis. *Perl mewn Adfyd.* Gol. W. J. Gruffydd. Gwasg Prifysgol Cymru 1929.
HLlTN. *Hunangofiant a Llythyrau Twm o'r Nant.* Gol. G. M. Ashton 1944. Llyfrau Deunaw. Gwasg y Brifysgol.
HLlW. TWG. H. Llewelyn Williams. *Thomas Williams, Gwalchmai.* Llyfrfa'r M.C.
IBH. *Gwaith Ieuan Brydydd Hir.*
ICP. S. Iorwerth C. Peate. *Syniadau.*
IFfE. CC. Islwyn Ffowc Elis. *Cysgod y Cryman.*
IFfE. CH. Islwyn Ffowc Elis. *Cromlech yn yr Haidd.*
IFfE. COG. Islwyn Ffowc Elis. *Cyn Oeri'r Gwaed.*
IFfE. TB. Islwyn Ffowc Elis. *Tabyrddau'r Babongo* (Gwasg Aberystwyth 1961).
IG. Cr. Ifan Gruffydd. *Cribinion.*

IGE(2) *Cywyddau Iolo Goch ac Eraill.* Arg. Newydd 1972. Gwasg Prifysgol Cymru.
IGG. Evan Evans. Ieuan Glan Geirionydd.
IJ. CD. Idwal Jones. *Cerddi Digri.* Gwasg Gomer.
IJ. CDN. Idwal Jones. *Cerddi Digri Newydd.* Gwasg Gomer 1943.
IJ. YP. Idwal Jones. *Ystoriau a Pharodïau.* Gwasg Gomer 1944.
IW. ELl. Ifor Williams. *Enwau Lleoedd.* Gwasg y Brython 1945.
IW. IDdA. Ifor Williams. *I Ddifyrru'r Amser.* Llyfrfa'r M.C. 1957.
IW. LlGC. Ifor Williams. *Llenyddiaeth Gymraeg a Chrefydd.* (Pamffledyn Urdd y Deyrnas).
IW. MI. Ifor Williams. *Meddwn I.* Llyfrau'r Dryw.
IW. MSI. Ifor Williams. *Meddai Syr Ifor.* Gol. Melville Richards. Llyfrfa'r MC.
IW. PKM. Ifor Williams. *Pedair Keinc y Mabinogi.* Gwasg Prifysgol Cymru.
JCH. MHAM. John Ceiriog Hughes. (Ceiriog) *Myfanwy Fychan ac Alun Mabon.* Wrecsam.
JB. *Jerusalem Bible.*
JD. HL. John Davies (Isfryn) *Hen Lwybrau* (Clwb Llyfrau Cymraeg 1947).
JECW. AA(TJ). J. Ellis Caerwyn Williams. Ysgrif yn *Astudiaethau Amrywiol* (Gol. Thomas Jones)
JEW. RhC. J. Ellis Williams. *Y Rhwyd yn cau.* Gwasg Gomer 1970.
JGD. CHP. J. Glyn Davies. *Cerddi Huw Puw.*
JGW. MM. J. G. Williams. *Maes Mihangel.* Gwasg Gee 1974.
JGW. PS. J. G. Williams. *Pigau'r Sêr.* Gwasg Gee.
JHG. CNgh. J. H. Griffith. *Crefydd yng Nghymru.* Gwasg y Brython 1946.
JHJ. GG. J. H. Jones (Je Aitsh). *Gwin y Gorffennol.* Gwasg Wrecsam 1938.
JHJ. M. J. H. Jones (Je Aitsh). *Moelystota.* Swyddfa'r Brython 1932.
JJ(G). STG. John Jones, Glanygors. *Seren tan Gwmwl.* Llyfrau'r Ford Gron.
JJM. HDO. Y Parch. J. J. Morgan, Yr Wyddgrug. *Hanes Daniel Owen* (1936)
JJW. J. J. Williams.
JMJ. Can. John Morris-Jones, *Caniadau.* Rhydychen 1907.
JMJ. CD. John Morris-Jones. *Cerdd Dafod.* Rhydychen 1925.
JO. *Pregethau John Owen, Morfa Nefyn.* Llyfrfa'r M.C. 1957.
JPJ. GD. John Puleston Jones. *Gair y Deyrnas.* Gwasg y Bala 1924.
JPJ. Iago. John Puleston Jones. *Esboniad ar Epistol Iago.* Llyfrfa'r M.C. 1898.
JPJ. Ysg. John Puleston Jones. *Ysgrifau Puleston.* Gwasg y Bala 1926.
JPJ. G. J. R. Jones. *Gwaedd yng Nghymru.*
JTJ. ADC. J. T. Jones. (Porthmadog). *Anturiaethau Don Cwicsot.* Llyfrau'r Dryw. 1954.
JW. Preg(1). John Williams. (Brynsiencyn). *Pregethau* Cyfr. 1. Gol. J. Owen. Llyfrfa'r M.C.
KR. HF. Kate Roberts. *Hyn o Fyd.*
KR. LW. Kate Roberts. *Y Lôn Wen.* Gwasg Gee 1960.
KR. OGB. Kate Roberts. *O Gors y Bryniau.* Caerdydd 4ydd Arg. 1947.
KR. SG. Kate Roberts. *Stryd y glep.* Gwasg Gee.
KR. TH. Kate Roberts. *Tywyll Heno.* Gwasg Gee 1962.

LlB. D. Bob Lloyd (Llwyd o'r Bryn). *Diddordebau.* Gwasg John Penry 1966.
LLEM. *Llyfr Emynau'r Methodistiaid* (Calfinaidd a Wesleaidd).
LlGO. *Llythyrau Goronwy Owen.* Gol. John Morris-Jones (Arg. Lerpwl) 1895.
LlM. *Llythyrau'r Morysiaid.* Detholiad ar gyfer Ysgolion (Gwasg Prifysgol Cymru 1940).
MH. Cor. Mathonwy Huws. *Corlannau a Cherddi eraill.* Llyfrau'r Faner 1971.
MK. DFf. Morris Kyffin. *Deffyniad Ffydd Eglwys Loegr.* Gol. W. P. Williams Bangor 1908.
MLl. *Gweithiau Morgan Llwyd o Wynedd.* Gol. T.E. Ellis. Bangor.
MRh. Morgan Rhys.
MR. BRh. Melville Richards. *Breuddwyd Rhonabwy.* Gwasg Prifysgol Cymru 1948.
NEB. *New English Bible.*
ODEP. *Oxford Dictionary of English Proverbs.*
PJ. Peter Jones (Pedr Fardd).
RB. DC. Robert Beynon. *Dydd Calan ac Ysgrifau* Eraill. Gwasg Foyle 1931.
RDW. CT. R. Dewi Williams. *Y Clawdd Terfyn.* Gwasg y Brython.
RF. Y Ddu. Rowland Fychan. *Yr Ymarfer o Dduwioldeb.* Gwasg Prifysgol Cymru. 1930.
RG. (2). *Rhyddiaith Gymraeg* — Ail Gyfrol. Gwasg Prifysgol Cymru.
RGB. LlD. R. G. Berry. *Y Llawr Dyrnu.*
RRH. CJW. R. R. Hughes. *Cofiant John Williams, Brynsiencyn.* Llyfrfa'r M.C. 1929.
RTJ. CFf. R. T. Jenkins. *Casglu Ffyrdd.* Wrecsam 1956.
RTJ. Y Ddu. R. T. Jenkins. *Ymyl y Ddalen.* Wrecsam 1957.
RW. BG. Robin Williams *Blynyddoedd Gleision.* Gwasg Gomer 1973.
RW. EE. Robin Williams. *Esgyrn Eira.* Gwasg Gomer 1972.
RW. W. Robin Williams. *Wrthi.* Gwasg Gomer 1971.
RWJ. JPJ. R. W. Jones. *Cofiant Puleston.* Llyfrfa'r M.C. 1929.
RWP. CG. R. Williams-Parry. *Cerddi'r Gaeaf.* Gwasg Gee 1952.
RWP. HCE. R. Williams-Parry. *Yr Haf a Cherddi Eraill.* Gwasg y Bala 1922.
SC. Sion Cent.
SDR. *Chwedleu Seith Doethon Rufein.* Gol. Henry Lewis, Wrecsam 1925.
SOED. *Shorter Oxford English Dictionary.*
ST. HB. S. Thomas *Hanes y Byd.*
ST. Sion Tudur.
TC. Thomas Charles (o'r Bala).
TE. DPO. Theophilus Evans. *Drych y Prif oesoedd.*
TEd. ATN. *Anterliwtiau Twm o'r Nant.* gol. G. M. Ashton. Gwasg Prifysgol Cymru 1964. CO. (*Cybydd-dod ac Oferedd*) PCG.. (*Pedair Colofn Gwladwriaeth*).
TGJ. Bri. T. Gwynn Jones. *Brithgofion.* Llyfrau'r Dryw 1941.
TGJ. C. T. Gwynn Jones. *Caniadau.* Arg. Wrecsam 1934.
TGJ. Cym. T. Gwynn Jones. *Cymeriadau.* Wrecsam 1933.
THP-W. Cerddi. T. H. Parry-Williams. *Cerddi.* Gwasg Aberystwyth 1931.
THP-W. DG. T.H. Parry-Williams. *Detholiad o Gerddi Gwasg* Gomer 1972.

THP-W. Ll. T.H. Parry-Williams. *Lloffion*. Clwb Llyfrau Cymreig 1947.
THP-W. M. T. H. Parry-Williams. *Myfyrdodau*. Gwasg Aberystwyth 1957.
THP-W. OPG. T. H. Parry-Williams. *O'r Pedwar Gwynt*. Y Clwb Llyfrau Cymreig 1944.
THP-W. P. T. H. Parry-Williams. *Pensynnu*.
THP-W. Y. T. H. Parry-Williams, *Ysgrifau*. Foyle 1928.
THP-W. YPh. T. H. Parry-Williams. *Ymhêl â Phrydyddu*. Darlith Radio. BBC.
THW. SR. T. Hudson Williams. *Storiau o'r Rwseg*. Llyfrau'r Dryw.
TJM. T. J. Morgan. Rhag. i *COG* (IFfE).
TLlJ. CNB. T. Llew Jones. *Cerddi Newydd i Blant*.
TN. *Testament Newydd*.
TP. A. Thomas Parry Anerchiad Radio a argraffwyd yn y gyfrol *Atgofion*.
TP. BDG. Thomas Parry. *Baledi'r Ddeunawfed Ganrif*. Gwasg Prifysgol Cymru 1935.
TP. HLlG. Thomas Parry. *Hanes Llenyddiaeth Gymraeg hyd* 1900. Caerdydd 1944.
TR. RAC. Tom Richards. *Rhagor o Atgofion Cardi*.
TRH. T. Rowland Hughes.
WJG. LlG. W. J. Gruffydd. *Llenyddiaeth Gymraeg* (1450-1600) Gwasg y Brython 1922.
WJG. TO. W. J. Gruffydd. *Y Tro Olaf*. Clwb Llyfrau 1939.
WJG. YH. W.J. Gruffydd. *Ynys yr Hud a Cherddi Eraill*. Arg. 1963.
WJGr. SHF. W. J. Griffiths. *Storiau'r Henllys Fawr*.
WJR. W. J. Richards.
WmM. CG. William Morris, *Clychau Gwynedd*. Gwasg Aberystwyth. 1946.
WmM. DE. William Morris. (Gol) *Deg o Enwogion*.
WM. *Welsh Book Mabinogion* (Gol. J. Gwenogvryn Evans 1907).
WNW. W. Nantlais Williams.
WR. AFR. William Rees (Gwilym Hiraethog) *Aelwyd F'ewyrth Robert*. Thomas Gee. Dinbych. 1853.
WR. HBDHD. William Rees (Gwilym Hiraethog *Helyntion Bywyd Hen Deiliwr*. Clwb Llyfrau Cymreig. 1940.
WR. LlHFf. William Rees (Gwilym Hiraethog). *Llythyrau'r Hen Ffarmwr*. Gol. E. Morgan Humphreys. Gwasg Prifysgol Cymru 1939.
WS. OSP. William Salesbury. *Oll Synwyr Pen Kembero ygyd*. gol. J. Gwenogvryn Evans. 1902.
WW. William Williams, Pantycelyn.
YCM. *Ystorya de Carolo Magno* (Gol. Stephen J. Williams, Caerdydd) 1930.

Cyf.: cyfieithiad. Cs.: cynnwys (pennod o'r Beibl). D.: dihareb. enghr.: enghraifft. Ffig.: Yn ffigurol. gw.: gweler. Llythr.: llythrennol. S.: Saesneg.
Taf.: Tafodiaith. = : cyfystyr â, yn golygu.

ABWYD

1. Rhywun yn LLYNCU'R ABWYD. Yn cymryd ei demtio i wneud rhywbeth gan wobr neu fantais, wirioneddol neu dybiedig, a gynigir iddo.

   Awgrymwyd iddo'n gynnil y byddai cyfraniad go hael i goffrau'r blaid yn debyg o ennill iddo'r O.B.E. o leiaf. *Llyncodd* yntau'r *abwyd.*

   Darlun sydd yma, wrth gwrs, o fyd pysgota ac o bysgodyn yn mynd i'r ddalfa trwy gymryd ei ddenu i neidio at yr abwyd ar fach y genweiriwr.

2. dim ABWYD (o neb, o ddim). Yma ystyr y gair yw *gronyn,* mymryn. Defnyddir, ar lafar fel arfer, mewn brawddegau fel hyn: "Mi fûm yno, ond welais i *abwyd* o neb."

   Mewn brawddegau negyddol yn unig y defnyddir y priod-ddull hwn.

ACHAU

3. HEL(A) ACHAU. Olrhain llinach a chysylltiadau teuluol pobl. Gwelir enghr. o ddefnydd ffigurol o'r ymadrodd yn y dyfyniad hwn:

   "Wel yn wir", ebe Richard Evans, "yr ydych yn gosod y Puseyaid mewn cwmpeini go isel hefyd, hefo'r swynwyr a'r *fortune tellers* . . . Feddyliais i 'rioed fod cymaint o berthynas ac o gyffelybrwydd rhyngddynt hwy a'i gilydd o'r blaen!" . . . "Mae f'ewyrth Robert yn *hel eu hachau* hwy yn o gywir, 'rwy'n coelio'n siwr', ebe Robert Llwyd.

   WR. AFR. 488.

   NODIAD. *Puseyaid.* Sect Uchel-eglwysig iawn yn Eglwys Loegr yn y ganrif ddiwethaf; dilynwyr E. B. Pusey (1800-1882), un o arweinwyr y mudiad a elwid yr *Oxford Movement.*

ACHLOD

4. YR ACHLOD IMI. Cywilydd imi! Daw'r gair 'achlod' o *a* (negyddol) + *clod* a'i ystyr yw *anghlod, gwarth.* Weithiau, fel yn yr enghraifft isod, ceir y ffurf 'archlod' gydag r ymwthiol (cf. *llewych, llewyrch*). Defnyddir y gair fel ebychiad.

   Yr archlod i Ieuan Brydydd Hir na chaid gweled rhywfaint o'i waith yntau. LlGO. 68.

5. YR ACHLOD DAFYDD! S. *Good heavens*! Ymadrodd Arfon, yn bennaf.

6. YR ACHLOD FAWR. = YR ACHLOD DAFYDD.

7. NENO (=yn enw)'R ACHLOD. S. *In heaven's name*!

ACHLUST

8. CAEL ACHLUST. Clywed sôn neu awgrym. S. *hear a rumour.*

   Fe fyddai llawer o ddyfalu, fel y mae heddiw [pwy fyddai bardd buddugol yr Eisteddfod] a llawer o geisio *"cael achlust"* o rywle. THP-W. M. 43-44.

ACHUB

Gwell dechrau â nodyn ar y gair 'achub'. Daeth i'r Gymraeg o fonyn y ferf Ladin *occup-are* yn golygu: cymryd gafael, cipio, meddiannu, ymosod ar, rhuthro ar. Dyna'r ystyron oedd iddo gynt yn Gymraeg hefyd; datblygiadau pellach yw'r ystyron 'amddiffyn', 'gwaredu' sydd iddo erbyn hyn. Yn ôl GPC y mae 'achub' yn cael ei ddefnyddio o hyd yn gyfystyr â 'cipio' ac ym Morgannwg ceir y dywediad 'achub am anal' (=ymladd am anadl).

9. ACHUB BLAEN (rhywun neu rhywbeth). Ei ragflaenu, ennill y blaen arno.

   Achubais flaen y cyfddydd. Salm 119. 147.

   NEB. *I rise before dawn.*

   Achubaist ei flaen ef â bendithion daioni. Salm 21.3.

   JB. *You have met him with choicest blessings.*

   (I gyfateb i 'achub blaen' y ddwy adnod uchod defnyddir yn CSA y ferf *prevent,* nid yn ei ystyr ddiweddar, o 'rwystro' ond yn ei hen ystyr o 'fynd o flaen, rhagflaenu' sy'n cadw ystyr y ferf Ladin *praevenire* y tarddodd ohono, a'r union ferf a ddefnyddir yn y ddwy adnod yng nghyfieithiad Lladin y Fwlgat).

   Ac ni waeth i ni orffen gyda hyn [=Ysgolheictod Thomas Roberts] yrwan nag eto er inni wrth hynny *achub blaen yr hanes* . . . JPJ. Ysg. 16.

   S. *anticipate the narrative.*

10. ACHUB Y BLAEN (ar rywun neu rywbeth)=ACHUB EI FLAEN.

11. ACHUB CAM (rhywun). Ei amddiffyn; ei arbed rhag cael cam.

Llwfr ydwyf, ond *achubaf gam* y dewr. RWP. CG. 71.

12. ACHUB CYFLE. Cipio, manteisio ar, y cyfle.

Achub yn awr *dy gyfle* trist,
Ac na fydd feddal fel dy Grist.
RWP. (yn cyfarch Cymru). CG. 50.

Ceir enghraifft o (12) a (11) yn y dyfyniad hwn:

Cefais gymwynasau afrifed gan bregethwyr pob enwad, Eglwysig ac Ymneilltuol, ac *achubaf* hyn o *gyfle* i'w cydnabod, ac *achub eu cam* rhag brath a dial ambell drywanwr gwenwynig ei dwca.
JHJ. GG. 51.

13. ACHUB CYFLEUSDRA=achub cyfle.

Byddaf yn achub *pob cyfleusdra* i dyngu mai myfi ydyw'r mwyaf *loyal* o'ch holl weision. [Ywain Taffy yn cyfarch John Bully]. Eapl. E(1). 6.

14. ACHUB PEN (RHYWUN). Ei amddiffyn yn llwyddiannus yn erbyn cyhuddiad neu ensyniad; ei ryddhau o sefyllfa sy'n ymddangos fel pe'n adlewyrchu'n anffafriol arno.

'Roedd pethau'n edrych yn ddu iawn ar y cyhuddedig, ond yn ffodus fe ddaeth dyn dieithr hollol ymlaen i *achub ei ben* trwy dystio iddo'i weld ddeng milltir i ffwrdd o fangre'r trosedd, ar union adeg ei gyflawni.

15. ACHUB Y BLEWYN A CHOLLI'R BWRN. Bod yn gynnil mewn pethau bach ac yn wastrafflyd mewn pethau mawr. S. *Penny wise and pound foolish.*
Gallai gyfleu hefyd y syniad o golli peth pwysig a hanfodol trwy or-ofal am fanion dibwys. O GPC y cefais yr ymadrodd gwych hwn o lafar Ceredigion. 'Bwrn'= baich, llwyth.

ADAIN (ADEN)

16. O DAN ADAIN (neu ADENYDD neu EDYN rhywun). O dan ei amddiffyn, ei nawdd, ei ofal; yn ei gysgod, "megis y casgl iâr ei chywion dan ei hadenydd" (Math. 23. 37).

Mae gennyf fi barch dauddyblyg iddo [Evan Jones, Gwernffynnon] oherwydd o *dan ei aden* ef y dysgais ddarllen. DO. RL. 23.

. . . bydded dy obrwy yn berffaith gan Arglwydd Dduw Israel, yr hwn y daethost i obeithio *dan ei adenydd.* Ruth 2. 12.

Nes myned heibio'r aflwydd hyn
Dan d'edyn ymgysgodaf.

EP. SC. Salm 57. 1.

17. CAEL Y GWYNT O DAN EI ADAIN. Cael hwyl ac arddeliad wrth areithio neu bregethu.

Efallai bod cynllunydd yr hen gapel yn fwriadol yn gosod y pulpud rhwng y ddau ddrws a hynny yn ddigon uchel i roi iddo [y pregethwr] *wynt o dan ei adain.* Wel, cafodd llawer o'r hen bregethwyr y *gwynt o dan eu hadenydd* ym Mhulpud y Pandy, nid o'r ddau ddrws, ond o ddrysau eraill, 'a drysau y nefoedd a agorwyd'. RDW. (Ysgrif a gyhoeddwyd gydag adroddiad blynyddol Capel (M.C.) Pandy Tudur 1949).

Fel y mae'r gwynt yn cynnal ac yn cyflymu'r aderyn ar ei siwrnai, felly y caiff y siaradwr, ar dro o leiaf, ysbrydoliaeth sy'n rhwyddhau ei ehediadau areithyddol.

ADERYN

18. ADERYN BRITH. Cymhwysir yr ymadrodd at rywun o gymeriad go amheus. S. *a shady character.*

19. ADERYN DRYCIN. Llythr. Rhywogaeth o aderyn môr y tybir, heb sail fe ymddengys, fod ei bresenoldeb yn arwyddo stormydd i ddod. Hynny sy'n esbonio'r enw 'Cas-gan-longwr' a roir ar un math o'r adar hyn. Yr enw S. arno yw *Storm(y) Petrel.* Daw *Petrel* o'r Eidaleg, *Petrello*=Pedr Fychan, enw a roed arno oherwydd ei fod yn ymddangos yn cerdded ar y môr fel y gwnaeth, neu y ceisiodd, Pedr gynt (Gw. Math. 14. 25-31). Ond dywed T. G. Walker (*Adar y Glannau.* Tud. 15): "Mae'n ffaith y bydd ei draed gweog yn cyffwrdd â'r dŵr, eithr curiadau cyflym ei adenydd a'i ceidw i fyny mewn gwirionedd".

Yn ffig. defnyddir y term yn Gymraeg fel yn Saesneg i ddynodi rhywun sy'n ymhyfrydu mewn ffrae ac ymryson, neu rhywun y mae ei ddyfod yn rhagargoeli ffrwgwd neu derfysg.

20. ADERYN DU. Rhywun o gymeriad drwg.

Sylwodd y Dr. Cynddylan Jones, adeg y Diwygiad, fod yr ymweliad Dwyfol wedi peri i'r adar ganu; ac o holl gôr y wig mai'r *adar duon* a ganai orau. [Hynny yw, y cymeriadau gwaethaf gynt]. JHJ. GG. 67.

21. TIPYN O DDERYN (=o aderyn). Defnyddir, ar lafar yn bennaf, am berson direidus, afieithus; hefyd person cyfrwysgall (GPC); person henffel, ac un sy'n dipyn o 'gymeriad'. S. *a bit of a lad.*

(AD)NABOD

22. COLLI (AD)NABOD ar rywun. Bod cyhyd heb ei weld nes methu â'i .nabod o'i gyfarfod drachefn.

> Mae deugain mlynedd er pan welais o. 'Rydw i wedi hen *golli 'nabod* arno.

> Na, ni welir yr ystori fach . . . [Ystori anghyhoeddedig o waith yr awdur] ac y mae ar hyn o bryd yn ddiogel rhag chwilfrydedd y byd. Efallai y byddaf fy hun wedi *colli adnabod* arni cyn bo hir. THP-W. Ll. 49.

ADREF

23. HYD ADREF. Y mae 'dod adref' gan amlaf yn gyfystyr â dod i'r fan lle bydd pen y siwrnai. Felly *hyd adref*= bob cam o'r ffordd, i'r pen, i'r eithaf. Gwanu'r cleddyf hyd adref=ei wanu hyd at y carn. Curo'r hoelen adref= ei churo i mewn hyd at ei phen.

Y darlun olaf yma o guro hoelen sydd tu ôl i ymadroddion fel 'gyrru'r neges (gwers, cenadwri, y pwynt mewn ymresymiad) adref' h.y. ei chael yn effeithiol i feddwl y gwrandawr a'i sicrhau yno (gw. 508). Cf. S. *drive the message* (*lesson, point*) *home to the listener*. Yn y rhain ni chrybwyllir yr hoelen ond mae'r darlun ohoni'n ddealledig tu ôl i'r termau haniaethol (neges, gwers etc.). Weithiau, fodd bynnag y termau haniaethol sy'n ddealledig, fel e.e. yn y dyfyniad hwn:

> Nid oedd ei hafal [Puleston Jones] am ddyfynnu dywediadau i bwrpas ac adrodd stori i *guro'r hoelen adref*. RWJ. JPJ. 284.

Mewn ymadrodd fel 'talu'r pwyth *hyd adref*' ystyr y geiriau yw 'yn llawn'. S. *pay the debt* (neu *grudge*) *in full*.

Yr un yw'r ystyr yn y frawddeg a ganlyn:

> . . . fel y gwaeddai'r Diawliaid gan eu poen eu hunain, gwnaent i'r Damniaid eu hateb *hyd adre*. EW. BC. 91.

ADWY

24. ADWY. Yn llythr. bwlch, man anghyfan mewn mur, gwrych neu'r cyffelyb.

Ebe Edmwnd Prys, "Llwm yw'r yd lle mae'r *adwy*"— am fod yno gyfle i anifeiliaid dorri i mewn, am fod yno sathrfa, a hefyd efallai am fod yno oerwynt mwy deifiol. Yn ffig. fe'i defnyddir ar dro yn yr ystyr o 'gyfle' e.e.

Os gall y rhai sy yma [= y cynghorion buddiol yn y llyfr] dy gadw a'th gadarnhau yn dy ddyletswydd . . . cymer hwy yn yr *adwy* gyfleusaf y barnech hwynt er dy les. EW. RBS. (Rhagymadrodd).

Ond, fel arfer, ei ystyr yw lle gwag, man gwan, sefyllfa beryglus argyfwng. Clywir yn fynych ymadroddion fel 'Gwnaeth angau *adwyau* yn y gymdeithas yn ddiweddar' (Cf. 'bylchu'r rhengoedd' mewn ystyr gyffelyb).

25. CADW ADWY. Yn ffig. amddiffyn achos ar adeg argyfyngus (Gw. y dyfyniad o GGl yn yr erthygl nesaf).

26. CAU'R ADWY. Yn ffig. diogelu'r sefyllfa.

Ni wn, wedi Pilstwn, pwy
A geidw, nac a *gae adwy*. (Marwnad Siôn ap Madog Pilstwn. GGGl. 63).

. . . a thi a elwir yn *gaewr yr adwy*. Es. 58. 12.
(*"a rebuilder of broken walls."* NEB).

27. DYFOD I'R ADWY. Dod i gynorthwyo mewn argyfwng. Cynnwys yr ymadrodd fel rheol y syniad o gymryd lle rhywun arall a fethodd, o fodd neu anfodd, ag ateb rhyw alw.

Ar y funud olaf methodd y siaradwr penodedig â chadw ei gyhoeddiad ond *daeth N. i'r adwy* a chafwyd ganddo araith rymus.

Weithiau ceir NEIDIO I'R ADWY yn yr un ystyr, ond gyda mwy o awgrym brys a chyffro.

28. SEFYLL YN YR ADWY. Bod yn gymorth mewn argyfwng.

Ni *safasoch yn yr adwyau*. Esec. 13. 5.

Weithiau yn y Beibl 'sefyll *ar* yr adwy' a geir. Yr un yw'r ystyr.

Ceisiais hefyd ŵr ohonynt . . . i *sefyll ar yr adwy* o'm blaen dros y wlad . . . ac nis cefais. Esec. 22.30.
(*'Stand in the breach'* NEB).

Gw. hefyd Salm 106. 23.
Gair cyfystyr ag ADWY yw BWLCH a gellid rhoi'r naill yn lle'r llall yn yr holl enghrau. uchod.
Gw. o dan BWLCH. (304-9).

29. YR ADWY EITHAF. Awr angau; y *bwlch* rhwng deufyd.

ADDEWID

30. ADDEWID MEWN DIOD. Addewid a roddir dan orfod amgylchiadau, neu er mwyn mantais munud awr, ac na fwriedir o ddifrif ei chadw. Tarddiad yr ymadrodd yw hen chwedl a geir ymhlith Damhegion Esop, (fe geir fersiwn Gymraeg ohoni yn *Chwedlau Odo*), sy'n dweud am lygoden ar fin boddi mewn padellaid o win. Daeth cath heibio a'i hachub rhag y gwinllyd fedd, ond nid cyn cael addewid gan y llygoden y deuai at y gath unrhyw adeg y galwai honno arni yn y dyfodol. Yn ddiweddarach pan fynnai'r gath, a hithau ar ei chythlwng, iddi gywiro'r addewid, gwrthododd y llygoden, gan ddweud mai meddw ydoedd pan addawsai'r fath beth!

31. CYWIRO ADDEWID. Ei chadw. S. *fulfil a promise.* Ym Mabinogi Pwyll Pendefig Dyfed y mae Rhiannon yn gwneud oed (yn trefnu amser a lle) i gyfarfod â Phwyll; yna

> "Yn llawen", eb yntau, "a mi a fyddaf yn yr oed hwnnw."
> "Arglwydd", eb hi, "trig yn iach a chofia *gywiraw dy addewid*".
> WM. 10.

Gellir defnyddio'r gair 'cywiro' ar ei ben ei hun yn lle'r ymadrodd llawn lle bo cyfeiriad blaenorol at addo.

> Hawdd addo, anodd *cywiro*. D.
>
> Mi addewais . . . ysgrifennu atoch eilchwyl . . . ac yn awr dyma fi'n *cywiro*. LlGO. 71.

32. GWLAD YR ADDEWID. Gwlad Canaan, yr addawodd Duw i Abraham y câi ei ddisgynyddion ei meddiannu. Hefyd, yn gyfystyr, TIR YR ADDEWID. Gw. Heb. 11. 9.

Yn ffig. unrhyw wlad, neu stad, o ddedwyddwch.

33. OED (OEDRAN) YR ADDEWID. Deg a thrigain oed. At y geiriau yn Salm 90. 10 y cyfeirir yn yr ymadrodd. "Yn nyddiau ein blynyddoedd y mae deng mlynedd a thrigain; ac os o gryfder y cyrhaeddir pedwar ugain mlynedd, eto eu nerth sydd boen a blinder". Nid addewid sydd yn yr adnod mewn gwirionedd, ond dewisodd ein tadau ei dehongli i olygu mai 70 ml. o oes yw'r eithaf y mae gan ddyn hawl resymol i'w *ddisgwyl* ar y ddaear.

> Canmolai [yr hen wraig yn yr ysbyty] ei lle. Diolchai am gael byw i gyrraedd *oed yr addewid*. MH. Mn. 18.

34. OEDI ADDEWID. Methu â chywiro addewid; gohirio cadw addewid.

Bedd gan Wiliam Wmffra [y torrwr beddau] oedd yr unig beth a ddarperid yn brydlon a dj-siom yn y cwmwd . . . . . . Byddai teiliwr a chrydd yn *oedi addewid* . . . Ond siomodd Wiliam Wmffra neb am fedd. RDW. CT. 51.

ADDUNED

35. CYWIRO ADDUNED. Ei chyflawni. S. *fulfil a vow.*

Yr oedd arnaf fi aberthau hedd; heddiw y *cywirais fy adduned.* Diar. 7. 14.

cf. (31).

36. Ceir hefyd TALU ADDUNED yn yr un ystyr.

I Ti y *telir* yr *adduned.* Salm 65. 1.

AEL

37. AEL. Yn llythr, rhan isaf y talcen uwchlaw'r llygad. S. *brow, eye-brow.* Yn ffig. defnyddir am *ben* bryn, ymyl neu *ddibyn* craig etc.

(Hwy) . . . a'i dygasant ef hyd ar *ael y bryn* . . . ar fedr (134) ei fwrw ef bendramwnwgl i lawr. Luc 4. 29.

38. AEL BORE (DDYDD). Gwawr, toriad dydd.

Gwelais ar glais dichlais dydd
Breuddwyd yn *ael boreddydd* . . . GDG. 107.

39. AEL NOS. Min nos. S. *nightfall.*

Mynnaist 'y mhaun ymannos;
Mynnwn dy gael *yn ael nos.*

Rhys Goch Eryri *(*i'r llwynog a laddodd baun y bardd). GBC. 92.

Ymannos=y nos o'r blaen.

40. CODI'I HAELIAU. Wrth sôn am y tywydd, dywedir "Mae hi'n codi'i haeliau" pan fo hi'n tegeiddio a goleuo. Mae aeliau dyn yn gostwng pan fo'n cuchio ac yn codi pan fo'n gwenu.

AELOD

AELOD. (1) Llythr. rhan o'r corff, fel pen, braich, troed etc. S. *limb, member.* Dyma'r ystyr mewn ymadrodd fel

41. Y PEDWAR AELOD, h.y. y ddwyfraich a'r ddwygoes a'r chwarter o'r corff sydd ynglŷn â phob un, fel y byddid gynt yn torri i fyny gorff un a geid yn euog o deyrnfradwriaeth. S. *quarter*. Torrid y pen hefyd, wrth gwrs, a dyna rym yr ymadrodd nesaf:

42. PEDWAR AELOD A PHEN. Bellach defnyddir hwn mewn dau ddull;

(a) i ddisgrifio rhyw rannu mwy ciaidd na'i gilydd.

(b) fel term am y corff cyfan, fel yn y disgrifiad canlynol o ddau ddringwr yn crafangu ar lithrigfa fynyddig.

Dau gorff yn *bedwar aelod a phen* yn fflat a uchelder llethrog.
RW. W. 32.

43. TYNNU (RHYWUN) YN BEDWAR AELOD A PHEN. Ffig. Ei feirniadu yn ddi-drugaredd o anffafriol.

44. AELOD (2). Ffig. Daethpwyd i ddefnyddio'r gair i ddisgrifio rhywun sy'n perthyn i 'gorff' o bobl: plaid, cymdeithas neu fudiad.

Anrhydedd yw cael bod yn *aelod* o Lys yr Eisteddfod,

Pan enillo dyn yr hawl i berthyn i'r 'corff' Llywodraethol daw'n *aelod* senedd(ol).
Ond yr enghr. amlycaf o'r ystyr hwn yw *aelodaeth eglwysig*. Rhoir ar yr Eglwys Gristnogol o ddyddiau'r TN ymlaen yr enw 'Corff Crist' ac ystyrir y Cristion yn *aelod* yn y corff hwnnw. Y traethiad clasurol ar y pwnc, wrth gwrs, yw I Cor. 12.

AELODAETH

45. TOCYN AELODAETH (PAPUR AELODAETH). Y ddogfen sy'n ddangosiad swyddogol fod un yn perthyn i eglwys neu gorff arall.

AELWYD

46. CYNNAU TÂN AR HEN AELWYD. Adnewyddu hen serch neu gyfeillgarwch. Defnyddir fynychaf am fab a merch yn ail-gychwyn cyfathrach a fu rhyngddynt unwaith ond a ballodd am gyfnod. Ond nis cyfyngir i'r defnydd hwn.

Wedi i Hengist fel hyn ymgynhesu â'r brenin di-doreth (a hawdd *cynnau tan yn hen aelwyd*) yno ei ferch Rhonwen a ddaeth i ymweled ag ef. TE. DPO. 108.

AFON

47. AFON ANGAU. Marwolaeth. Mae'r ddelwedd hon mor gyffredin yn ein llenyddiaeth, ac yn arbennig yn ein hemynau, fel nad oes raid dyfynnu enghreifftiau. Wrth gwrs ceir y syniad y tu allan i'r traddodiad Cristnogol. Yn chwedloniaeth Groeg, er enghraifft yr oedd afon a elwid Styx yn llifo rhwng byd y byw a byd y cysgodion, a Charon ("hen gychwr *afon angau*") yn cludo yn ei gwch bregus ysbrydion y meirw i'w trigfod trist yn yr is-fyd. Arferid rhoi darn o arian yng ngenau'r marw i dalu i Charon am ei wasanaeth.

48. AFON IORDDONEN. Afon angau. Y mae emyn enwog Ieuan Glan Geirionydd, 'Ar lan Iorddonen ddofn' heb sôn am lu eraill, wedi'n cynefino â chyfystyru Iorddonen ag afon angau. Nid yw'n anodd deall sut y digwyddodd hynny. Fel yr oedd yn rhaid i'r Israeliaid groesi Iorddonen i ddod i Wlad yr Addewid, felly trwy afon angau yr â'r Cristion trwodd i'w nefoedd. Sylw cwta y *Geiriadur Beiblaidd* ar y syniad, fodd bynnag, yw, "Nid oes dim sail yn y Beibl i'r gymhariaeth"!

49. CROESI'R AFON, sef afon angau. Marw.

> Yr oedd y meddyg newydd adael yr ystafell gan fwriadu dychwelyd yn fuan gyda rhyw feddyglyn i gynorthwyo mam Enoc i *groesi yr afon*, neu mewn geiriau eraill, i farw. DO. EH. 15.

50. YN RHYDIAU'R AFON. Lle i groesi afon oedd 'rhyd'. Felly mae 'bod yn rhydiau'r afon' yn gyfystyr â chroesi'r afon=bod ar wely angau. Gw. (49).

> Yr oedd yn haws ganddi aros ar ei thraed am dridiau a theirnos heb roddi hun i'w hamrantau, i weini ar un o'i chyd-fforddolion oedd *yn rhydiau'r afon* nag adrodd yr adnod leiaf yn y seiat. RDW. CT. 62.

AFFETH (gynt AFFAITH)

51. AR AFFETH Y DDAEAR. Dull pwysleisiol o ddweud *ar y ddaear*.

> Cofiodd mai mewn lle o'r enw Frongoch y carcharwyd y Gwyddelod ym 1916 ond na wyddai ar *affeth y ddaear* ym mha le yr oedd y lle hwnnw. LlB. D. 281.

52. AR AFFETH HON Y DDAEAR. (Mwy pwysleisiol fyth).

"Thomas Bartley, . . . beth oedd yn galw am i Iesu Grist farw trosom?" "Wel, cyn belled ag yr ydw i'n dallt . . . 'doedd *dim ar affeth hon y ddaear* yn galw am iddo farw droston ni ond ei fod yn licio gwneud hynny. DO. RL. 168.

Pwy, beth, pam, sut, ble, pryd ar affeth (hon) y ddaear . . .? S. *Who, what, why, how, where, when on earth . . .?*

NODIAD: Y mae amryw ystyron i'r gair 'affaith' (gw. GPC) ond nid yw'n hawdd esbonio sut y daethpwyd i'w ddefnyddio yn yr ystyr uchod. Fe'i ceir yn y BC:

Mae gennych lawer o swyddogion yn y Dwyrain heb wneud *affaith* ond eiste'n lle edrych at boeni eu carcharorion.
EW. BC. 128-9.

Yma y mae 'affaith' fel pe'n golygu 'ychydig iawn' neu 'dim'.

AGOR(YD)

Yn ychwanegol at ei ystyr lythr. ceir 'agor' mewn ymadroddion fel y rhain;

53. AGOR RHES (RHYCH). S. *dig a trench.*

54. AGOR DADL (TRAFODAETH). Cymryd y rhan gyntaf ynddi. S. *to open a debate, discussion.*

55. AGOR Y MATER. Term technegol ymhlith ymneilltuwyr am gychwyn trafodaeth ar bwnc gosodedig (=y mater) mewn cyfarfodydd arbennig.

56. AGOR(YD) YR YSGRYTHURAU. Eu hesbonio.

Onid oedd ein calon ni yn llosgi ynom tra . . . ydoedd efe yn *agoryd* i ni yr ysgrythurau? Luc 24. 32.

Ysbryd Sanctaidd, dyro'r golau
  Ar dy eiriau di dy hun;
Agor, inni'r *Ysgrythyrau,*
  Dangos inni Geidwad dyn.
ER. LlEM. 282.

AGORED

57. MEDDWL AGORED. Meddwl di-duedd, di-ragfarn.

58. LLAW AGORED. Haelionus.
Marged law agored gynt. BGO. 32.

59. TYWYDD AGORED. Tywydd claear, heb rew.

60. CADW'R CORFF YN AGORED. S. *to keep the bowels open.*

61. AWYR AGORED. S. *open air.*

62. PENAGORED. Gadael pwnc yn benagored: ei adael heb benderfynu'r naill ffordd na'r llall.

63. YN AGORED I FETHU. Mewn sefyllfa y mae'n bosibl iddo fethu. S. *liable to fail.*

Rhaid i gynhyrfiad y foment mewn un felly [dyn â'i lond o dân] fod ar y cyfan yn dda, onide, fe'i gesyd ei hun bob dydd o'i einioes yn *agored i fethu.* JPJ. Ysg. 14.

AGORIAD

64. AGORIAD LLYGAD. Profiad sy'n dwyn goleuni neu wybodaeth newydd ar sefyllfa neu bwnc, gyda'r awgrym, gan amlaf, ei fod yn gwrthdroi hen syniadau. S. *eye opener.*

. . . darlithiais draw ac yma draws y Taleithiau nes cyrraedd Canada a Montreal. Bu'r daith yn *agoriad llygad* a chalon . . . cefais syniad am eangder di-glawdd y cyfandir anferth . . . JHJ. GG. 158.

AGOS

65. AGOS-AT (rywun). Cynefin, hawdd bod yn hoff ohono.

Peth anghynefin ydyw [tywod] i lanc o'r mynydd. Nid yw, fel gro'r afon . . . yn sylwedd sy'n *agos-ato.* THP-W. Y. 43.

66. AGOS I'M LLE. Bucheddol; rhinweddol fy ymarweddiad. Gw. (1077).

ANGOF

67. TIR ANGOF. Ebargofiant. S. *oblivion.*

A adwaenir dy . . .gyfiawnder yn *nhir angof*? Salm 88. 12. CSA. *land of forgetfulness.* NEB. *land of oblivion.*

68. GADAEL YN ANGOF. Anghofio.

A'r disgyblion a *adawsant yn angof* gymryd bara . . . Marc 8. 14.

Defnyddir *gollwng yn angof* yn yr un ystyr a'r un modd. Gw. (555).

ANGOR

69. BWRW ANGOR. Gw. (320).

70. CODI ANGOR. Cychwyn ar fordaith; hwylio ymaith; S. *weigh anchor*.

Mae'r *angor wedi godi'n* glir
A Huwcyn wrth y llyw.

JGD. CHP.

71. WRTH ANGOR. Wedi angori. S. *at anchor*. Cf. cymhariaeth odidog RWP.

Pan siglai'r hwyaid gwylltion
Wrth angor dan y lloer . . .

RWP. CG. 6.

AIL

72. AIL BOB (EILBOB). Wedi ei ail bobi neu ei ail goginio. Yn ffig. cymhwysir yr ymadrodd hwn o fyd coginiaeth at hen ddeunydd (syniadau, opiniynau, dadleuon, chwedlau etc.) wedi ei lunio a'i gyflwyno o'r newydd mewn ffurf neu ddull gwahanol. Gw. yr erthygl nesaf. Am enghr. gw. (77).

73. AIL BOBI. Y proses y cyfeirir ato yn (72).

Gwelir yn [Histori Susanna—yn yr Apocryffa] hefyd olion *ail-bobi* hen draddodiad am ddau henuriad yn llithio gwragedd priod.

D. Francis Roberts. Geir. Beibl. 1315.

74. AIL DWYM (EILDWYM). Wedi ei ail-dwymo. Ymadrodd tebyg o ran ystyr a defnydd i 'ail-bob'. Gan amlaf fe'i defnyddir yn y cyfuniadau 'cawl eildwym', 'potes eildwym'. Gw. (1285).

75. AIL I'M LLE. Cyfystyr ag AGOS I'M LLE. (66).

yr oedd yn hynod ddestlus yn ei wisg ac yn bur *ail i'w le* yn ei ymarweddiad. KR. LW. 129.

76. AIL I DDIM. Y nesaf peth i ddim. S. *next to nothing*.

[Cyn i bâr ifanc briodi] os oedd tipyn o bres gan un o'r ddau, fe soniwyd mwy na digon amdanynt hwy; ond am berthynas ddirgel ei gilydd â Duw yng Nghrist ni wyddant fe allai, ond *ail i ddim*.

JPJ. GD. 20.

77. AIL LAW. (Gw. hefyd 1051). Defnyddir y gair nid yn unig am nwyddau (dillad, llyfrau, cerbydau modur etc.) a fu'n eiddo rhywun arall cyn dod i feddiant eu perchennog presennol, ond hefyd yn ffig. i ddisgrifio syniadau, opiniynau, teimladau etc. wedi eu derbyn gan arall yn hytrach na bod yn wreiddiol. *'Tystiolaeth ail-law'* yw un a gafwyd gan rywun heblaw'r tyst uniongyrchol. S. *hearsay evidence.*

Fe fydryddodd ac fe awenyddodd* hi'r pethau hyn [cyffroadau, geirweddau etc. y Diwygiad Methodistaidd] a oedd yn ail-law ac yn ail-bob (72) i raddau, ac fe'u cyhoeddwyd ac fe'u canwyd. THP-W. M. 51-2.
*Ann Griffiths.

78. BOB YN AIL. Un yn gyntaf, yna'r llall, ac felly ymlaen rhwng dau yn eu tro. S. *alternately.*

Sicrheaist y nefoedd a'r ddaear mewn trefn ryfedd, gan ordeinio dydd a nos i gyfnewid *bob yn ail.* EW. RBS. 45.

Â'r un ystyr yn union ceir AR YN AIL.

79. CAEL AIL. Cael siom (gydag awgrym yn fynych fod y sawl a siomir yn haeddu hynny, a bod ei siom yn rhoi boddhad i'r sawl sy'n dweud yr hanes).

'Roedd o wedi cymryd yn ganiataol mai fo fyddai'r Cadeirydd. Ond mi *gafodd ail.* (neu *ail gafodd o*).

80. HEB AIL (HEB FY AIL, DY AIL, etc.). Heb neb cyffelyb iddo. S. *peerless.*

Y mae un yn unig, ac *heb ail;* ie, nid oes iddo na mab na brawd. Preg. 4.8.

ALFFA

81. ALFFA AC OMEGA. Y dechrau a'r diwedd, y cyntaf a'r olaf. *Alffa* yw llythyren gyntaf yr Wyddor Roeg ac *Omega* yw'r olaf.

Mi yw *Alffa ac Omega,* y dechrau a'r diwedd, medd yr Arglwydd . . . Dat. 1.8.

Arian yw *alffa ac omega* bywyd ambell un.

ALLAN

82. ALLAN O DREFN.
(a) heb fod yn y lle priodol mewn cyfres neu restr.
(b) heb fod yn gweithio'n briodol; mewn cyflwr anfoddhaol.
Mae f'ystumog *allan o drefn.*

(c) heb fod yn unol â'r rheolau.
Y mae'r cynnig *allan o drefn.*

Yn (a), (b) ac (c) y Saesneg cyfatebol yw *'out of order'*.
Yn nhafodiaith y De: maes o drefn.

83. ALLAN O HWYL.
(a) heb fod yn gweithio'n briodol.
Mae'r wats yma *allan o hwyl.* S. *out of order.*
(b) heb fod mewn cywair da —
1.) o ran corff. Mae o allan o hwyl. S. *he is out of sorts.*
Yr oedd efe ryw ychydig *allan o hwyl* a chyngor ei feddygon oedd yfed dwfr-ffynnon bob bore. TE. DPO. 125.
2.) o ran ysbryd.
Mae o allan o hwyl. S. *he is in a bad mood.*

Yn nhafodiaith y De: maes o hwyl.

84. ALLAN O HYDION. Am amser hir iawn. 'Hydion' yw lluosog 'hyd' (sef, yma, hyd o amser).
Bu'n rhaid imi aros yn y syrjeri *am allan o hydion.*
S. (slang): *for ages.* Gw. (1019).

85. ALLAN O LAW. Yn union, yn ddi-atreg.
S. *immediately.*
Ac *allan o law* y cafodd efe ei olwg. Luc 18. 43.

NODIAD: Dylid sylwi yn yr achos hwn, yn wahanol i (82) a (83) uchod na ellir rhoi 'maes' y Deau yn lle 'allan' y Gogledd heb newid yr ystyr. 'Allan o law'= yn ddi-oed wedyn. 'Maes o law'=ymhen ysbaid, byr neu hir, wedyn. Nid annhebyg yw'r gwahaniaeth rhwng 'yn y fan' ac 'yn y man'. Gw. (1052) (1134).

86. ALLAN O RESWM. Afresymol.
Canys *allan o reswm* y gwelaf fi anfon carcharor, heb hysbysu hefyd yr achwynion a fyddo yn ei erbyn ef.
Act. 25. 27.

87. ALLAN O RIFEDI. Rhy aml i'w cyfrif; aneirif.
Myfi Esdras a welais ar fynydd Seion dyrfa o bobl *allan o rifedi.* 2 Esd. 2. 42.

88. O HYN ALLAN. Ar ôl hyn.
A hwythau [yr Iddewon] gwedi ymosod yn ei erbyn . . . [Paul] a ddywedodd wrthynt . . . o *hyn allan* mi a af at y Cenhedloedd. Act. 18. 6.

89. O HYNNY ALLAN. Ar ôl hynny.

O hynny allan llawer o'i ddisgyblion ef a aethant yn eu hôl. Io. 6. 66.

ALLT

90. MYND I LAWR YR ALLT.

(a) heneiddio; bod wedi pasio preim oes.

'Rwy'n mynd i *lawr yr allt*
Ers talwm;
A gwynnu mae fy ngwallt
Ers talwm.

Hen gerdd wlad.

(b) dirywio o ran iechyd; nesu at farw.

Mynd i *lawr yr allt* y mae o bob dydd. Fydd o ddim yma'n hir eto.

Ystyr y Gogledd i *allt* a geir yma, sef *rhiw,* nid ystyr y Deau (llechwedd o goed).

(c) dirywio o ran moes.

Un hogyn sy gen i, a mae o wedi mynd yn hogyn drwg. Mae o yn y jêl rwan . . . Rhywsut fedrwn i ddim gofyn i Dduw helpu fy hogyn i pan aeth o i *lawr yr allt*. KR. TH. 16-17.

AM

91. Rhestrir yn GPC nifer o briod-ddulliau a chystrawennau'r arddodiad AM ond hyd y sylwais ni chyfeirir at un o'r rhai mwyaf diddorol, lle y defnyddir 'am' yn ebychiadol o flaen enw, berf neu ansoddair i fynegi syndod (pleserus neu fel arall), yn debyg i'r fel y defnyddir 'what' yn S. mewn ymadroddion fel, 'What a fine day'!, 'What a piece of work is man' (Shakespeare, Hamlet ii 2), 'What shocking behaviour!'

Am ddiflas oedd y daith.
Am ganu'n goch wnaeth y cor.
Am sŵn nefolaidd yw sŵn yr awel yn y coed. *Am* olygfa fendigedig yw gweld deilen frowngoch yn siglo ac yn chwifio i lawr o'r brigau. JGW. MM. 13.

92. AM Y . . . A . . . Priod-ddull byw a chynnil iawn yw hwnnw lle defnyddir y cyfuniad *Am y . . . â . . .* yn golygu *yr ochr arall i . . .* Ceir dwy enghraifft yn yr hen ddihareb.

Gwell *am y pared* â dedwydd nag *am y tân* â diriaid. WS. OSP.

NODIAD. 'Diriaid'=dyn drwg, a hefyd dyn anffortunus, â phopeth yn ei erbyn. Dedwydd=hapus, ffortunus, â phopeth o'i blaid. (Gw. IW Canu Llywarch Hen 71, 173).

Lle go braf [: y fynwent], Mr. Wyn, i hen bysgotwr fel chwi — y samons a'r brithyll yn neidio wrth erchwyn eich gwely; ac *am yr afon â chi,* ar ddiwrnod ffair, sŵn yr organ a'r saethu. RGB. LlD. 56.

Ond ar y dwfr sydd *am y llen â'r llwch*
Ni frysia'r Cychwr, canys hen yw'r cwch.
RWP. CG. 74..

93. AM Y(R) . . . Y mae priod-ddull arall yn dechrau ag am y(r) . . . ond â berf yn dilyn yn lle enw, a chyda'r ystyr *cyn belled â* . . . S. *so long as; provided that.*

Am yr adroddaf y ffeithiau yn gywir pa bwys am y dyddiad? DO. S.1.

Am y gwneler y gwaith ni waeth amcan pa arfau a gymerer . . . EW. RBS. (Rhagymadrodd).

Cymerwch eich dewis ohonynt [: esgusion] neu'r cwbl ynghyd os mynnwch, *am y rhoddwch* i mi faddeuant. LlGO. 50.

AMCAN

94. AMCAN O'R HIN. Dyna ymadrodd hen almanaciwr o'r ddeunawfed ganrif am ei ragfynegiad o'r tywydd. O gofio mai un o ystyron 'amcan' yw 'dyfaliad' hwyrach y gwnâi hwn lawn cystal gair â 'rhagolygon y tywydd' am '*weather forecast*' proffwydi'r radio a'r teledu. Gwell efallai!

95. AR AMCAN. AR FY AMCAN. Ar antur, ar siawns.

A rhyw ŵr a dynnodd mewn bwa *ar ei amcan* ac a drawodd frenin Israel rhwng cysylltiadau y llurig. 1 Bren. 22. 34.

96. BRAS AMCAN (AM RYWBETH neu O RYWBETH). Syniad cyffredinol amdano, crap arno, amlinelliad ohono, amcangyfrif heb fod yn rhy fanwl ohono. S. *general idea, rough idea, outline, rough estimate.*

Cyrhaeddwyd Cork am dri o'r gloch y prynhawn, mewn pryd i gael *bras amcan* am y dref a'i hadeiladau cyn oedfa'r hwyr. JHJ. M. 140.
Heb ymdroi rhagor dyma *fras amcan* am yr hyn a wnaed ac a ddywedwyd yn y cyfarfod. JHJ. M. 49.
Rhoes y Trysorydd ryw *fras amcan* o gostau'r cynllun.

97. GWYBOD AMCAN. Bod â rhywfaint o syniad.

Mi a wn *amcan* pa le mae Tref Castell yn sefyll.
LlGO. 11.

98. TRAWSAMCAN=BRASAMCAN. Gw. (96).

. . . . a'ch bod chwithau [Richard Morris] yn gorchymyn yn bendant imi roi rhyw *drawsamcan* o'm hanes. LlGO. 7.

AMGEN(ACH)

99. GWYBOD YN AMGEN(ACH). Mae dwy ystyr i AMGEN neu AMGENACH sef (1) gwahanol a (2) gwell. Yn yr ymadrodd GWYBOD YN AMGEN(ACH) gall olygu'r naill neu'r llall, neu'r ddau.

(1) . . . hwy a fwytasant y Pasg yn *amgenach* nag yr oedd ysgrifenedig. 2 Cron. 30. 18.

(2) Yn iach, fy rhiain feinddyn,
Gan na chaf *amgenach* hyn.
DGG. 134.

NODIAD. Fel rheol dilynir AMGEN gan 'na(g)': . . . 'na byddo i neb uchel synied yn *amgen nag* y dylid synied.' Rhuf. 12. 3. Ond sylwer ar: 'Pa hyder a ddylai ddyn ei roddi mewn hir einioes wrth weled nad yw holl einioes dyn ddim *amgen ond* marwolaeth hwyrfrydig?'
RF. YDdu. 119

Gw. hefyd (641).

100. NID AMGEN. 'Sef'; 'hynny yw'. S. *namely*.

. . . mi a ddiwreiddiaf yr hyn a blennais, *nid amgen* yr holl wlad hon. Jer 45. 4.

101. NEB AMGEN. Neb llai. S. *none other (than)*.

Pwy dybiech chi ddaeth i'm gweld heddiw? *Neb amgen* na'r Cadeirydd ei hun.

102. OS AMGEN. Onidê, os yn wahanol. S. *otherwise*.

Gochelwch rhag gwneuthur eich elusen yng ngŵydd dynion, er mwyn cael eich gweled ganddynt. *Os amgen* ni chewch dâl gan eich Tad . . . Math. 6. 1.

103. PE(D) AMGEN. Pe bai'n wahanol; S. *otherwise*.

Yn nhŷ fy Nhad y mae llawer o drigfannau, *a phe amgen*, mi a ddywedaswn i chwi. Ioan 14. 2.

AMGYLCH

104. AMGYLCH OGYLCH. S. *round about*.

Ac efe a wnaeth imi fyned heibio iddynt [yr esgyrn sychion] *o amgylch ogylch*. Esec 37. 2.

AMHEUTHUN

105. Defnyddir AMHEUTHUN (enw ac ansoddair) i olygu:

(1) rhyw flasusfwyd nas ceir yn aml, ac sy'n fwy derbyniol oherwydd hynny.

> Mi fynnwn heno gael dy gig
> Yn rhost *amheuthun* ar fy mord.
>
> RWP. HCE. 21.

Yn ffig.

> Yng Nghaernarfon y cefais gyfle i glywed yr Hybarch Robert Jones, Llanllyfni, ac anodd penderfynu prun ai ei weld ynteu ei glywed oedd fwyaf *amheuthun*. JHJ. GG. 39.

> . . . byddai ef, fel rheol, a gormod ganddo i'w ddywedyd ac mewn tŷ lle na chlywid ond grwndi'r gath ar hyd yr wythnos yr oedd hynny'n beth *amheuthun* iawn.
>
> KR. OGB. 22.

(2). rhywbeth newydd ac anarferol.

> Mae'r tlawd yn gwledda'n fynychach na'r cyfoethog am fod pob gwellhad bychan yn wledd i'r tlawd, ond yr hwn sydd mewn gwledd bob amser nid yw e'n gwledda un amser, am nad oes le iddo gael dim dieithr ac *amheuthun*.
>
> EW. RBS. 234.

(3). rhywbeth prin.

Medd hen ddihareb, Nid *amheuthun* llawer, ac yn y Bardd Cwsg sonia Ellis Wynne am 'yr *amheuthun* mawr o wenu yn uffern'!

AML

106. YN AMLACH NA HEB. Fel rheol, gan amlaf.

> Nid trwy gystadlu y mae bardd ifanc yn bwrw ei brentisiaeth bellach, ond *yn amlach na heb* trwy gyhoeddi'i waith. ALlW. NNH. 49.

AMRANT

107. AR DRAWIAD AMRANT. Ar amrantiad. Yr amser a gymer i daro'r amrant uchaf ar yr isaf. S. *in the twinkling of an eye; in a wink*. Ceir hefyd, 'ar drawiad llygad.' Gw. I Cor. 15. 51.

108. RHOI HUN I'W AMRANT(AU). Cysgu.

> Mae yna ryw swyn yng ngherfiad y dŵr mewn ceunant . . . Cerfiwr yw hwn *na rydd hun i'w amrantau*.
>
> RDW. CT. 66.

Gw. hefyd Salm 132. 4 a Diar. 6. 4.

AMSER

109. MEWN AMSER AC ALLAN O AMSER. Yn wastadol, ar bob siawns posibl, cyfleus neu anghyfleus.

Pregetha y gair; bydd daer *mewn amser, allan o amser.* 2 Tim. 4. 2.

110. UN AMSER. Byth.

Hwy [angylion] a'th ddygant yn eu dwylo. rhag taro ohonot *un amser* dy droed wrth garreg. Math. 4. 6.

Ar lafar: 'n amser.

Fydd hi *'namser* yn rhydd o'r annwyd a'r peswch.

111. YN FY AMSER DA FY HUN. Pan fwyf i (yn hytrach na rhywun arall) yn ewyllysio.

"Chefais i byth air oddi wrth John".
"O mae'n siŵr o sgrifennu yn ei *amser da ei hun".*

112. UNWAITH YN Y PEDWAR AMSER. Y pedwar amser yw'r pedwar tymor. Felly, ystyr yr ymadrodd yw, yn anfynych iawn. S. *once in a blue moon.*

Ond odid di dy hun sy'n gwadu'r sgrythurau. Ac heb edrych arnynt *unwaith yn y pedwar amser.* MLl. 171.

Rhaid iti fyw megis tan law'r physygwr yn wastadol. Nid fel cymeryd mor-dafol, *unwaith yn y pedwar amser,* y mae i'r enaid roi cynghorion crefydd wrth ei friwiau.

EW. RBS. (Rhagymadrodd).

Fe fyddai fy mam yn gwahodd John i swper ryw *unwaith yn y pedwar amser* a ninnau'r plant yn cael aros ar ein traed y noson honno. THP-W. P. 35.

ANAD

113. YN ANAD NEB. O flaen neb, yn fwy na neb.

. . . Mor llygredig oedd ei wedd *yn anad neb;* a'i bryd *yn anad* meibion dynion. Es. 52. 14.

Geirda, rôi i gywirdeb; – yn bennaf
Ni dderbyniai wyneb,
A rhôi sen i drawsineb
A'i ganiad *yn anad neb.*

John Thomas, Pentrefoelas (i Dwm o'r Nant).

Gyda 'neb' a 'dim' (gw. yr erthygl nesaf) y defnyddir 'yn anad' amlaf, ond fel y dengys y dyfyniad cyntaf fe'i ceir hefyd gydag enwau.

114. YN ANAD DIM. Yn fwy na dim, o flaen dim.

Disgwylir i farnwr, *yn anad* undyn, fod yn ddiduedd *yn anad dim.*

Pregethwr *yn anad dim* ydoedd Daniel Rowland a cherddid o braidd bob ardal yng Nghymru i Langeitho i wrando ei bregethu. JHG. CNgh. 21.

ANADL

115. A'M HANADL YN FY NGWDDF. Ar golli fy ngwynt.

Ond ymhen ennyd dyma un o sbïwyr y brenin wedi dychwelyd ac *â'i anadl yn ei wddf*, ebr ef . . . EW. B.C. 126.

116. A'M HANADL YN FY NWRN. Gw. a'm gwynt yn fy nwrn (762).

Rhuthrodd Williams i'r tŷ ataf a'i *anadl yn un dwrn*, megis, a llythyr agored yn y llall. WJGr. SHF. 20.

117. A'M HANADL GYDA . . . Yn ôl GPC sonnir mewn rhai rhannau o'r Deau am rywun *'a'i anadl gyda'* e.e. y Toriaid, h.y. ei gydymdeimlad gyda hwy, ei duedd tuag atynt.

Cf. fel y dywedir yn y Gogledd, 'Ys gwn i ffordd mae'i wynt o?' h.y. ffordd y mae 'n tueddu o ran ei farn neu ei gydymdeimlad.

118. RHOI FY ANADL O BLAID rhywun neu rywbeth= ei gefnogi a'i gynorthwyo. RHOI FY ANADL YN EI ERBYN=ei wrthwynebu a'i luddias. Defnyddir y gair 'gwynt' yn lle 'anadl' yn y cysylltiadau hyn hefyd. Gw. enghr. (744).

ANFODD

119. O ANFODD FY NGÊN. Yn llwyr groes i'm hewyllys.

120. O'M HANFODD. Yn groes i'm dymuniad.

Ni ddug degan o'i *anfodd*
Gan fab, onid gan ei fodd.
Iolo Goch (am Owain Glyndwr). IGE. 34.

Gan ei fodd=gyda'i gydsyniad; y gwrthwyneb i 'o'i anfodd'.

Dychwelais *o'm* llwyr *anfodd* i'm tywarchen drymluog. EW. BC. 49.

121. RHWNG BODD AC ANFODD. Yn hanner-ewyllysgar. S. *reluctantly, half heartedly.*

[Iwl Cesar] a ymwrolodd drachefn ac a ddywedodd *rhwng bodd ac anfodd*. "Gwaradwydd . . . i ni ddychwelyd adref wedi dod cyn belled â hyn". TE. DPO. 30.

ANTERTH

122. Yn ôl y drefn Eglwysig o rannu'r diwrnod, *anterth* y gelwid y drydedd awr o'r dydd, sef naw o'r gloch y bore. Daeth y gair i'r Gymraeg o'r Lladin *ante tertiam* h.y. cyn y drydedd (awr). Fel y gair Saesneg cyfatebol, *tierce*, (yntau hefyd wedi dod drwy'r hen Ffrangeg o'r Lladin *tertia* (hora)=y drydedd awr) daeth *anterth* toc i olygu'r oriau rhwng naw o'r gloch a hanner dydd. Gan mai dyna'r oriau y mae'r haul yn dynesu at ei fan uchaf yn y ffurfafen, magodd *anterth* yr ystyr o uchafbwynt, S. *zenith*, mewn ymadroddion fel yn *anterth ei nerth* (=ar ei gryfaf); *dyn yn anterth ei fywyd* (=dyn yn ei breim).

Y mae'r ddelwedd o 'haul' sydd y tu ôl i'r defnydd hwn o'r gair yn eglur yn y llinellau hyn o soned RWP i Llewelyn Williams:

O'i godiad siriol hyd ei *anterth* hardd
Llosgodd ar danbaid hynt . . . RWP. HCE. 90.

Ond ymhlyg ydyw yn y dyfyniad nesaf:

Daw hyn a ni i derfyn tymor John Williams ym Mrynsiencyn ac i gyfnod ei *anterth* fel pregethwr. RRH. CJW. 131.

ANTUR

123. AR ANTUR. Efallai, o bosibl. S. *perhaps, perchance.*

Yno Awstin . . . a ddanfonodd am esgobion y Brutaniaid i edrych os *ar antur* a allai efe eu perswadio i gydnabod Pab Rhufain. TE. DPO. 251.

124. OND ANTUR. Efallai.

. . . *ond antur* efe a dderbyn fy wyneb innau. Gen. 32. 20

CSA: *peradventure.*

Ond yr awron, fe alle *ond antur* fod yn chwith ac yn rhyfedd gennych paham y bûm cyn hyfed . . . â'ch trwbliaw chwi â pheth cyn waeled ag yw'r llyfr hwn. HL. (yn cyflwyno ei lyfr, *Perl mewn Adfyd,* i'r Dr. Richard Fychan). HL. PMA. vii.

ANUDON

125. TYNGU ANUDON. Rhoi llw celwyddog, dweud anwiredd ar lw. S. *commit perjury.*

(a) clywsoch ddywedyd gan y rhai gynt, Na *thwng anudon.* Math. 5. 33.

CSA: *forswear thyself.*

(b) Os cafodd [dyn] beth gwedi ei golli, a dywedyd celwydd amdano, neu *dyngu yn anudon* . . . bydded iddo roddi yn ei ôl y peth wedi ei golli a gafodd efe . . . Lef. 6. 3, 4.

CSA: *sweareth falsely.*

Sylwer mai enw yw *anudon* yn (a) ond mai ansoddair (gydag 'yn' o'i flaen yn ffurfio adferf) yw yn (b). Ceir *anudon* hefyd fel enw'n golygu un sy'n tyngu llw celwyddog (anudonwr).

APED

gw. ATEB (169).

AR

(a) Defnyddir *AR* o flaen berfenw i fynegi'r syniad o weithred sydd ymron digwydd.
Dyma enghrau:—

126. AR DRENGI. Ymron marw.

127. AR DDARFOD. Ymron dod i ben.
Yr oedd y dydd *ar ddarfod.* Barn. 19. 11.

128. AR DDYFOD. S. *about to come.*
Canys gwêl fod ei ddydd *ar ddyfod.* Salm 37. 13.

129. AR FARW. Ymron marw.

130. AR FYGU. Ymron mygu.
. . . *ar farw* ac *ar fygu* gan y peswch. LlGO. 114.

131. AR GYCHWYN. S. *on the point of departure; about to start.* Ymadrodd byw yw hwnnw a geir ar lafar: Mae'r tŷ 'ma fel tae o *ar gychwyn,* h.y. mewn anhrefn neu chwalfa. Efallai mai'r hyn a roes fod i'r gymhariaeth yw bod y rhan fwyaf o bobl yn creu tipyn go lew o lanast wrth baratoi i fynd ar daith oddi cartref.

132. AR LWGU. S. *almost famished.*

133. AR WERTHU. S. *about to sell.*
Ac yntau ar werthu ei dir . . . EW. BC. 31.

(b) Gwell rhoi adran arbennig i:

AR FEDR ac AR FIN

134. AR FEDR (o flaen berfenw yn mynegi ystyr ddyfodol). Ar fin, S. *about to.*

. . . Canys hwn oedd *ar fedr* ei fradychu ef. Io. 6. 71.

Teimlir fod yma heblaw ystyr ddyfodol syml rhyw awgrym o fynegi *bwriad* hefyd ac y mae hynny'n gwbl eglur mewn enghreifftiau fel y rhain:

Pan oedd [Robin y Sowldiwr] o fewn dwylath i Wil, cyfododd y gansen i uchder ei ben, *ar fedr* dechrau ei gystwyo. DO. RL. 55.

Dyma'r dull mewn brawddeg negyddol:

Nid wyf *ar fedr* aros yma oedd y lleiaf fyth ag a allwyf [= nid wyf yn bwriadu etc.] LlGO. 28.

A dyma'r bwriad ei hun yn negyddol:

. . . rhagrithiwr balch yw'r neb a achwyno arno'i hun *ar fedr* na choelier mono. EW. RBS. 86.

135. AR FIN. Defnyddir yn gyffelyb i *ar fedr,* gyda berfenw gyda'r ystyr *ymron.* S. *almost on the point of,* e.e. *ar fin* llewygu. S. *almost fainting, about to faint.* Ar fin trengi. S. *on the point of death.*

(c) Defnyddir AR hefyd mewn llu o ymadroddion arbennig. Rhoddir detholiad isod:

136. AR BEN. Wedi gorffen. S. *finished, completed, all-up*

Mae'r cyfarfod *ar ben.* S. *at an end.*

Ar lafar yn Sir Ddinbych:

Y byd *ar ben* a'r bobl ar basio. (gw. adran (a) uchod). Gw. 351.

137. AR CHWÂL. Wedi ei chwalu.

Mae'r teulu *ar chwâl* led-led y byd.

138. AR GOLL. Yn golledig. S. *lost.*

Pob ieuanc ar ddifancoll,
A hithau'r gân aeth *ar goll.*

RWP. HCE. 32.

139. AR GOEDD. Yn gyhoeddus. Cywasgiad yw 'coedd' o '*cyhoedd*' o'r ferf cyhoeddi. Gw. (920). Am enghr. gw. (744).

140. AR DDAMWAIN. Trwy hap neu anap. S. *by accident, by chance.*

Ac *ar ddamwain* rhyw offeiriad a ddaeth i waered y ffordd honno. Luc. 10. 31.

141. AR DDISBEROD. Yn crwydro. S. *astray.*

. . . a cheisio yr hon a aeth *ar ddisberod.* Math. 18. 12.

Cf. 'ar grwydr'. S. *astray.*

142. AR GYFEILIORN. Yr un ystyr ag 'ar grwydr' ac 'ar ddisberod' ond gydag ychwanegiad, neu o leiaf liw cryfach, o'r syniad o *wyro o le, methu'r llwybr, gwneud camgymeriad.*

Rhag maint ei ffolineb yr â *ar gyfeiliorn.* Diar. 5. 23.

143. AR FAI. Yn haeddu ei feio. S. *in the wrong, at fault.*

Wyddwn i ddim fy mod i *ar fai*
Nes daeth dydd Iau, dydd Gwener.

Hen Gân Werin.

Gw. hefyd AR Y BAI (185).

144. AR GAEL. Yn bosibl i'w gael. S. *available.*

Holais yn y llyfrgell a oedd y llyfr *ar gael.*

145. AR GAM. Arferir y ddeuair mewn dwy ystyr:

(1) *Yn annheg, yn groes i gyfiawnder.*

Annwyl fachgen, mae gen i ofn garw i ti roi dy galon i lawr a cholli dy iechyd am iti gael dy roi yn y jail *ar gam.* DO. RY. 130.

Gw. (408).

(2) =ar fai. Gw. (143).

Mi a wn *ar gam* fy mod,
Adde' cam a ddwg cymod.

GGGl. 75.

(Guto'r Glyn yn gofyn cymod Ifan Fychan).

Gw. hefyd AR Y CAM (409).

146. AR GAU. Wedi cau. Yn gaead. S. *closed.*

'Roedd y siop *ar gau.*

Y gwrthwyneb yw *ar agor.*

Sylwer, fodd bynnag, bod amwyster ystyr yn (144) ac yma. Fe allai *ar gael* olygu 'ar fin cael'; *ar gau,* 'ar fin cau'; *ar agor,* 'ar fin agor'.

147. AR DRAWS AC AR HYD. Heb drefn; yn mynd i bob cyfeiriad.

Darllenwr *ar draws ac ar hyd* oedd Owen Edwards yn y cyfnod hwnnw, ond gweithio ryw ambell i chwech wythnos fel lladd nadroedd, (1179) a dyfod yn agos iawn i'r brig (286) yn yr arholiad. JPJ. Ysg. 33.

148. AR DRAWS GWLAD. Ar grwydr, mwy neu lai damweiniol, o bellter i ffwrdd, ac o le amhenodol.

Nid wyf yn cofio odid estron yno [yr hen bentre] heb ddim Cymraeg ganddo, dim ond hen gwbl bach o Indiaid Cochion, meddent hwy eu hunain, a ddaeth *ar draws gwlad* yno o rywle. TGJ. Bri. 21.

Mi wn o'r gore fod gynoch chi fel gweithwyr le i gwyno, ac fod yn gywilydd fod rhw Sais yn dwad *ar draws gwlad* i gymyd lle dyn duwiol fel Abram Jones. DO. RL. 114.

ARAF

149. ARAF. I ni heddiw, ystyr arferol y gair *araf* yw'r gwrthwyneb i *cyflym*. Ond y mae iddo nifer o ystyron eraill. Geill olygu *mwyn* neu *dirion*.

"*Araf* eurfun" oedd Morfudd i Ddafydd ap Gwilym (GDC 239) ac nid ystyr hynny oedd ei bod yn un ddifywyd! Tirion yn hytrach na hamddenol oedd y llais a glybu'r Bardd Cwsg: "Clywais lais *ara'n* dywedyd o'm hôl, Dyna'r Ffordd, rhodia ynddi" (EW. BC. 43). "A phan chwythodd y deheuwynt *yn araf*" meddir yn Act. 27. 13. "Softly" yw gair CSA. Dyna pam yr anogodd y bardd, "Arafa. don!" Dywedir hefyd ar lafar fod y storm neu'r glaw "yn *arafu*". *Arafu* hefyd y bydd poen neu wayw pan fo'n lliniaru. Cf., "Yna yr *arafodd* eu dig hwynt tuag ato ef" Barn. 8. 3. Cofier hefyd mai "ateb *arafaidd* a ddetry lid". (Diar. 15. 1)—'Soft answer (CSA)—nid ateb ffôl ond ateb *mwyn*.

150. ARAF BACH. Yn araf iawn, iawn.

Diosgodd ei het yn yr awyr iach.
(Yr oedd angladd yn pasio yn *araf bach*).
THP-W. DG. 81.

151. YN ARA(F) DEG. Gan bwyll, heb frys.

Yn *ara' deg* y mae dal iâr. (D).

AREDIG

152. AREDIG Y TYWOD. Ymgymryd â gwaith di-fudd neu ddi-ddiwedd.

ARFAU

153. RHOI F'ARFAU I LAWR. Ildio, rhoi heibio ymdrechu, cydnabod fy ngorchfygu.

Gwelodd J. fod y mwyafrif llethol yn ei erbyn. Penderfynodd mai doethach oedd iddo *roi ei arfau i lawr* a derbyn y ddedfryd.

Gw. 'BWRW ARFAU' (325).

ARGAE

154. YR ARGAE'N TORRI. Defnyddir yr ymadrodd fynychaf i ddisgrifio rhywun yn ymollwng i wylo'n hidl yn enwedig os bydd wedi bod yn ceisio ymatal cyn hynny — fel dyfroedd llyn wedi cronni yn torri'r argae, ac yn troi yn llif diatal. Ond gellir defnyddio'r gyffelybiaeth i ddarlunio unrhyw emosiwn cryf — llawenydd, dicter neu beth y bo, mewn unigolyn neu dyrfa, sy'n mynd yn rhy gryf i'w reoli.

> Pan dripiodd tafod y pregethwr nes peri iddo sôn, nid am "fêl gwyllt" ond am "ful gwellt" ymdrechodd y gynulleidfa'n galed am sbel i gadw wyneb sobr. Ond toc methodd rhyw lanc â dal a rhoes wawch sydyn. *Torrodd yr argae* ac aeth yn chwerthin di-lywodraeth drwy'r lle.

155. AGOR(YD) YR ARGAE. Yn llythr. agor y llifddor (S. *sluice, floodgate*) — y ddyfais a ddarperir, fel arfer, yng nghlawdd cronfa ddŵr i'w gwneud yn bosibl i reoli ac atal llifiad y dŵr o'r gronfa'n ôl y galw. Yn ffig., golyga symud atalfa neu atalfeydd sy'n rhwystro rhyw rym neu rymoedd (materol neu foesol) rhag cael rhyddid di-lestair. Ym myd economeg e.e. gellid dweud, "Symud y rheolaeth ar godiad prisiau, beth yw hynny ond *agor yr argae* i lif o geisiadau am gyflogau uwch?"

> Rhaid i'r weddw atal ei meddwl a'i choffadwriaeth, heb fod yn ddifyr ganddi atgoffa neu adrodd ei rhwysg a'i chynhwysiad gynt, canys wrth hynny y mae hi'n *agoryd yr argae* a gaeasai marwolaeth ei gŵr a'i galar hithau.
>
> EW. RBS. 76-7.

Gw. hefyd Diar. 17. 14.

156. TORRI'R ARGAE. Ymadrodd tebyg ei ystyr i AGOR YR ARGAE yn yr erthygl flaenorol.

> Mae e [medd-dod] 'n *torri'r argae* ac yn gollwng am dy ben yr holl ddrygau hynny sy naturiol a chynefin i ti, y rhai y cadwai rheswm a dysg di rhagddynt. EW. RBS. 63.

ASGWRN

157. Bod yn ASGWRN CEFN i sefydliad, mudiad, cymdeithas neu'r cyffelyb. Bod yn brif gynheiliad i'r cyfryw, fel y mae'r asgwrn cefn yn brif gynheiliad corff dyn.

> "Hwyrach", ychwanegai y Capten, "na fyddwn ymhell o'm lle pe dywedwn mai [gwaith mwyn] Pwll y Gwynt ydyw *asgwrn cefn* y gymdogaeth hon mewn ystyr fasnachol."
>
> DO. EH. 67.

158. Bod ag ASGWRN I'W GRAFU â rhywun. Bod â chŵyn yn ei erbyn, neu bod â rhyw fater annymunol i'w godi gydag ef.

159. ASGWRN Y GYNNEN. Achos cweryl, yr hyn y dadleuir neu yr anghytunir yn ei gylch. S. *bone of contention*.

Clywais fod y ddau gymydog wedi cael ffrac wyllt yn ddiweddar. Beth oedd *asgwrn y gynnen* ni wn.

Un o heintiau crefyddol y cyfnod [y 18fed ganrif] ydoedd [dadlau diwinyddol]. Bu'n achlysur llawer o chwerwder . . . Calfiniaeth ac Arminiaeth ydoedd *asgwrn y gynnen*.
JHG. CNgh. 25.

Y darlun a geir yn yr ymadrodd yw asgwrn yn cael ei daflu i blith nifer o gŵn a'r rheini yn ymladd amdano.

160. ASGWRN MAWR. Asgwrn y cefn.

Ofnwn . . . drwy ei fod wedi segura a gwagsymera cyhyd, fod diogi wedi glynu yn ei *asgwrn mawr*. (h.y. wedi mynd yn rhan annatod o'i gyfansoddiad). DO. GT. 183.

161. POB MIGWRN AC ASGWRN. Y corff yn gyfan.

'Roedd *pob migwrn ac asgwrn* imi'n brifo.

162. TORRI ASGWRN CEFN rhywun. Darostwng ei hunan-dyb, ei hunanhyder a'i falchder.

Yr ydw i'n ofni, Abel [ebe Mari Lewis] nad ydi'r gŵr ene [Capten Trefor] ddim wedi *torri asgwrn 'i gefn*.
DO. EH. 29.

Mewn cyswllt arall defnyddir yr ymadrodd am roi baich rhy drwm (o gyfrifoldeb, pryder, gofal) ar ddyn nes ei lethu; hefyd am "dorri" dyn yn ariannol. Tu ôl i'r ymadrodd mae darlun o ddyn neu anifail yn cario baich rhy drwm ar ei gefn.

163. TORRI ASGWRN CEFN rhyw orchwyl neu dasg. Gwneud y rhan galetaf ohono, fel y bydd yn sicr o fod yn rhwyddach o hynny ymlaen.

164. TORRI AT YR ASGWRN. Ffig. Siarad neu ysgrifennu â'r fath lymder neu â'r fath wawd miniog nes gwanu teimladau'r mwyaf hunanfodlon, fel cyllell yn torri drwy'r cnawd a brathu i'r asgwrn.

Mwyn a melfedaidd oedd geiriau Allen ond yr oeddynt yn *torri at yr asgwrn*. TR. RAC. 108.

ATEB

165. ATEB. Cyfateb; bod ar gyfer rhywbeth arall, yn ystyr y S. *correspond.*

Pan fo ymadrodd yn dechrau a diweddu â'r un gytsain, y mae'n haws ei orffen yn groes o gyswllt nac yn groes rywiog, am fod felly un gytsain yn llai i'w *hateb*.
JMJ. CD. 161.

166. Rhywbeth yn ATEB. Bod yn fanteisiol, neu gyfaddas i bwrpas e.e.

Fe etyb iti gadw ar delerau da â'th ewyrth cyfoethog. h.y. h.y. fe dâl iti.
Dydi hi byth yn *ateb* i fod yn anfoesgar hefo pobl h.y. nid yw'n talu.

Ceir yn fynych yn yr ymadrodd *'ateb y diben'*.

Nid oedd ei araith yn un huawdl, ond fe *atebodd y diben* aros y pryd yn gampus. S. *served the purpose.*

167. ATEB YN LLE rhywun. Cymryd y cyfrifoldeb yn ei le. Mechnïo drosto.

Myfi anturia'n awr ymlaen,
  Heb alwad is y ne'
Ond bod perffeithrwydd mawr y Groes
  Yn *ateb* yn fy lle.
WW. LlEM. 102.

168. ANFON (GYRRU) (RHYWUN) I'W ATEB (APED). Ei ladd. Achosi ei farwolaeth. Gw. y drydedd enghraifft yn yr erthygl nesaf.

169. Rhywun yn MYND I'W ATEB. Marw, ac felly yn gorfod *ateb* drosto'i hun yn farn. Dull ymadroddi braidd yn annifrif a di-barch ydyw.

Cyfarfyddwyd ni gan y gymdoges a edrychai ar ôl Nansi, yr hon oedd yn dyfod i'n hysbysu fod Nansi wedi *mynd i'w hateb* bedwar o'r gloch y bore. DO. GT. 280.
Daeth rhyw hiraeth rhyfedd drosof . . . am geiliogod eraill y gwyddwn yn dda amdanynt ond oedd wedi *mynd i'w hateb*.
THP-W. Y. 25.

Y mae ffurf ddigrif ar y gair, sef 'aped', ar gael ar lafar yn yr un ystyr.

. . . plannodd cobyn [y ceiliog] ei stympiau trwy wddf y *game*, yr hwn a roddodd un ysgrech . . . ac a drengodd. Nid hwn oedd y cyntaf i cobyn ei yrru i'w *aped*.
Gw. (168). DO. GT. 11.

ATGOF

170. MAE'N ATGOF GENNYF. Yr wyf yn cofio.

Mae'n atgof gennyf glywed sôn am Mr. Richard Broadhead. LlGO. 10.

AUR

171. **AUR DILIN.** Aur pur, coeth.

Nid aur a grisial a'i cystadla hi, na llestr o *aur dilin* fydd gydwerth iddi. Job 28.17.

Aur dilin a bryn linach,
Pryn i'r isel uchel ach.

JMJ. Can. 23.

AWEL

172. **CODI'R AWEL.** Sicrhau'r arian angenrheidiol.

"Mor dda fuasai gan Wil y Swip a Thwm Tanrallt . . . sy'n cysgu acw [yn y fynwent] fod yn y fan hon [ar bont Llanrwst] 'rwan." "Nid yma a buasent," meddwn innau, "ond acw," gan gyfeirio at y tŷ tafarn. "Efallai," ebr yntau, "os gallent *godi'r awel* ar fyd caled fel hyn." RGB. LlD. 56.

Tebyg mai cyfieithiad yw'r ymadrodd hwn o'r un Seisnig, *to raise the wind,* gyda'r un ystyr.

Dyfala V. H. Collins (*A Book of English Idioms*) darddiad posibl iddo: Onid oes wynt, mae llong (hwyliau) yn sefyll ac ni eill barhau ar ei chwrs. Heb arian ni eill dyn fynd ymlaen â'i gynlluniau. Trwy fenthyg arian mae'n *codi'r awel* sy'n ei dynnu allan o helbul.

AWR

173. **AWR WAN.** Adeg pan nad yw dyn mor gadarn ei ewyllys ag y dylai fod, ac felly'n dueddol i wneud pethau y bydd yn edifar ganddo wedyn amdanynt. Nid bod angen *awr* at hynny, fel y gŵyr y Sais: *'in a moment of weakness'* yw ei ymadrodd ef.

Ar *awr wan,* cytunais i fynd i annerch Merched y Wawr. Daeth yr amser i gywiro'r addewid, (31) ac 'rwy'n 'difaru am bob blewyn sydd ar fy mhen. (224).

174. **YN AWR AC YN Y MAN.** Bob hyn a hyn o amser. S. *every now and then.*

Llwnc *yn awr ac yn y man*
O'r cwrw melyn bach.

(O fyrdwn hen gerdd).

AWYR

175. **AWYR IACH.** Awyr bur. S. *fresh air.*

176. MALU AWYR. Siarad gwag a ffôl.

A dyma finnau wedi bod wrthi hi'n 'traethu fy llên' ac ym marn rhai ohonoch, y mae'n siŵr, yn *malu awyr* ac yn rhyseddu wrth wneud mynydd ac eglwys (1170) o rywbeth nad yw'n cyfrif fawr. THP-W. YPh. 25.

BACH

BACH (ansoddair).

177. (1) Weithiau defnyddir yr ansoddair 'bach' gydag ystyr o anwyldeb neu hoffter.

Tra byddo dŵr y môr yn hallt,
A bedw gleision yn yr allt,
A thra bo'r frân yn seilio'i nyth,
F'anwylyd *fach*, ni ddeuaf byth. HB. 96.

Cf. fel y defnyddir yr ebycheiriau, '*Bobol bach*! a '*Bobl annwyl*!' fel cyfystyron. Mae'r priod-ddull yn bur hen. Yn un o'i gywyddau cwyna Dafydd ap Gwilym.

Cadw y mae Eiddig hydwyll
Ei hoywddyn *bach*, hyddawn bwyll.

[Yr 'hoywddyn' yw Morfudd, ei gariad, ac 'Eiddig' yw ei gŵr]. Weithiau ceir yn y defnydd o'r gair awgrym o dosturi'n ogystal.

Dydi 'nhad ddim yn mendio fel y dylai fo. Mae o wedi mynd yn fusgrell iawn, y peth *bach*.

178. (2) Yn wrthwyneb i'r ystyr uchod geill 'bach' weithiau gyfleu anghymeradwyaeth, megis mewn ymadroddion fel 'hen greadur *bach* annifyr,' 'hen ddyn *bach* cas', 'hen feddwl *bach* drwgdybus.'

179. FY HUN (HUNAN) BACH. Grym y gair 'bach' yma yw pwysleisio'r unigrwydd.

Fel rhyw greadur unig
  Heb ffrind o fewn y byd,
Yn crwydro drwy'r tywyllwch
  Ei *hunan bach* o hyd.

(I wynt y nos). TLlJ. CNB.

180. YN DDISTAW BACH. (1) yn ddistaw iawn; heb drwst o gwbl.

Pan ddêl blynyddoedd crablyd canol oed
Yn slei a *distaw bach* i fyny'r glyn . . .

THP1W. DG. 30.

181. YN DDISTAW BACH. (2) yn gyfrinachol iawn, rhyngoch chwi a minnau.

Yn ddistaw bach nid wyf yn cofio imi 'weld' caer Rufeinig ym Mhrydain heb deimlo graddau helaeth o siom.

RTJ. CFf. 46.

BACH (ansoddair fel enw).

182. BACH Y NYTH neu TIN Y NYTH. Yn llythr. y cyw lleiaf yn y nyth. Yn ffig. y plentyn iengaf yn y teulu. Ymadrodd arall cyfystyr yw Y CYW MELYN OLAF.

O chwech o blant ef oedd *bach y nyth*. O'r herwydd cafodd gryn dipyn o'i fwytho, a thipyn hefyd o'i stiwardio, gan y rhai hŷn.

Dengys y dyfyniad a ganlyn na chyfyngir defnydd y gair i fyd adar;

Awn at y cwt mochyn . . . mae yno un mochyn bychan bach . . . mae 'nhad yn dweud mai 'cwlin' neu *fach y nyth* y maent yn galw moch bach felly. KR. LW. 7.

Cwlin: (o'r S. *cull*)=anifail wedi ei ddidol oddi wrth y lleill oherwydd saled ei ansawdd, am ei fod yn fach, neu'n eiddil, neu'n hen etc. Hefyd CARDYDWYN (y mochyn lleiaf neu wannaf mewn torllwyth).

BACHGEN

183. YR HEN FACHGEN. Y diafol. S. *Old Nick*. Term braidd yn wamal yn Gymraeg fel yn Saesneg.

BACHIAD

184. CAEL BACHIAD. Cael cyfle, (i weithio, fel arfer, h.y. cael gwaith) ond hefyd i bethau eraill.

(1) Mi ges *fachiad* yn y Foty h.y. cefais waith yno.

(2) Mi ges *fachiad* i sôn am y peth-ar-peth h.y. mi gefais gyfle.

BAI

185. AR Y BAI. I'w feio; S. *at fault, to blame.*

Oerfel yr hin a noethni y wlad oerllom yma oedd *ar y bai.*

AR FAI yw'r ffurf fwyaf cyffredin. Gw. (143). Cf. (408) (409).

BAICH

186. BAICH DYN (GWAS) DIOG. Ymadrodd a ddefnyddir pan fo un yn ceisio (er mwyn arbed ail siwrnai) cludo baich rhy fawr, a hwnnw'n chwalu gan beri yn y diwedd

fwy o drafferth a helbul na'r hyn y ceisir ei osgoi. Dylai'r cyfryw un yn hytrach dderbyn cyngor y ddihareb, 'Coflaid fechan, a'i gwasgu'n dynn'. Ffurfiau eraill ar yr ymadrodd: LLWYTH GWAS DIOG. COFL GWAS DIOG.

BAMBOCS

187. TYWYLL FEL BAMBOCS. Y gair yw'r S. *bandbox,* y bocs carbord a ddefnyddid yn yr oes o'r blaen i gadw coleri, hetiau, etc., ond a gafodd ei enw am y cadwai clerigwyr ynddo gynt eu 'bandiau', y stripiau o ddeunydd gwyn sy'n hongian i lawr o dan yr ên mewn gwisg glerigol. Yr oedd yn dywyll am fod caead arno.

BAN

188. PEDWAR BAN (Y) BYD. Pedwar pwynt y cwmpawd; pob cwr o'r byd.

> . . . . difyr yw eu canfod [Y Cymry ar wasgar] yn dorf gariadus deidi gyda'i gilydd ar y llwyfan cenedlaethol blynyddol cyn iddynt ymwasgaru drachefn i *bedwar ban y byd.* THP-W. M. 46.

BARA

189. BARA-A-CHAWS. Defnyddir yr ymadrodd fel cyfystyr â bywoliaeth, neu ochr ymarferol bywyd. Pynciau bara-a-chaws=pynciau economaidd.

> Pe bai Plaid Cymru a Phlaid Genedlaethol yr Alban yn rhoi'r gorau i siarad uwchben y werin ac yn canolbwyntio ar broblemau *bara-a-chaws*, byddai dydd ein rhyddid . . . yn nes o lawer. GRJ. Y Faner, 15/3/73

190. BARA ANGYLION. O'r Beibl y daw'r geiriau (gw. Salm 78. 25: Dynion a fwytânt *fara angylion*) a disgrifiad ydynt o'r manna — y bwyd gwyrthiol a roes Duw i'r Israeliaid i'w cynnal ar eu taith trwy'r anialwch i Ganaan. (Gw. Ecs. 16). Disgrifiad arall ohono (Salm 105. 40) yw *bara nefol.* Yn drosiadol yn yr ieithwedd Gristnogol daeth i olygu cynhaliaeth ysbrydol y credadun, ac yn fwy cyffredinol unrhyw fath o gynhaliaeth nad yw 'o'r byd hwn' e.e.

> . . . mynych y dywedodd Marged mai gwastraff oedd paratoi pryd o fwyd ac nad allai robin goch fyw ar yr hyn a fwytâi Enoc. Bychan y gwyddai hi mae *bara angylion* oedd ei ymborth ef y dyddiau hynny!
>
> DO. EH. 265.

Mewn cariad yr oedd Enoc a'i ecstasi'n ei godi uwchlaw'r angen am fwyd a diod meidrolion cyffredin!

191. BARA GWENITH DRWYDDO, neu WEDI EI FALU DRWYDDO. Dyma'r hen air am S. *wholemeal bread.*

192. BWYTA BARA SEGURYD. Segura heb angen: esgeuluso gwaith oherwydd diogi; bwyta heb weithio am gynhaliaeth. O'r ysgrythur ganlynol (am 'y wraig rinweddol') y daeth i'r Gymraeg:

Ni fwyty hi fara seguryd. Diar. 31. 27.

193. ENNILL FY MARA. Ennill fy mywoliaeth.

Yr oedd yn amlwg i mi fod yr amser wedi dyfod pryd yr oedd yn rhaid imi feddwl am *ennill fy mara.*
DO. RL. 103.

Ceir yn yr ymadrodd hwn enghr, o'r troad ymadrodd *cyd-gymeriad (synecdoche)* lle rhoir y rhan i gynrychioli'r cyfan. (Gw. JMJ CD 50). Saif 'bara' fel sumbol o holl gynhaliaeth dyn. Gw. yr erthygl nesaf.

194. FFON BARA. Bara o edrych arno fel cynheiliad bywyd, fel y mae ffon yn cynnal y neb a'i defnyddio. Ymadrodd Beiblaidd yw hwn a chyfieithiad llythrennol o'r priod-ddull Hebraeg gwreiddiol. Yn yr Ysgrythur, 'torri ffon y bara'=atal y cyflenwad ymborth.

. . . a thorraf *ffon ei bara hi* ac anfonaf arni newyn.
Esec. 14. 13.

. . . a phan dorrwyf *ffon eich bara* . . . Lef. 26. 26.
(J.B. *will take away your bread which is your staff*).

Bellach estynnwyd ystyr 'ffon bara' i olygu'r alwedigaeth y caiff dyn ei gynhaliaeth drwyddi. Clywir ymadroddion fel, 'Newyddiaduraeth yw fy *ffon fara'* (neu *'ffon fy mara').*

BARN

195. DWYN BARN I FUDDUGOLIAETH. Dwyn yr achos yr ydys yn ymdrechu o'i blaid i derfyn llwyddiannus.

Corsen ysig nis tyr, a llin yn mygu nis diffydd, hyd oni ddygo efe allan *farn i fuddugoliaeth.* Math. 12.20.
NEB. *(lead justice on to victory)*

Nid *dwyn barn i fuddugoliaeth* fyddai hanes John Williams yn fynych, ond difodi pob barn. RRH. JW. 135.

196. SWNIAN FEL BARN. Swnian yn ddi-dor. Cadw cwrnad parhaus. Pwynt y gymhariaeth 'fel barn', mae'n debyg, yw nad oes fodd dianc rhagddo. Cf. "'Rwyt ti'n ddigon o farn' (am rywun yn gofyn yr un peth neu'n swnian o hyd).

197. UNFRYD UNFARN. Cwbl gytûn o ran meddwl.

Yn ddi-betrus hon yw'r awdl orau ac yn *unfryd unfarn* i'w hawdwr y dyfernir y Gadair a'i hanrhydedd.

ER. Cofnodion a Beirniadaethau
Eisteddfod Genedlaethol Llangollen
1908. Tud. 11.

BATH

198. ALLAN O FATH. Tu hwnt i fesur.

Oerleisient *allan o fath*. EW. BC. 99.

BAWD

199. DAN FAWD rhywun. O dan ei reolaeth lwyr.

'Doeddwn i fawr o feddwl ar y pryd fod 'y nghysur i a'r teulu gymin' *dan ei fawd* o. RDW. CT. 76.

200. DEFNYDDIO SYNNWYR Y FAWD. Mynd ati i wneud rhywbeth mwy neu lai yn ôl greddf ac mewn dull wedi ei seilio ar brofiad ymarferol yn hytrach nag ar ddamcaniaeth a hyfforddiant.

Ond ymbalfalu yr oeddwn i o hyd [ynglŷn â chrefft y ddrama] heb fod yn gwybod rhyw lawer amdani ond *synnwyr y fawd*. IG. Cr. 112.

Y mae rhai pobl fychain a hunanol yn ymffrostio y medrant hwy ddeall y Beibl trwy *synnwyr y fawd* heb gymorth un esboniad. Eapl. H(1). 348.

Pam synnwyr y *fawd*? Cyfeiriad sydd yn yr ymadrodd at yr hen arfer o ddefnyddio'r fawd i fesur hyd. Cofier mai o mawd (=bawd)+fedd (o medd=mesur) y cawsom y gair modfedd. Cf. troedfedd (hyd troed), dyrnfedd (lled dwrn).

201. HEB FOD UWCH BAWD (NA) SAWDL. Cytunir yn gyffredinol mai ystyr y dywediad yw: heb fod ddim elwach, neu heb fod ddim yn nes ymlaen. Ond nid mor gytûn y farn ar ei ffurf na'i darddiad. 'Uwch bawd sawdl' yw'r ffurf a glywir fynychaf, ond ceir hefyd 'Uwch baw sawdl'. Haws, efallai ei egluro yn y ffurf a roir uwchben yr erthygl a'i ddeall fel: heb fod bawd na

sawdl (y troed) (=y wadn) ddim uwch na chynt. Hynny yw, heb fod troed y sawl y sonnir amdano wedi codi dim uwchlaw'r llaid. Rhaid addef mai anargyhoedd-iadol yw'r esboniad. Am enghr. gw. (544).

202. RHOI CLEC AR FY MAWD. Yn llythr. gwasgu bys (y canol fel rheol) yn erbyn gwadn y fawd nes gwneud clec sydyn. Er cyn cof defnyddiwyd yr ystum fel arwydd i gyfleu her a diystyrwch, a chan amlaf bydd yn cyd-fynd â rhyw eiriau fel, 'Dydwi'n malio dim *hynna* amdanoch chi'. O hynny daeth 'rhoi clec ar fawd' i olygu dirmyg herllyd a sarhaus. S. *snap one's fingers.*

> Neithiwr . . . fe dorrodd Harri'i gyfamod â Lisabeth acw. Cyfamod . . . oedd wedi sefyll am dair blynedd . . . A rwan, be sy'n digwydd? *Clec ar ei fawd* a gwared teg ar ei hôl hi. IFfE. CC. 182.

Mewn hen gerdd, 'Cân y Ceffyl Du', mae rôg anonest yn brolio cyfres o'i driciau lladronllyd. Ar ôl pob pennill daw'r byrdwn:

> Fe waeddodd y plisman, 'Daliwch y dyn!,'
> Fe waeddais innau hynny fy hun;
> Er bod yno bobol ddeugant neu dri
> *Rhois glec ar fy mawd* ac i ffwrdd â mi.

BEDLAM

203. BEDLAM (WYLLT). Lle neu olygfa o sŵn ac anhrefn mawr.

> Oddi yno ni aethom lle clywem drwst mawr a churo a chwerthin a bloeddio a chanu. Wel, dyna *Fedlam* yn ddiddadl, ebr fi.
> EW. BC. 24.

O Bedlem, S. Canol am Bethlehem, y daeth y gair Bedlam i'r Gymraeg. Bedlem (Bedlam) y gelwid hen ysbyty yn Llundain (Ysbyty Mair o Fethlehem). Pan drowyd hwnnw'n seilam yn 1547 daeth 'bedlam' i olygu gwall-gofdy, ac wedyn unrhyw le lle ceid anhrefn swnllyd. Collwyd golwg ers llawer dydd ar darddiad y gair ond mae'n dal yn fyw ac ar arfer.

> Nid oedd nemor ddisgyblaeth yn yr ysgol honno chwaith ond pan fyddai'r Meistr i mewn. Pan fyddai ef allan byddai'n *fedlam* wyllt. TGJ. Bri. 34.

BEDYDDIOL

204. NEB BYW BEDYDDIOL. Ffordd bwysleisiol o ddweud *neb*.

> Pan drawyd fi gyntaf gan y drychfeddwl i ysgrifennu hanes fy mywyd fy hunan tybiais y gallwn wneud hynny heb gymorth *neb byw bedyddiol.*

Ystyr *bedyddiol* yw *wedi derbyn bedydd Cristionogol.* Daeth yr ymadrodd i lawr inni o gyfnod pan oedd *pawb,* i bob pwrpas, yn derbyn bedydd yr Eglwys. Parhawn i'w ddefnyddïo mewn oes pan nad yw hynny'n wir o bell ffordd. Cf. ein defnydd tebyg o'r gair 'Cristion' mewn brawddeg fel: Welais i'r un 'Cristion' yn unman=welais i *neb.*

BEICHIO

205. BEICHIO CRIO (WYLO). Crio (wylo) yn ocheneidus. S. *to sob.*

Codi'i lais yn awr ac wylo
Beichio wylo mae. [y gwynt]

JMJ. Can. 6.

Ceir hefyd beichio pesychu=pesychu trwm dirgrynol. S. *cough convulsively.*

Nid oes a wnelo *beichio* yn y cyswllt yma ddim â'r gair *baich* er mor naturiol fyddai tybio hynny. Ystyr y *beichio* hwn yw brefu, bugunad, ocheneidio, rhuo.

Am i chwi frasáu fel anner mewn glaswellt a *beichio* fel teirw. Jer. 50. 11.

CSA. 'bellow as a bull'.

Ar y dechrau *beichiai* a rhuai [Robyn y Sowldiwr] fel tarw mewn rhwyd. DO. RL. 53.

BEILI

206. FEL BEILI MEWN SASIWN. Yn brysur iawn, iawn.

'Roedd J. yn cerdded yn ôl ag ymlaen fel *beili mewn sasiwn.*

Nid sasiwn yn yr ystyr ddiweddar o gynhadledd grefyddol y Presbyteriaid Cymreig (o'r S. *association*), ond *llys barn* (o'r S. *session*). Yma, *beili*=swyddog mewn llys barn, gwas i siryf.

BENDITH

207. GOFYN BENDITH. Dweud gras bwyd, gweddïo o flaen pryd bwyd.

Robert Evans, y coitsmon, a *ofynnai fendith* ar y bwyd bob amser; ag ef ar ganol hynny un diwrnod, dyma'r sosbenaid saws yn berwi i'r tân a'r hen gipar yn gollwng clamp (507) o reg dros y lle. Ni *ofynnwyd bendith* ar y bwyd byth mwy yng nghegin y Glyn.

JHJ. GG. 26.

BERW

208. DOD I'R BERW. CODI I'R BERW. Yn llythr. poethi dŵr, llefrith, etc. ddigon iddo *ferwi*. S. *bring to the boil, to boiling point.*

Gofalwch ddod â'r tecell *i'r berw* cyn rhoi dŵr ar y te.

Defnyddir yn ffig. mewn cysylltiadau fel a ganlyn:

Anogai'r arweinydd aros hyd nes i'r teimladau gwrthryfelgar ddod *i'r berw* [=cyrraedd eu huchafbwynt], cyn gweithredu.

209. YN FERW (GWYLLT). O'r ferf 'berwi'. Yn llawn cyffro. S. *seething* (*with excitement*).

Wel, er pan syfenis ato chi o'r blaen, yr ydw i'n gweled fod yr holl deurnas yn *ferw gwyllt* efo sgeidieth [=dysgeidiaeth]. WR. LlHFf. 5.

Sylwer mai'r un darlun sydd yn yr ymadrodd S. ag yn yr un Cymraeg gan mai ystyr '*seethe*' yw 'berwi'.

BERWI

210. BERWI DROSODD. Yn llythr. hylif (dŵr, llefrith, etc.) wrth ei ferwi yn llifo dros ymyl y llestr sy'n ei gynnwys, oherwydd bod y gwres yn rhy uchel. Yn ffig. defnyddir am deimladau unigolyn neu dyrfa yn codi i uchafbwynt nes mynd weithiau tu hwnt i reol.

Fel yr âi'r areithydd yn ei flaen yr oedd brwdfrydedd y dorf yn cynyddu, ac ni fu'n hir cyn *berwi drosodd* mewn cymeradwyaeth fyddarol.

211. BERWI FEL CAWL PYS. "Clebran yn ddi-daw" yw diffiniad GPC o ystyr yr ymadrodd hwn o lafar Canolbarth Ceredigion.

212. BERWI FY MHEN ynglŷn â rhywun neu rywbeth. Ymgolli ynddo. Meddwl a sôn amdano'n ddi-baid.

Mae o wedi *berwi ei ben* efo gwleidyddiaeth.
Mae hi'n *berwi ei phen* ar gownt yr hogyn yna.

Ond sylwer ar y gwahaniaeth ystyr pan ddefnyddir yr ymadrodd fel yn (215) isod.

213. BERWI O . . . = yn llawn o . . . ond gydag arlliw cryf yn fynych, o'r syniad o gyffro, symudiad, aflonyddwch neu fyrlymiad egnïol a awgrymir gan y gair *berwi*.

Pan ddwedir 'Mae'r cig yn *berwi* o gynrhon' yr hyn a

gyfleir yw ei fod nid yn unig yn *llawn* ohonynt ond yn 'symud' neu'n 'fyw' ganddynt. (Gw. 380).
Pan ddwedir bod dyn yn *berwi* o ddireidi neu ffraethineb cyfleir mwy na'i fod wedi ei ddonio'n helaeth â'r nodweddion hyn. Golygir eu bod yn ymweithio'n fwrlwm parhaus ynddo.

> . . . . byddai'r tri yma*'n *berwi o ddiddordeb* mewn llyfrau a darluniau o'r tu allan i'w gwaith ysgol.
> JPJ. Ysg. 33.
> (*Tom Ellis, D. R. Daniel, O. M. Edwards).

Mewn ambell ddefnydd o'r ymadrodd, fodd bynnag, collwyd yr awgrym o ferw a chyffro bron yn llwyr. Sonnir am 'araith yn berwi o ystrydebau' neu 'awdl yn berwi o eiriau llanw'. Mewn enghreifftiau o'r fath prin y mynegir mwy na'r syniad moel o 'fod yn llawn o . . .'

214. GWAED (RHYWUN) YN BERWI. Ei dymer yn cyffroi, yntau'n cael ei gynhyrfu i ddicter ffyrnig.

> Mae *fy ngwaed yn berwi* ynof y funud hon wrth feddwl am ei ragrith, ei ddylni, ei ddiogi a'i greulondeb digyffelyb.
> DO. RL. 49 (wrth sôn am Robyn y Sowldiwr).

215. MAE EISIAU BERWI FY MHEN. Ymadrodd a ddefnyddir yn geryddol pan fo rhywun ar wneud, yn gwneud, neu wedi gwneud rhywbeth ffolach na'i gilydd.

> Beth wnaeth iti roi'r gorau i swydd ddiogel fel yma? *Mae eisiau berwi dy ben* di.

(fel darn o gig amrwd y mae'n rhaid ei ferwi cyn y bydd o ddefnydd!).

BEUNYDD

216. BEUNYDD (A) BYTH. Ffurf fwy anghynefin ar BYTH A BEUNYDD. Gw. (367).

> Rhyw ddychryn a ddigwydd, *beunydd a byth*,
> I ran rhywrai eraill ohonom yw hi.
> [sef daeargryn].
> RWP. CG. 15.

BLAEN

217. AR Y BLAEN (i rywun). Ffig. Yn rhagori arno.

> Y mae Iago yn gydradd â Phedr os nad *ar y blaen* iddo.
> JPJ. Iago xxi.

218. (rhywbeth) AR FLAEN FY NHAFOD.

(1) Rhywbeth mor gyfarwydd imi fel y gallaf ei enwi'n rhwydd a'i drafod yn rhugl.

Yr oedd termau athrawiaethol enwadol *ar flaenau eu tafodau* [yr hen do o grefyddwyr]. THP-W. M. 51.

(2) Rhywbeth ar fin cael ei ddweud gennyf.

Yr oedd gair cas ar *flaen fy nhafod* ond bernais mai tewi oedd gallaf.

219. AR FLAEN GAIR. Dim ond dweud y gair, dim ond crybwyll y peth.

Y mae gan eich brawd yng Nghaergybi gopïau cywirach. Gwell iwch ddanfon ato ef. Ond, os gwelwch yn dda, rhag iwch dybied mai diogi sydd arnaf, chwi a gewch y rhai sydd gennyf fi *ar flaen gair,* fal y maent.

IBH. 164.

Blaen gair=S. "hint".
Iwch=i chwi. Cf. Nos dawch, o 'nos da iwch.'

220. AR FLAEN BYSEDD (RHYWUN). Yn gyfarwydd iawn iddo.

Yr oedd y berfau Groeg afreolaidd ar *flaenau ei fysedd.* (Gw. (365).

221. BLAEN LLOER (LLEUAD). Lleuad newydd.

Nid all fod diffyg ar yr haul ond ar *flaen lloer,* ond y pryd hwnnw yr oedd hi'n llawn llonaid*. TE. DPO. 177.

(*Lleuad llawn).

222. CAEL Y BLAEN (AR RYWUN). Llwyddo i ragori ar rywun mewn unrhyw ystyr; cael mantais arno.

A oedd yn arwain yn y ras ar hyd y ffordd nes i *B* yn y canllath olaf *gael y blaen* arno.

Mae'r feinir a'i bryd ar ei fawredd a'i fonedd ef, modd y *caffo hi'r blaen* ar lawer o'i chymdogesau. EW. BC. 30.

223. RHAG BLAEN. Yn ddioed, heb ymdroi.

Byddai raid mynd yn nechrau haf, chwilio amdano [y craf] a'i ddifa *rhag blaen.* TGJ. Bri. 10.

Gellir rhoi rhagenw (fy, dy, ei, etc.) rhwng y ddau air:

Yr oedd y Cwrt Mawr yn llawn o lyfrau, bron bob ystafell yn y tŷ. Eto ni welais erioed mono [J. H. Davies] yn methu â dodi ei law ar y llyfr a fynnai *rhag ei flaen.*
TGJ. Cym. 55.

BLEWYN

224. AM BOB BLEWYN AR FY MHEN. Defnyddir yr ymadrodd gyda berfau fel edifaru, gofidio, a diolch, i fynegi graddau go anghymedrol o'r teimladau hynny.

Mae gennych dai a thiroedd, Mr. Denman [ebe Capten Trefor] ac os rhowch i fyny eich *interest* yn y Gwaith, chwi a edifarhewch *am bob blewyn sydd ar eich pen.*
DO. EH. 48.

225. AT Y BLEWYN. I'r dim, yn hollol gywir a di-feth. S. *to a nicety.*

O'r holl bobl hyn yr oedd saith gant o wŷr etholedig yn chwithig [=yn llawchwith]; pob un a ergydiai â charreg *at y blewyn* heb fethu. Barn. 20. 16.
NEB *'and not miss by a hair-breadth'.*

226. HEB DROI BLEWYN. Heb ddangos unrhyw arwydd o gyffro, ofn, cywilydd neu'r cyffelyb. Heb falio dim.

Fe'ch twyllai heddiw o dan eich trwyn. Yfory, fe'ch cyfarfyddai â gwen gyfeillgar, *heb droi blewyn.*

Wrth drafod y priod-ddull S. cyfatebol, *'not to turn a hair'* dywed SOED am ei darddiad: *'lit[erally], of a horse, not to show sweat by the roughening of his hair'.*

227. HEB FLEWYN AR DAFOD. Heb ymdrech i gymedroli iaith, na chelu teimlad; yn blwmp ac yn blaen. (1276)

. . . byddai cydymdeimlad fy mam ac Edward â'r herwheliwr a . . . byddent *heb flew ar eu tafod* yn condenmio llymder y ddedfryd a roddid arnynt. DO. GT. 7-8.

228. HOLLTI BLEWYN (BLEW). Manylu'n or-gywrain a di-fudd mewn dadl neu ymresymiad; bod yn or-feirniadol a checrus ynglŷn â manion.

Yng ngrym eu sêl dros grefydd . . . lladdasant hen ddiwylliant gwerin gwlad . . . ac yn ei le fe roed emynau a darllen y Beibl. Gwych o beth o safbwynt crefydd a moesoldeb. Ond . . . nid dyrchafu safonau llenyddol oedd hyn, eithr . . . peri bod gwŷr craff a dawnus yn treulio'u hegni i *hollti blew* dysgeidiaeth.
TP. HLlG. 229.

229. I DRWCH Y BLEWYN. I'r manylrwydd eithaf; yn union gywir, yn fanwl gyfewin.

Gwyddai am ei fyw a'i fod [y pryf genwair] *i drwch y blewyn.* THP-W. Y. 17.

Rhywdro, digwyddodd imi ddweud wrtho [Syr J. E. Lloyd] fy mod wedi ymweld â rhywle yn ne-orllewin Cymru. "Fum i erioed yno", meddai. Synnais: "Wel yr ydych wedi disgrifio'r lle *i drwch y blewyn.*" RTJ. YDda. 133.

230. O FEWN TRWCH (Y) BLEWYN. Yn agos iawn, iawn.

'Büm *o fewn trwch blewyn* i gael fy lladd'

Dywedir mai hanner canfed ran o fodfedd yw trwch

blewyn dynol. Peth digon main yn enw pob rheswm. Ond mae ei feinach. Ymadrodd byw dros ben yw TRWCH ASGELL GWYBEDYN.

231. TYNNU BLEWYN O DRWYN rhywun. Gwneud rhywbeth iddo sy'n gas ganddo, a'i wneud yn fwriadol er mwyn ei gythruddo. Peth bychan ddigon yw blewyn mewn trwyn ond mae cael ei dynnu o'i wraidd yn brofiad poenus.

Nid oedd arno fymryn o eisiau'r darn tir, ond fe'i prynodd er mwyn *tynnu blewyn o drwyn* ei gymydog, am y gwyddai fod hwnnw â'i lygaid ar y lle ers tro.

BLONEG

232. BYW AR FY MLONEG. Bloneg yw'r braster yng nghorff dyn neu anifail. Yn niffyg chwaneg o fwyd rhaid iddo fyw, tra gallo, ar hwnnw. Yn ffig. defnyddir y term am ddyn yn byw ar yr adnoddau sy ganddo, yr hyn sy ganddo wedi ei grynhoi o'r gorffennol.

Yn hytrach na chael 'Sabath gwag' mae y blaenoriaid yn mynd i howca am Dic, Tom a Harri [i bregethu]. Llawer gwell, yn ôl fy meddwi i, fyddai i ni *fyw ar ein bloneg*, hyd yn oed am fis, hyd nes y deuai ein tro i gael y pregethwr. DO. EH. 305.

233. IRO BLONEGEN. Gwneud gwaith llwyr ddiangen a di-fudd. Ffurf ar iraid yw bloneg, a pha raid iro iraid? Cf. Bwrw heli i'r môr (968).

BLWYDDYN

234. UNDYDD A BLWYDDYN. S. *a year and a day*. Cyfnod mewn cyfraith gynt i nodi parhad cytundeb, neu dymor dyled(swydd) etc. Bellach=amser amhenodol.

Cedwch yr hen MS, tros *undydd a blwyddyn*, ac yno odid na ellwch hepgor y copi i ddiddanu Gronwy Ddu druan. LlGO. 75.

BOD YG UN

235. BOD YG UN. Pawb.

Os pasith y sgiam yma (Cynllun Addysg 1847) mi fydde'n well inni fynd i'r Merica ne rwle *bod yg un*. WR. LlHFf. 6.

NODIAD: Cywasgiad yw 'bod yg un' o'r ymadrodd

'heb ado ag un'=heb adael yr un. Cwtogwyd 'heb ado' yn 'bado' ac yna dan ddylanwad yr *o* yn y sill olaf troes yr *a* yn bado yn *o*, gan roi'r ffurf 'bodo ag un'. Cywasgwyd hwnnw drachefn yn 'bod ag un'. Nid yw'n beth anghyffredin i *a* ac *y* ymgyfnewid (cf. ambell, ymbell; anelu, ynelu; amrafael, ymrafael, etc.) ac felly cafwyd 'bod *yg* un'.

236. DIM OND EI FOD. Defnyddir i ddisgrifio rhywun neu rywbeth ar fin trengi.

Y mae'r enaid a fo heb wybodaeth . . . mor glaf fel mai braidd y gellir dweud ei fod yn enaid byw. Ac arfer hen ymadrodd cyffredin, "'does *dim ond ei fod.*"
Eapl. H(1). 288.

BODIAU

237. YN FODIAU I GYD (neu bysedd rhywun yn fodiau i gyd). Disgrifiad o rywun trwsgl ac anghelfydd iawn ei ddwylo. Yn fynych ar lafar cyferchir un felly fel y "bodia".

Edrychai'r dyn arno'n oeraidd am funud, yna . . . rhuthro ar y bwnglerus, 'Dos odd 'na'r *bodia* diawl, a gad i mi 'i wneud o'. WJG. TO. 145.

BODD

238. O FODD NEU ANFODD. Pa un bynnag a fynner ai peidio. S. *willy-nilly*. Llad. *nolens volens*.

Am hynny dyfod sy raid i ti [medd Meistr Cwsg] un ai *o'th fodd ai o'th anfodd*. EW. BC. 55.

239. RHWNG BODD AC ANFODD. Yn hanner ewyllysgar, hanner anfodlon.

Efe a gafas ei wala o waith eu perswadio hwy i hwylio drosodd i Frydain . . . ond *rhwng bodd ac anfodd* morio a wnaethant. TE. DPO. 42.

240. RHYNGU BODD. Boddio, plesio, cyflawni dymuniad (rhywun).

. . . a ydwyf i yn ceisio *rhyngu bodd* dynion? Galat 1.10.

Dir i'r bobl, dewr yw'r bwbach,
Ryngu bodd yr angau bach. SC. IGE(2) 253.

dir=sicr, rhaid. bwbach=ellyll, bwgan. Yma, yr angau. Yn fynych ceir *rhyngu bodd i* . . .

Efe a *ryngodd fodd i* Dduw ac a hoffwyd ganddo.
Doeth. Sol. 4. 10.

241. WRTH FY MODD (dy fodd, ei fodd, etc.). (1) Yn fy mhlesio, yn ateb i'm chwaeth, yn fy modloni.

Diamau gennyf fod Edward Jones yn bregethwr dan gamp ond . . . ni allwn yn eirwir dystio ei fod *Wrth fy modd.* RTJ. CFf. 12.

Ofer disgwyl pob peth *wrth ein bodd* yn y byd yma. LlG. 50.

(2) Yn fodlon a hapus iawn.

Mae *wrth ei fodd* yn trin yr ardd.

BODDFA

242. BODDFA O CHWYS. Yn foddfa o chwys=yn chwys diferol, digon i foddi'r chwyswr!

243. BODDFA O DDAGRAU. Dagrau llifeiriol.

Mae gen i hanes drama'r munud 'ma fuasai'n gyrru llond yr ysgol 'ma o bobol yn *foddfa o ddagrau.* IG. Cr. 106.

BODDI

244. BODDI'R CYNHAEAF. Dathlu diwedd y cynhaeaf trwy gydgyfarfod i yfed.

"Rhoddaist lawenydd yn fy nghalon mwy na'r amser yr amlhaodd eu hyd a'u gwin hwynt." Dyma ddydd mawr dynion y byd — *boddi'r cynhaeaf* y gelwir ef weithiau yng Nghymru. JO. Preg. 93.

245. BODDI'R MELINYDD. Dywed GPC mai ystyr y dywediad hwn yw defnyddio gormod o ddŵr wrth dylino toes. Benthyg o'r S. ydyw, y mae'n dra thebyg, ac yn yr iaith honno, heblaw'r ystyr yn GPC mae'n golygu hefyd (yn ôl '*Dictionary of Historical Slang*' Eric Partridge) rhoi gormod o ddŵr ar wirod. Cytuna Brewer ond gan ychwanegu te at y rhestr, a dywed James Main Dixon (*English Idioms*) ei fod yn golygu rhoi gormod o ddŵr ar unrhyw beth. A ddefnyddir, neu a ddefnyddiwyd erioed, yr ymadrodd yn Gymraeg yn yr ystyron hyn, ni wn. Dyfynna SOED y ddihareb S. *Too much water drowned the miller,* gyda'r eglurhad, *One can have too much of a good thing.* Er cymaint y dibynna'r melinydd ar ei gyflenwad o ddŵr, mae modd iddo yntau gael gormod. Nid da rhy o ddim.

BOGAIL

246. YN NHORIAD EI FOGAIL. Torri llinyn y bogail yw'r

peth cyntaf bron a ddigwydd ar enedigaeth plentyn. Mae'r geiriau felly'n gyfystyr â dweud 'o foment gyntaf ei fywyd'. Clywir dweud am rywun ei fod yn Annibynnwr (neu Dori, neu rebel, etc.) *yn nhoriad ei fogail* h.y. mae felly wrth natur ac ni fu yn ddim byd arall erioed.

BOL

247. BWRW FY MOL. Defnyddir y gair 'bol', yn enwedig ar lafar, fel cyfystyr â *meddwl mewnol* neu *gyfrinach* rhywun.

> Mi rydw i chwedi holi a 'mwrando [=ymwrando] . . . i gael gwybod be ydi llais y ffarmwrs yn gyffredin gyda golwg ar sefyllfa pethe yn y bud yma y dyddie hyn a mi ges allan grun lawer o'u *bolie nhw*. WR. LlHFf. 9.

Felly BWRW FY MOL=dadlennu fy holl feddwl a'm cyfrinach, yn enwedig fy helbulon. Ymadrodd cyfystyr yw DWEUD FY MHERFEDD neu yn y De, yn ôl GPC, DWEUD FY MOLA BERFEDD. (Gw. 1242).

248. CAEL LLOND BOL. Geill *cael llond bol* fod yn brofiad braf neu fel arall. O gael ein diwallu o fwyd a diod, teimlwn, fel arfer, yn fodlon. Ond os cawn ormodedd, yn enwedig os na bydd y bwyd at ein dant, ni fyddwn mor hapus. Geill hyn fod yn wir am bethau heblaw bwyd a diod, ac am bethau'r meddwl yn gystal ag am bethau'r corff. Meddai brawddeg yn y *Faner* (22-2-74) am etholwyr Cymru:

> Cawsant *lond bol* o syrffed ar fethiant y ddwy blaid fawr i wella cyflwr economaidd Prydain . . .

[Sylwer ar y gair "syrffed". Ei ystyr (ddigon priodol yma) yw diflastod. Ond yr un gair ydyw'n wreiddiol â'r gair S. "*surfeit*", sef "llond bol". Dyma bobl wedi cael llond bol o lond bol — druain ohonynt]. Ond fel y defnydd llythr. geill y geiriau yn ffig. gyfleu teimlad hapus hefyd.

> Bu ffraethineb hogiau Bodffordd yn gymorth i mi fedru chwerthin *llond fy mol* lawer tro. IG. Cr. 115.

249. O FOL Y CLAWDD. Term difrïol i ddisgrifio rhywun heb gael addysg neu urddau.

> "Yr idea! fod ti'n deud fod ti'n cael mwy o bleser wrth wrando ar ryw benebyliaid diddysg o *fol y clawdd* . . . nag wrth wrando gweinidogion Duw mewn urddau sanctaidd." [Mr. Jones y Person yn sôn am y pregethwyr teithiol]. DO. GT. 121.

Nid oedd Cynwal druan (ysgolhaig *bol clawdd*) ond megis yn ymladd â'r dyrnau moelion yn erbyn tarian a llurig . . . LlGO. 103.

[Cyfeirio y mae Goronwy at ymryson barddol a fu rhwng Wm. Cynwal ac Edmwnd Prys].
Tebyg oedd dyfarniad Goronwy ar waith baledwyr ei gyfnod.

Man glytwyr dyriau . . . sydd hyd Gymru yn gwybeta, ac yn gwneuthur ac yn gwerthu ambell resynus garol neu *ddyri fol clawdd*. LlGO. 13.

250. YN DYWYLL FEL BOL BUWCH. Dywediad cyffredin iawn ar lafar, yn y Gogledd o leiaf, yw hwn. Weithiau i bwysleisio'r tywyllwch yn fwy fe ddywedir '*fel bol buwch ddu*'!

251. YN DDU FEL (Y) BOLOL. Y bolól yw'r bwgan neu'r diafol.

'Roedd y babi wedi bod yn chwarae yn y cwt glo, ac yn *ddu fel y bolól* ei hun.

BÔN

252. YN Y BÔN. Yn y peth (neu'r pethau) hanfodol. Pren (coeden) — dyma'r darlun. Ym môn y pren y gwelir orau ei wir ansawdd.

Dyn da iawn oedd tad y ddau [fachgen] hynny ac yr oedd ei natur yn ei feibion, dau ddiniwed ddigon, ond dewr *yn y bôn*. TGJ. Bri. 33.

Yr un darlun o bren a geir yn yr ymadrodd YN Y GWRAIDD, sydd mewn rhai cysylltiadau'n cyfleu'r un ystyr.

BORE

253. BORE. Yn ychwanegol at yr ystyr lythr. fe'i defnyddir hefyd i olygu: yn gynnar yn hanes dyn, cenedl, cyfnod, mudiad neu sefydliad.

. . . a hwythau [Epistolau Iago, Hebreaid, Pedr] ar gael er yn *bur fore* yn Nhestament Syria. JPJ. Iago xiii.

254. YN Y BORE BACH. Ar godiad y wawr, cyn i'r dydd ddechrau tyfu!

Chwech o'r gloch yn y *bore bach*
Yn swoto fel y boi. IJ. CD. 28.

Swoto=astudio. Sôn y mae I.J. am helbulon myfyriwr.

255. Y BORE GLAS. Toriad cynta'r dydd.

Mi bellach goda'i maes
Ar *fore glas* y wawr . . . W.W. LlEM. 334.

Gw. ( ).

256. BORE OES. Plentyndod, mebyd.

BRAICH

257. BRAICH. Llinell o farddoniaeth.

Ond gwybydder nad yw y ddwy *fraich* gyntaf ond megis geiriau llanw, yr olaf sy'n cynnwys ynddi ystyr y chwedl. TE. DPO. 151.

Sôn y mae TE am englyn milwr.

Braidd na roeswn ddiofryd byth wneuthur un *braich o bennill* hyd oni chawn Ramadeg. LlGO. 74.

258. CYNNIG O HYD BRAICH. GWAHODD O HYD BRAICH. Cynnig neu wahodd yn oeraidd a di-frwdfrydedd, a'r cynigiwr neu'r gwahoddwr yn mwy na lled-ddisgwyl na dderbynnir y cynigiad neu'r gwahoddiad. Gw. yr erthygl nesaf.

259. O HYD BRAICH. Cadw rhywun *o hyd braich* yn llythr. yw ei gadw rhag dod yn ddigon agos atoch i fedru eich cyffwrdd. Yn ffig. golyga osgoi cael cyfathrach bersonol glos â rhywun.

Weithiau troai Tudno i mewn [i dŷ Gwilym Cowlyd] eithr cyfeillgarwch *o hyd braich* oedd rhyngddynt hwy. JD. HL. 61.

Term Puleston Jones am Adran Allanol y Brifysgol oedd "Y Brifysgol o Hyd Braich" ond nid oedd awgrym o berthynas oeraidd yn y ffordd y defnyddiai ef yr ymadrodd. Yn hytrach, y darlun yn ei feddwl ef oedd un o'r Brifysgol yn estyn allan ei braich i helpu'r werin.

260. O (YN) NERTH BRAICH AC YSGWYDD.

(1) o rym ac egni corff.

Torrodd y tractor i lawr, a bu'n rhaid cario'r hen foncyff o *nerth braich ac ysgwydd*.

(2) â phob egni posibl.

Mae hi [: cân o glod i Arglwydd Powys] eto heb ei llawn orffen; ond bellach ati hi yn *nerth braich ac ysgwydd*. LlGO. 128.

Yn (2) mae'n amlwg golli pob syniad am nerth corfforol, peth digon di-fudd at nyddu cerdd.

261. TRWY FRAICH A CHRYFDER. Trwy rym. S. *with might and main.*

ac a wnaethant iddynt beidio *trwy fraich a chryfder.* CSA. *by force and power.* Esra. 4. 23.

262. WRTH FÔN BRAICH. Bôn braich=Ffig. nerth corfforol. Wrth fôn braich=trwy rym a thrais.

Ydyw dy gydwybod di yn cyhuddo iti ddwyn dim ar gam neu fod yn dal dim *wrth fôn braich* oddi wrth un wraig weddw na phlentyn amddifad? RF. Y Ddu. 389.

BRAIN

263. EI WNEUD CYN FANED Â GALLASAI'R BRAIN EI FWYTA. Ffordd o fynegi cosb neu ddial eithafol.

Mi 'rydw i'n cofio'r amser pan oedd cychwrs Conwu a Phortheithwy yn rhegi y pontudd . . . ac mi 'roedden nhw mor filen wrth y dun dyweisiodd nhw y basen nhw yn i neyd o gin faned a *lase'r brain i fyta* fo, tase nhw'n llyfasud. WR. LlHFf. 10.

Llyfasud=ffurf dafodieithol ar "llyfasu'=beiddio.

264. GWAED Y BRAIN DUON! Ymadrodd a ddefnyddir (a ddefnyddid, o leiaf) i fygwth plant drwg.

265. TRAED BRAIN neu ÔL TRAED BRAIN. Ysgrifen fabanaidd neu aflêr, yn groes ymgroes fel ôl traed haid o frain yn yr eira.

". . . fe ysgrifennodd [y gof o Waendwysog] yr egwyddor ym mhen uchaf y dalennau; a gofalus iawn a fûm yn canlyn ar lanw'r holl bapur, yn gyffelyb i ôl *traed brain.*" HLlTN. 30.

266. RHWNG Y CŴN A'R BRAIN. (Arian neu eiddo'n) mynd ar chwâl na ŵyr neb i ba le, yn enwedig fel canlyniad i genfigen ac ymgiprys rhwng crafangwyr diegwyddor.

Mi fyddai'r teulu gynt yn rhai go gefnog, ond mae'r cwbl wedi mynd *rhwng y cŵn a'r brain.*

Ceir peth goleuni ar darddiad y dywediad yn y gerdd "Sessiwn yng Nghymru" gan Jac Glan-y-Gors (gw. GGG (CF). Gw. (621).

BRÂN

267. FEL YR HED BRÂN. Mewn llinell unionsyth; y ffordd fyrraf. Nid oes i'r aderyn ar ei daith drwy'r awyr rwystrau i'w hosgoi, fel y sy fynychaf ar lwybr dyn neu anifail ar lawr daear.

268. MAE BRÂN i FRÂN. Mae cymar ar gyfer pawb yn rhywle pe doi o hyd iddo (neu iddi).

Mae brân i frân y dyffryn,
Mae Siân ar gyfer Sionyn;
Ac os yw pawb i gael rhyw garp
Mae Huwcyn larp i rywun.

HB. 24.

269. Y FRÂN WEN. Aderyn dychmygol a gaiff yr enw o fod yn cludo chwedlau am ddrygioni plant i'w rhieni.

Mi ddeudodd y *frân wen* wrtha i dy fod di wedi bod yn dwyn 'falau.

Yn y 'Bardd Cwsg', o ran hynny, rhoddir i'r frân gyffredin enw fel clepgi: sonnir am y gwahanol enwau mwyn a roir i gelu tarddiad stori, yna dywedir

"Rhai eraill a'm diystyrant i 'mhellach gan fy ngalw'n *Frân*, fe ddywed Bran i mi fod yno gastiau drwg, meddant." EW. BC. 63.

270. YM MHIG Y FRÂN. Defnyddir yr ymadrodd mewn cyswllt fel hwn, fel arfer: "Mi fuaswn yn ei nabod *ym mhig y frân,*" h.y. ni waeth ple y gwelwn ef, hyd yn oed y lleoedd mwyaf annisgwyl ac annhebygol. Ni chlywais egluro tarddiad y dywediad.

BRAS

271. BYW'N FRAS. Byw'n helaethwych ac mewn llawnder. Awyddai RWP am gael troi'r ceiliog ffesant yn ddeunydd pryd —

"A *byw yn fras* am hynny o dro
Ar un a besgodd brasder bro".

RWP. HCE. 21.

cf. Gosodaist ti fy mwrdd *yn fras*
Lle 'roedd fy nghas yn gweled. EP. LlEM. 473.

272. SIARAD YN FRAS. Mae dwy ystyr i'r ymadrodd (a) siarad yn gyffredinol, heb fanylu; rhoi dim ond braslun neu fraslinelliad.

(b) siarad yn gwrs ac afledneis.

Mae ffurf arall o (b) ar gael, sef *siarad brastod.*

BRATHU

273. BRATHU TAFOD. Ymatal, nid heb ymdrech, rhag dweud rhywbeth, fel rheol rhywbeth cas neu wawdus.

Mi fu bron imi ag edliw iddi sut yr oedd ei thad wedi gwneud ei bres ond mi ges ras i *frathu fy nhafod.*

274. BRATHU PEN. Gwthio pen i mewn, e.e. i ystafell.

Ynghanol y galar, cyn i'r cwmni braidd eistedd i lawr ar ôl dyfod o'r fynwent, dacw ryw ŵr swyddogol ei ddull a'i osgo yn *brathu ei ben* o'r parlwr . . . JPJ. Ysg. 195. Na *frath dy ben* i faterion rhai eraill. EW. RBS. 96.

BRECHDAN

275. BRECHDAN DDEG. BRECHDAN DRI. (BRECHDAN BEDWAR). Y bwyd a ddygai chwarelwr gydag ef i'w waith i'w fwyta ganol y bore a chanol y prynhawn. Cefais ganiatâd gan Mr. Ernest Roberts, Bangor, i ddyfynnu'r paragraff canlynol o'i waith (*Llafar*. Gaeaf 1961):

Brechdan *bedwar* a ddywedai ein teidiau. Dyna ymadrodd a ddaeth i eirfa'r trigolion o'r cyfnod hwnnw pan weithid yn y chwarel yn ystod misoedd yr haf o chwech yn y bore hyd chwech yn yr hwyr. Yn amlach na pheidio torrid bwyd y chwarelwr . . . y noson cynt. Wel sut frechdan ydych chi'n feddwl oedd honno a fwyteid yn hwyr bnawn trannoeth?

A dyna rym y dywediad am e.e. bregeth sych, ei bod *fel brechdan dri*.

276. BRECHDAN I AROS PRYD.

(1) Rhywbeth dros dro i aros nes daw rhywbeth gwell.

Mi fûm yn caru nghariad
 Am ddeddeng mis ac un,
Gan feddwl yn fy nghalon
 Fy mod i'n eithaf un;
Yn lodes heini lawen
 Yn tyfu 'ngardd y byd,
Nid oeddwn yn y diwedd.
 Ond *brechdan i aros pryd*.

(2) Blaenbraw ar raddfa fechan o rywbeth sydd i ddod yn gyflawn yn nes ymlaen.

Addewir codiad i'r gweithwyr o ddwybunt yr wythnos ddiwedd y flwyddyn. Yn y cyfamser rhoir iddynt ddeg swllt yr wythnos yn ddioed, fel *brechdan i aros pryd*.

Fel mam yn rhoi tafell o fara-menyn i hogyn newynog i'w "gadw i fynd" nes daw'n amser pryd llawn.

277. DAL WYNEB Y FRECHDAN ATAF FY HUN. Gofalu am fy muddiannau fy hun. Wyneb y frechdan yw'r tu y mae'r ymenyn arno.

Mae byddigions i gid yn teimlo trost i gilydd, a gin mau nhw sun cael i danfon i'r palment [=senedd] i neyd y cywreithie i ni, pw ryfedd os ydi nhw'n *dal wyneb y frechdan atyn nhw'u hinen*. WR. LlHFf. 35.

278. HEN FRECHDAN. Ffig. Dyn llywaeth a di-asgwrn-cefn.

BREICHIAU

279. CYNNAL BREICHIAU rhywun. Ei gynorthwyo a'i gefnogi. Tarddodd yr ymadrodd, fe ymddengys, o'r hanes Beiblaidd am Aaron a Hur yn cynnal dwylo Moses i fyny, er mwyn sicrhau buddugoliaeth Israel ar Amalec. "A phan godai Moses ei law y byddai Israel yn drechaf; a phan ollyngai ei law i lawr, Amalec a fyddai drechaf. A dwylo Moses oedd drymion . . . ac Aaron a Hur a gynaliasant ei ddwylo ef, un ar y naill du, a'r llall ar y tu arall; felly y bu ei ddwylo ef sythion nes machludo yr haul. A Josua a orchfygodd Amalec". Ecs. 17. 11-13.

> Y mae'n ddyletswydd ar y genhedlaeth hŷn *gynnal breichiau'r* bobl ieuainc sy'n brwydro dros hawliau'r Gymraeg.

BRENIN

280. DIWRNOD I'R BRENIN. Diwrnod o ŵyl. Nid un o'r gwyliau cydnabyddedig, ond diwrnod a ddylai fod yn ddiwrnod gwaith yn cael ei ddwyn a'i dreulio'n hamddena neu'n ymbleseru.

> 'Roedd gen i lond gwlad o waith, ond yr oedd yn fore mor fendigedig, mi benderfynais adael i'r cwbl fynd i grogi a *rhoi'r diwrnod i'r brenin.* I Landudno â ni ar y bws cyntaf.

Cofir fod gan y Dr. Kate Roberts, yn y gyfrol 'Ffair Gaeaf' stori o dan y pennawd 'Diwrnod i'r Brenin', yn sôn am ddiwrnod felly.

281. YN FRENIN WRTH . . . neu o'i gymharu â . . . Defnyddir i fynegi fod un peth yn anghymharol well na rhywbeth arall.

> Gofynnais iddi [gwraig ffermdy bach ger Llyn Cowlyd] "Fyddwch chi'n teimlo'n unig iawn mewn lle mor anghysbell?"
> "O na fyddaf", meddai "mae yn *frenin o'i gymharu â* Chwm Eigiau lle'r oeddwn yn byw o'r blaen."
> EWms. DE. 28.

> "Mae o'n *frenin heiddiw wrth* yr hyn fuo fo". ebe hi. [gwraig yn sôn am ei gŵr claf]. KR. OGB. 120.

heiddiw=heddiw, ar lafar rhannau o Arfon.

BREST

282. SIARAD O'R FREST. Siarad yn ddifyfyr, heb baratoi ymlaen llaw.

O'm rhan fy hun, er cystal gennyf oedd gwrando'i anerchiadau set — wedi eu manwl baratoi bob amser — cawn fwy o afael arno pan *siaradai o'r frest.*

283. GWEDDÏO O'R FREST. Gweddi ddifyfyr.

Eglwyswr oedd Siôn, ac iddo ef nid oedd gweddi'n weddi os na ddarllenid hi o lyfr. I Siams, oedd yn gapelwr, *o'r frest* y dôi pob gwir weddi.

BRETHYN

284. LLATHEN O'R UN BRETHYN. Defnyddir i fynegi'r syniad nad oes fawr o ddewis rhwng dau berson: ni waeth y naill mwy na'r llall. Byddai cyn anodded dewis rhyngddynt â dewis rhwng dau ddarn o frethyn wedi eu torri o'r un corn — a chyn fuddioled. Beirniadol yw naws y geiriau bob amser.

Trafferth ges i efo dy dad. A *llathen o'r un brethyn* wyt tithau! cf. CHWAER I MAM YDYW MODRYB.

a'r S. *six of one and half a dozen of the other.*

BREUDDWYD

285. BREUDDWYD GWRACH WRTH EI HEWYLLYS. Brawddeg sy'n cyfleu'n fyw yr hyn a olygir wrth y gair S. *'wishful thinking'*. Tyb neu gred wedi ei seilio ar ddymuniadau yn hytrach nag ar ffeithiau.

Byddai Gwen yn sôn beunydd am fab y Plas, gan awgrymu nad oedd hwnnw heb gryn ddiddordeb ynddi. Ond *breuddwyd gwrach* — gwrach ddigon del mae'n wir — *wrth ei hewyllys* oedd y cwbl.

BRIG

Ystyr *brig* yw top, neu flaen, rhywbeth, e.e. brig y to, brig y coed, brig yr ŷd (=y tywys), brig y don. S. *crest.* Yn ffig. defnyddir y gair mewn ystyron cyffelyb e.e. ar frig y rhestr (=ar y top) ym mrig y gystadleuaeth (=ar y blaen, yn orau neu ymhlith y goreuon). (Gw. 147).

286. AR FRIG UCHAF Y LLAIS. Ar dop y llais.

Dna fo . . . yn gweiddi allan *ar frig ucha'i lais.*
o Gofiant R. Roberts, Clynnog; dyf. JHJ. M. 38.

287. BRIG-FRIG. Ben-ben; ym mhennai'i gilydd.

Fel y gwelwch chwi ddau waedgi gwancus yn ymgiprys *frig-frig* am asgwrn. TE. DPO. 39.

288. BRIG Y NOS. Blaen neu ddechrau'r nos=y cyfnos.

Gwelais un ohonynt [prynwr llyfrau] yn mynd adref ym *mrig y nos* mewn cyflwr digon amheus er bod 'Boston ar Bedwar Cyflwr Dyn' dan un fraich a 'Thaith y Pererin' dan y llall. RB. DC. 13.

Pan oeddwn *ar frig noswaith* yn y gwŷdd . . .
(Geiriau cyntaf hen gân werin).

289. BRIG Y WAWR. Blaen y wawr, y bore cynnar, cynnar.

A mynd mewn sgidiau hoelion mawr
Ar *frig y wawr* i'r Chwarel.
TRH. ChCh. 82.

290. O'R BRIG I'R BÔN. Yn gyfan, yn llwyr, o'r top i'r gwaelod.

Awgryma Tudur Jones fod syniad cymharol gytûn ynglŷn â'r gymdeithas yn treiddio trwy fywyd Cymru *o'r brig i'r bôn*. BJ. Lleufer Cyf. XXV (1973) Rhif 3.

BRITH

291. BRITH GO(F). Atgof gwan, aneglur, ansicr.

Y mae gennyf *frith gof* weled yr Hybarch Edward Morgan y Dyffryn ym mhulpud Bethel. JHJ. GG. 16.

Ceir ef hefyd fel gair cyfansawdd:

Dim ond rhyw *frithgo'* am ryw gyffro gynt.
THP-W. DG. 41.

Gw. hefyd (549).

BRITHO

292. BRITHO CRIMOGAU. Eistedd ar ben y tân* nes bod smotiau coch anolygus yn ymddangos ar du blaen y coesau.

Nid oedd gwaith yng nghroen Mari. Ei hoff orchwyl drwy'r dyddiau oedd *britho'i chrimogau* o flaen tanllwyth o dân.

* ar ben y tân=cyn nesed ato ag a aller.

BRIW

293. RHOI HALEN AR Y BRIW. Gwneud dolur sy'n bod eisoes yn fwy dolurus; gwneud sefyllfa boenus yn fwy poenus fyth.

Pan oeddwn ar fin gofyn i Siân ddod yn wraig imi, daeth fy nghefnder Wil a'i phriodi o dan fy nhrwyn. (1464). Rhoes *halen ar y briw* drwy ofyn imi fod yn was priodas iddo.

Cf. yr ymadrodd S. *to add insult to injury.*

BRWYNEN

294. O FRWYNEN. Ymadrodd i fynegi mesur bychan neu ddibwys.

Fe addawodd eich brawd . . . yr edrychai . . . am ryw le i mi yng Nghymru; ac nis gwaeth gennyf *o frwynen* ym mha gwr i Gymru. LlGO. 9.

295. YN SYTH FEL BRWYNEN.

Er ei fod dros ei bedwar ugain mae o'n bur sionc ar ei draed, ac yn *syth fel brwynen.*

296. YN WAN FEL BRWYNEN. Yn wan iawn, heb fod â nerth i ddal dim pwysau.

BRYCHNI

297. BRYCHNI HAUL. S. *freckles.*

'Roedd ganddi wyneb tlws, ac ni wnai'r mymryn *brychni haul* oedd arno ddim ond ei wneud yn fwy deniadol.

Daw 'brychni' o'r gair 'brych'=wedi ei fritho â smotiau. S. *spotted, speckled.* "Annos ei filgi *brych* rhwng y brwyn" a wnâi Sipsiwn Eifion Wyn.

Cf. A newidia yr Ethiopiad ei groen, neu y llewpard ei *frychni*? Jer. 13. 23.

BRON

298. O'R BRON. I gyd, yn gyfan.

Gwnaethost fwy mewn un munudyn
Nag a wnaethai'r byd *o'r bron.*

WW. LlEM. 588.

Y mae tuedd yn y Gogledd i gymysgu 'o'r bron' o ran ystyr a 'bron, ymron'=S. *almost.*

BUCHEDD

299. YMADAEL Â'R FUCHEDD HON. Marw. S. *depart this life.*

BURUM

300. YN FURUM O CHWYS. Yn chwys diferol. Un o ystyron 'burum' yw'r ewyn neu'r ffroth ar wyneb diod frag a thebygrwydd hwnnw i chwys ewynnog ceffyl, mae'n siŵr, a roes fod i'r ymadrodd hwn. Cf. y syniad tu ôl i'r gair arall cyfystyr a geir ar lafar gwlad, 'yn laddar (S. *lather*) o chwys' lle cyffelybir y chwys i'r ewyn a gynhyrchir wrth gymysgu dŵr a sebon. Nid at geffylau'n unig, wrth gwrs, y cymhwysir yr ymadroddion; fe'u defnyddir i ddisgrifio unrhyw chwysu anghymedrol. Gw. (242).

BW

301. HEB NA BW NA BE. Heb ddweud dim; yn hollol fud.

> Ni bydd ohonom ar ôl yn y byd
> Ond asgwrn ac asgwrn ac asgwrn mud;
> Dau bentwr bach dan chwerthinog ne'
> Mewn gorffwys di-gnawd, *heb na bw na be*.
> THP-W. DG. 5.

BWCH

302. BWCH DIHANGOL. S. *scapegoat*.
Ysgrythurol yw tarddiad yr ymadrodd hwn. Darllener Pen. 16 o Lefiticus. Yn ôl defod cyfraith Moses (Lef. 23-27) dewisid drwy goelbren un o ddau fwch gafr i'w anfon yn fyw i'r anialwch, wedi i bechodau'r bobl gael eu gosod arno'n arwyddluniol. Hwn oedd y '*bwch dihangol*'; yr oedd y llall o'r ddau i gael ei aberthu.

> A'r bwch y syrthiodd arno y coelbren i fod yn *fwch dihangol* a roddir i sefyll yn fyw gerbron yr Arglwydd, i wneuthur cymod ag ef, ac i'w ollwng i'r anialwch yn *fwch dihangol*. Lef. 16. 10.

Daeth '*bwch dihangol*' yn y man i olygu unrhyw un a feiir neu a gosbir am weithred(oedd) rhywun neu rywrai eraill.

> Mae yn rhaid i rywun ddioddef cyn y daw daioni i'r lliaws: ac os ydwyf fi ac ychydig eraill yn cael ein gwneud yn *fwch dihangol* i'r tri chant sydd yn gweithio yn y Caeau Cochion . . . popeth yn dda.
> DO. RL. 114.

BWGAN

303. CODI BWGANOD. Creu digalondid ynglŷn â bwriad neu gynllun trwy sôn am bob math o anawsterau.

Er i'r penteulu *godi pob math o fwganod*—y gost, yr helgud, ei brysurdeb etc., bu'r wraig a'r plant yn drech nag ef. Gwyliau ar y cyfandir fu hi.

BWLCH

Cyfystyr yw *BWLCH* ag *ADWY*. Gw. yr hyn a geir o dan 'adwy' (24-29). Yn gyffredinol y mae'r sylwadau'n gymwys at 'bwlch' hefyd.

304. BWLCH ar ôl rhywun. Lle gwag; colled; diffyg.

Bid rhy wan boetri ennyd,
Bid *bwlch* ar wybodau byd.
GTA. 354 (Marwnad Elisau ap Gruffydd).

305. BWLCH=Cyfle.

Yr oeddwn wedi meddwl y cawn *fwlch* yn ystod y cyfarfod i ddweud gair.

306. BWLCH YR ARGYHOEDDIAD. Term a arferid gynt (nid yw mor gynefin bellach) am droedigaeth grefyddol: *argyhoeddiad* o bechod yw'r wasgfa — y *bwlch* cyfyng — y mae'n rhaid i ddyn fynd trwyddo cyn cael heddwch cydwybod.

307. LLENWI'R BWLCH. Cf. dod i'r adwy.

Pan fu farw'r Arlywydd, daeth yr Is-arlywydd Truman i'r swydd. Yn groes i ddisgwyliad pawb *llanwodd y bwlch* a adawsai Roosevelt ar ei ôl gyda medr, penderfyniad ac urddas mawr.

308. PRESENOLDEB 'BYLCHOG'. S. *irregular attendance*.

Go *fylchog* fûm i'n ddiweddar yn yr Ysgol Sul.

309. SEFYLL YN Y BWLCH. Bod yn amddiffynnwr mewn argyfwng. Cf. sefyll yn yr adwy (28). Enghr. enwog yw geiriau Emrys Wledig yn nrama Saunders Lewis, *Buchedd Garmon*:

Sefwch gyda mi *yn y bwlch*
Fel y cadwer i'r oesau a ddêl
Y glendid a fu.

Yn yr enghr. ganlynol 'cyflenwi diffyg' yw'r ystyr.

Mae'r *bwlch* y mae'r llyfr hwn ["Cyfraith Hywel"] yn rhyfygu *sefyll ynddo'n* amlwg iawn. DJ. CH. (Rhagair)

BWRW

Y mae priod-ddulliau'r gair *bwrw*'n ddirifedi bron. Rhoir isod ddetholiad bach ohonynt. Tardd y gair o wreiddyn yn golygu 'taflu' ac nid anodd, gan amlaf, weld yn y priod-ddulliau y cysylltiad â'r syniad hwnnw.

310. BWRW. Taflu.

Bwrw dy fraich ar yr Arglwydd, ac efe a'th gynnal di. Salm 55. 22.

Felly y mae teyrnas Dduw, fel pe *bwriai* ddyn had i'r ddaear. Marc 4. 26.

311. BWRW. Taflu i lawr, dymchwelyd. S. *overthrow*.

Ymwan a orugant; ac ni bu hir oni *fwriodd* Peredur ef dros bedrain* ei farch i'r llawr. BJ. Rh. 46.

pedrain=crwper.

312. BWRW. Cyfogi. Yn y Gogledd, taflu i fyny.

Os gorfu arnat mewn gwledd fwyta, cyfod o'r canol, *bwrw*, ac ymesmwythâ. Eccles. 31. 21.

313. BWRW. Anelu. Amcanu. Cf. ystyr y gair 'bwriad'.

Nid oeddem ni'n *bwrw* at ddim llai na'r cwbl [ebe Lucifer gan gyfeirio at ei wrthryfel ef a'i ddeiliaid yn erbyn Duw]. EW. BC. 107.

314. EI BWRW HI. Ei gwneud hi, ei chyfeirio hi. Priod-ddull y De'n bennaf.

Wedyn dyma Wil yn ei *bwrw* hi am y drws. IJ. YP. 15.

315. BWRW. Meddwl, synio, tybio.

. . . nid wyf fi yn *bwrw* ddarfod imi gael gafael . . . Phil. 3. 13.

Yr oedd Jul-Caisar yn *bwrw* cael hawddgarach triniad . . . TE. DPO. 30.

316. BWRW. Rhoi llun ar (rywbeth):

Gorfu arnaf *ail-fwrw* fy llythyr atoch chwi rhag dywedyd celwydd yn ei gynhwysiad. LlGO. 23.

Cf. S. *re-cast*.

317. BWRW. Barnu. Condemnio.

Dy enau di sydd yn *dy fwrw* yn euog, ac nid myfi. Job 15. 6.

'Rych chwi 'n rhy deg i'm *bwrw* heb fy ngwrando. EW. BC. 118.

318. A BWRW. A thybio, a chymryd yn ganiataol. S. *assuming . . .*

A bwrw fod y cynllun yn ymarferol, a yw'n ddymunol?

319. BWRW glaw, eira, cenllysg, etc. Pan ddefnyddir 'bwrw' yn yr ystyr hon heb enw ar ei ôl, golygir *bwrw glaw*.

Mae'n *bwrw* yng Nghwm Berwyn, a'r cysgod yn esgyn,
Gwna heno fy mwthyn yn derfyn dy daith.

EdR. 11.

320. BWRW ANGOR. Angori. S. *cast anchor*.

. . . wedi iddynt *fwrw pedair angor* allan o'r llyw hwy a ddeisyfasant ei myned hi yn ddydd. Act 27. 29.

321. BWRW AMCAN. Dyfalu. S. *guess, conjecture*.

Canys efe a allai *fwrw amcan* (o byddai gelfyddgar) pa un a byw ai marw a wnai'r claf. TE. DPO. 358.

322. BWRW AMSER. Treulio amser.

Eechgyn wedi *bwrw'u holl amser* mewn Grammar Schools . . . sy'n arfer rhagori yn y grefft. [o ysgrifennu Lladin]. JPJ. Ysg. 15.

Defnyddir hefyd gyda chyfeiriad at gyfnodau *penodol* o amser, hir neu fyr, ac at adegau penodol;

Mi fûm yn *bwrw blwyddyn*
A'i *bwrw'n* ôl fy ngreddf.

RWP. CG. 3.

Bwriodd bum mlynedd helaeth yn yr Athrofa.

JPJ. Ysg. 18.

Wedi gorffen malu'r baco caled . . . gwasgu hwnnw'n dyn i'w getyn, a *bwrw* deng munud i'w danio . . . tynnai gadair . . . at y tân. JHJ. GG. 111.

323. BWRW'R NADOLIG (Y PASG). S. *spend Christmas, Easter*.

324. BWRW ANNWYD. Cael gwared â'r oerni. Cadw'n gynnes;

Dowch at y tân i *fwrw eich annwyd*.

325. BWRW ARFAU. Diosg arfau; eu rhoi heibio.

Nid oes *bwrw arfau* yn y rhyfel hwnnw. Preg. 8. 8.

(CSA a JB, *no discharge* NEB. *lay aside his arms*).

326. BWRW BAI. Rhoi'r bai.

Wel dyma'r diawl ei hunan hai, hai, hai,
Yn *bwrw'r bai* ar bechod.

TEd. PCG. 35.

327. BWRW BLEW. Colli blew fel y gwna ci neu gath.

> . . . . mi gafodd [y ci] rhyw glwy, a dyna lle'r oedd o yn dihoeni ac yn *bwrw ei flew*. TGJ. Cym. 82.

cf. BWRW PLU ag ystyr debyg am adar.

328. Felly hefyd BWRW CROEN (fel neidr). Yn y dyfyniad a ganlyn defnyddir *bwrw croen* fel trosiad mewn dull nodweddiadol o fywiogrwydd arddull yr awdur:

> Y mae arddull ddawnus gyfoethog a mân feflau fel hyn arni . . . yr un fath a gŵr bonheddig trwsiadus ei wisg . . . ond bod un o'r botymau* duon yn dechrau *bwrw ei groen*. dyf. RWJ. JPJ. 280.

*Botymau wedi eu gorchuddio â brethyn (neu'r tebyg) oedd y rhain wrth gwrs.

329. BWRW BLINDER. BWRW LLUDDED. Dadflino, taflu lludded ymaith.

> Mae cysur ennyd mewn marweidd-dra mwyn
> Mewn *bwrw lludded* wedi llafur maith.
> THP-W. Cerddi 46.

330. BWRW'R DRAUL. Amcangyfrif y gost. Ffig. Ystyried ymlaen llaw pa faint y mae gwaith neu fenter yn debyg o'i gostio mewn arian ac mewn ffyrdd eraill e.e. ymdrech, aberth.

> Canys pwy ohonoch chwi a'i fryd ar adeiladu tŵr, nid eistedd yn gyntaf a *bwrw'r draul* a oes ganddo a'i gorffenno?
> Luc. 14. 28.

331. BWRW DRWYDDI. Traethu'n huawdl, dweud y drefn, siarad a siarad.

> Hwyrach y b'asech chi, Mr. Jones [y person] yn deud ddydd y Pentecost, pan oedd Pedr yn pregethu, Ho, hen werthwr pysgod Môr Galilea sydd yn clebar ac yn *bwrw drwyddi*. DO. GT. 122.

332. BWRW HIRAETH. Dod trosto, cael ei wared.

> Mae hi'n awr yn hir amser er pan fûm ym Môn, ac yr wyf agos wedi *bwrw fy hiraeth* amdani. LlGO. 82.

333. BWRW HEN WRAGEDD A FFYN. Bwrw glaw yn drwm iawn. S. *raining cats and dogs*. Dyry C. P. Cule (Cymraeg Idiomatig 69) ymadrodd o'r un nodwedd a'r un ystyr: BWRW CYLLYLL A FFYRC.

334. BWRW LLYSNAFEDD. Ffig. Difrïo yn annheilwng a ffiaidd.

Fedrwn i ddim diodde clywed yr hen ragrithiwr yn *bwrw'i lysnafedd* ar ddyn canwaith gwell na fo'i hun.

Cysylltiadau anghynnes sydd i'r gair 'llysnafedd" ('snafedd" ar lafar). Golyga e.e. garthion y trwyn neu'r sleim gludiog a edy malwen ar ei hôl.

335. BWRW NAID. Rhoi naid, neidio.

Enaid, os dyosg pridd y corff fydd raid,
I'r wybr yn ysbryd noeth y *bwri naid.*

JMJ. Can. 179.

Ceir dau ddefnydd o *bwrw* yn y ddeufraich ganlynol, lle mae'r bardd yn disgrifio cloffion yn cael eu hiacháu yn ffynnon Gwenfrewi.

Bwrw dwyffon i'w hafon hi,
Bwrw naid ger ei bron wedi.

GTA. 525.

336. BWRW OEN (llo, ebol, etc.). Geni oen etc.

A fedri di wylied yr amser *y bwrw yr ewigod loi*?

Job 39. 1.

Ceir dwy enghraifft o *bwrw* hefyd yn y dyfyniad nesaf:

337. BWRW PRENTISIAETH. Treulio cyfnod o ddysgu crefft. S. *to serve apprenticeship.*

Bwriodd (322) oddeutu naw mlynedd o amser yno . . . fel cysodydd i ddechrau, ac wedi *bwrw'i brentisiaeth,* fel cynorthwywr i Mr. [Thomas] Gee yn ystafell y Golygydd.

JPJ. Ysg. 13.

BWYD

338. AR EI FWYD EI HUN.

(1) Dywedid gynt am fardd o ŵr bonheddig a oedd yn feistr ar gelfyddyd cerdd dafod, ac yn ei harfer, ond na ddibynnai ar nawdd neb am ei fywoliaeth, mai bardd ydoedd yn canu *ar ei fwyd ei hun.*

Mewn llawysgrif a ysgrifennwyd tua 1650 . . . ceir rhestr o feirdd o'r genhedlaeth honno a'r genhedlaeth flaenorol a oedd *"yn canu ar eu bwyd eu hun* (mal y mae y ddihareb) yn foneddigion ac uchelwyr da".

TP. HLlG. 105.

(2) Mewn cyfnod diweddarach, hyd at ugeiniau'r ganrif hon, byddai'n arfer weithiau i weithwyr ffarm (a gweithwyr eraill o bosibl), ddwyn eu bwyd i'w canlyn, a chael cyfran fwy o gyflog ar gyfer hynny. *Bod ar ei fwyd ei hun* y gelwid hynny.

Wyddost ti faint oedd 'y nghyflog i pan briodes i? Chwe swllt yr wythnos a 'mwyd, a byw adre *ar fy mwyd fy hun* y Sul. DO. GT. 333.

Yn 'Rhyddiaith Gymraeg' Cyf. 2 (Gwasg Prifysgol Cymru) argreffir hen stori ddigrif a geir yn un o lawysgrifau Cwrt Mawr, ac a sgrifennwyd yn 1582. Sonnir ynddi am wraig a oedd ar fedr priodi dyn '[yr] hwnn oedd fyttawr da' yn cael cyngor: 'os bargen ag ef a wnewch: priodwch ef *ar ei fwyd i hun*!'

339. BWYD LLWY. Bwyd addas i blant yn hytrach na phobl yn eu maint. S. *slops, pap.* Defnyddir yn ffig, am lenyddiaeth ddi-sylwedd neu'r cyffelyb.

Galwed Maer . . . ei gynghorwyr ynghŷd i ymorol am lyfrgell ac ynddi gyfoethocach detholiad o lyfrau . . . rhywbeth amgenach na *bwyd llwy*. JHJ. M. 29.

340. YN FWYD AC YN DDIOD IMI. Yn rhywbeth anhepgor imi, yn gyfrwng bywyd imi.

Yn *Brad* y mae Saunders Lewis yn darlunio . . . pobl sydd â thraddodiad ym mêr eu hesgyrn (1155). Ymhellach, dynion ydynt y mae traddodiad *yn fwyd ac yn ddiod* iddynt. DGJ. *Barn* Tach. '73. Tud 48.

BWYGILYDD (PWYGILYDD)

341. AM . . . BWYGILYDD (gan roi yn y bwlch ymadrodd yn dynodi cyfnod o amser) e.e. 'am oriau bwygilydd'= am nifer o oriau'n dilyn ei gilydd heb fwlch rhyngddynt. S. *for hours on end.* Yn yr un modd, 'am ddyddiau, wythnosau, misoedd bwygilydd'.

Gwelais Seth yn sefyllian o gwmpas ein tŷ ni am *oriau bwygilydd*. DO. RL. 87.

Am ystyr 'pwygilydd' gw. nodiad dan yr erthygl nesaf.

342. O BEN BWYGILYDD. O un pen i'r llall:

Yr oedd O.M. yn adnabod Cymru *o ben bwygilydd*.

Bron bob amser ar lafar, ac weithiau wrth sgrifennu, gadewir yr 'o' allan.

'Rwyf wedi cerdded y dref *ben bwygilydd*.

Gellir rhoi enwau eraill yn lle 'pen', e.e. o *wlad bwygilydd*=o un wlad i'r llall, *o fis bwygilydd*=o un mis i'r llall. Meddai Goronwy Owen am ei ellyn yn ei 'Gywydd y Farf'

Gwelid *o glust bwygilydd*
Ddau ben yr agen a rydd. BGO. 28.

sef 'o un glust i'r llall'! Bellach cyfyngir hynny o ddefnydd a wneir o'r gystrawen hon bron yn llwyr i'r iaith lenyddol. NODIAD. Nid *un* gair yw 'pwygilydd' mewn gwirionedd ond *tri* wedi eu cywasgu. (1) *pw*= arddodiad yn golygu 'i' S. *to*. Diflannodd o'r iaith ers talwm ond yn yr ymadrodd yma. (2) *i*=y rhagenw a sgrifennir 'ei' heddiw S. *hir, hers, its*. (3) *cilydd*=hen air yn golygu 'cymar', 'un arall o'r un dosbarth', 'y llall'. O ben bwy gilydd=o ben i'w gilydd=o ben i'r llall, o un pen i'r pen arall.

BYD

343. BYD. Ymhlith nifer o wahanol ystyron a roir iddo, fe ddefnyddir y gair *byd* yn aml iawn i olygu trafferth, anhawster, trwbl, mewn brawddeg fel hon:

> Yr oedd mor dew nes ei fod mewn *byd* mawr yn cau ei esgidiau.

> Yn y byd y mae cymaint o drafferth a helynt nes bod *byd* wedi magu'r ystyr o drafferth a helynt: byddwn yn cael *byd* garw gydag ambell beth. Mae *byda* garw wrth fagu plant, meddan nhw. a *byd* mawr gyda rhai pobl mewn capel ac eglwys. IW. MSI. 64.

Mae hon yn hen idiom fel y dengys y llinell hon o gywydd:

> Ni ŵyr (f)y myd er ei mwyn. GTA. 494.

(h.y. ni ŵyr [y ferch] yr helbul yr wyf ynddo o'i hachos). Yn y dyfyniad o IW gwelir y defnyddir y lluosog 'bydau' [nid *bydoedd* sylwer] yn gystal â'r unigol 'byd' gyda'r un ystyr, ond yn gryfach, os rhywbeth.

344. ALLAN O'M BYD. Allan o gylch fy niddordeb a'm deall.

> 'Does gen i ddim i'w ddweud wrth farddoniaeth. Mae o *allan o 'myd i'n lân.*

345. BYD CALED. Amgylchiadau anodd. Mewn ystyr economaidd y deellir yr ymadrodd bron yn ddieithriad. Felly hefyd yr ymadrodd nesaf ond un.

346. BYD DA. Bywyd esmwyth di-brinder.

> Yr oedd rhyw ŵr goludog . . . ac yr oedd yn cymryd *byd da* yn helaethwych beunydd. Luc 16. 19.

347. BYD GWAN. Cyflwr economaidd heb lawer o lwyddiant.

> Yng nghyfnod fy mhlentyndod i . . . *byd gwan* iawn oedd hi ar y chwareli. KR. LW. 138.

348. MEDDWL Y BYD o rywun neu rywbeth. Meddwl yn fawr iawn ohono. Meddwl ei fod yn "werth y byd".

Yr oedd ganddi *feddwl y byd* o Twm. Y fo oedd yr hogyn 'fenga, a mawr oedd bydau (343) ei fam efo fo. KR. OGB. 124.

349. MEWN BYD. Mewn penbleth, mewn pryder, Gw. (343).

Bu [fy modryb] farw yn 1919 . . . Cofiaf fod fy nhad *mewn byd* garw, ofn na chai ddod adref o Lerpwl i'w chladdu. KR. LW. 123.

350. RHOI'R BYD YN EI LE. Defnyddir yr ymadrodd hwn mewn dwy ystyr, un yn ddifrif a'r llall yn gellweirus.

(1) Diwygio cyflwr pethau yn unol â rhyw ddelfryd o eiddo'r diwygiwr.

Gŵr oedd [Alafon] . . . na wrthodai ei . . . gydymdeimlad hyd yn oed i'r "to newydd" gwrthryfelgar oedd, yntau yn ei dro, yn mynd i roi'r *byd yn ei le.* TGJ. Cym. 72.

Y darlun a geir yma yw rhoi dodrefnyn (dyweder) a symudwyd o'r fan lle y dylai fod, yn ôl yn ei le priodol.

(2) Disgrifiad o'r hyn a ddigwydd mewn sgwrs faith a brwd rhwng cyfeillion (a'r rheini heb gyfarfod ers amser efallai) lle y cânt gyfle i drafod wrth fodd eu calon unrhyw beth a phob math o beth sydd o ddiddordeb iddynt.

Os nad ydi mis Awst yn dwad ag athrylith Eisteddfod mae o'n dwad â ni at ein gilydd i *roi'r byd yn ei le,* peth na chawn ni mono fo ond ym mis Awst. KR. TH. 32.

351. Y BYD AR BEN. Pethau wedi cyrraedd uchafbwynt — o anffawd di-adfer fel arfer.

Hyd yn oed pe na bai hi ond colli'r bws, byddai'n gwneud helynt fel petai'r *byd ar ben.*

Amrywiad ar yr ymadrodd, YN DDIWEDD Y BYD. Blas coegni, fel yn yr enghr., sydd ar y defnydd a wneir o'r ymadrodd, fel rheol. Ond *uchafbwynt o gyffro* a gyfleir weithiau e.e.:

Ar hynny dyna'r *scrum* yn troi
A dyna'r bêl i Len,
A dyna hi i'm dwylo i
A dyna'r *byd ar ben*!

Cynan. Cerddi Cynan 176.

G. (136).

352. Y BYD A'R BETWS. (1) Y byd a'r eglwys, clerigwyr a lleygwyr, ac felly (2) pawb, y byd yn gyfan.

Yn glepyn bach o fachgen, yn ei sefyll ar lwyfan mewn

sêt fawr, mi gyhoeddais wrth *y byd a'r betws* yn groyw ac yn glir, beth oedd cenhadaeth ddiamwys addysg. THP-W. Ll. 9.

Estynnwyd ei Ysgoloriaeth iddo [: O. M. Edwards] flwyddyn yn hwy er mwyn iddo gael teithio ar y Cyfandir. Dysgodd lawer ar y daith hon. Gwelodd *y byd a'r betws.* JPJ. Ysg. 35.

Ar ystyr y gair 'betws' dyfynnaf nodyn o waith y diweddar Syr Ifor Williams:

Am y betws eglwysig, fel yn Betws Garmon a'r lleill, neu yn y frawddeg y *byd a'r betws* sydd yn gyfystyr â'r *byd* a'r *eglwys*' y gorau o'r [esboniadau] i'm syniad i, yw ei fod yn fenthyg o'r hen Saesneg *bed-hus;* Saesneg canol *bede-hus* : *bead-house* : sy'n cynnwys '*bead*' gweddi a 'hus' house . . . IW. ELl. 52.

Ymadrodd cyffelyb ei ystyr i *byd a betws* yw BYD A BEDYDD.

353. Y BYD SYDD OHONI. Y byd fel y mae, y cyflwr presennol ar bethau.

Mae'r Bregeth ar y Mynydd yn burion rheol ar gyfer y Mil Blynyddoedd ond mae'n gwbl anymarferol yn *y byd sydd ohoni.*

Mau y degwm i hun yn llawn ddigon o rent *y bud su ohoni rwan.* WR. LlHFf. 27.

BYCHAN

354. BYCHAN BACH. Bach iawn.

A chan nad yw'r plwyf ond bychan, nid yw pob rhan o'r dyletswydd ond *bychan bach.* LlGO. 123.

BYR

355. AR FYR. I grynhoi. S. *to be brief, in short.*

Yn EW BC 18 rhoir rhestr o bethau a geir yn nhrysordy'r Dywysoges Balchder. Yna eir ymlaen:

Ac *ar fyrr* iti, mae yno bob peth a bair i ddyn dybio'n well ohono'i hun, ac yn waeth o eraill, nag y dylai.

356. YN FYR O . . . Yn ddiffygiol o . . . [rywbeth]. S. *short of.*

Canys y mae holl drysorau'r cybydd yn *fyrr o* un fendith, ond ni phalla sicr felldith o hir ddilyn hirddrwg. EW. RBS. 234.

BYRBWYLL

357. GWEDDI O FYRBWYLL. Gweddi o'r frest. Gw. (283). 'Pwyll' yma=meddwl.

BYRDER

358. AR FYRDER. Ymhen amser byr; cyn hir.

Y pethau hyn yr wyf yn eu hysgrifennu atat gan obeithio dyfod atat *ar fyrder*. 1 Tim. 3. 14.

Bu adeg pan ddefnyddid 'ar fyrder' yn gyfystyr ag 'ar fyr'. S. *briefly*.

Ac *ar fyrder* it ni thyciai i'r paganiaid arfau [=arfogaeth] rhag dyrnodiau'r Cristionogion mwy na lliain yn un dyblyg. YCM. 147.

BYS

359. Bod â BYS YN Y BRWES. Bod â rhan mewn rhywbeth, ac awgrym (yn fynych) o ymyrraeth heb eisiau na gwahoddiad. S. *a finger in the pie*.

'Does dim posib i neb 'rwan gael gwningen na ffesant na phetrisen heb iddo *fo* roi 'i *fys yn y brwes* [Twm Nansi'n siarad am y Cipar]. DO. GT. 41.

Un o'r cymeriadau y sonia Ellis Wynne amdanynt yn y *Bardd Cwsg* yw 'Meistr Medleiwr alias Bys ym mhob brywes'. Medleiwr=ymyrrwr busneslyd. S. *meddler*. Brywes=Bara wedi ei fwydo mewn dŵr poeth (gyda menyn neu doddion cig i roi blas), neu mewn potes. Bu'n fwyd poblogaidd iawn gynt ymhlith y werin. Daeth yr enw i'r Gymraeg o'r Hen S. *Browes*.

360. CODI BYS BACH. Yfed, diota.

'Roedd Twmi bach Pentre Rhewin fan hynny yn y cornel wedi bod yn *codi ei fys bach* yn ddiogel ers amser.
IJ. YP. 10.

Cyfeirio y mae'r ymadrodd, wrth gwrs, at arfer llawer o bobl o wthio'r bys bach allan wrth ddal cwpan, neu wydryn, wrth yfed.

361. ESTYN BYS at rywun. Ei gyhuddo, edliw iddo feiau.

Gofala am fyw fel na fedr neb *estyn bys* atat oherwydd dy gymeriad.

362. HYD BYS. Defnyddir i ddisgrifio rhywbeth bychan.

Os byddwch . . . mor fwyn a gyrru *hyd bys* o lythyr . . .
LlGO. 124.

363. RHOI BYS AR RYWBETH. Ei nodi gyda manyldeb.

. . . . ni dda gan yr un ohonom moni. Ac ni fedrwn *roi ein bys* ar unrhyw ffawt ynddi chwaith. KR. SG. 6.

Ffawt=diffyg. S. *fault*. (Hen S. *fawte*).
Gw. (690).

364. TROI RHYWUN O GWMPAS FY MYS BACH. Ei drin fel y mynnwyf; cael fy ffordd fy hun gydag ef heb drafferth:

Rheolai Davies lond ffatri o weithwyr gydag awdurdod, ond gartref yr oedd ei wraig yn ei *droi o gwmpas ei bys bach.*

BYSEDD

365. AR BENNAU (neu FLAENAU) FY MYSEDD. Yn hollol gyfarwydd imi.

Yr oedd ei wybodaeth [: Edward Annwyl] yn eang . . . Groeg a Lladin *ar flaenau ei fysedd.* TGJ. Cym. 12.

Mae'r priod-ddull i'w gael yn Saesneg hefyd wrth gwrs a gwelais amryw ymdrechion i egluro'i tharddiad yn yr iaith honno, ond heb gael un boddhaol iawn. Y gorau, am a wn i, yw un Brewer. Mae ef yn dyfynnu dywediad Lladin *scire tanquam ungues digitosque suos,* hynny yw, (dyn) mor gyfarwydd â rhywbeth ag â'i ewinedd a'i fysedd ei hun. Gw. (220).

366. LLOSGI FY MYSEDD. Cael colled, niwed neu ryw brofiad chwerw o'r fath wrth ymyrraeth â rhyw fater. Mewn cysylltiad â phynciau arian a busnes y clywir y geiriau fynychaf er nad bob tro.

Daeth ei frawd ato i geisio benthyg arian. Cyndyn iawn oedd i gytuno gan ei fod wedi *llosgi ei fysedd* o'r blaen wrth wneud peth felly.

BYTH

367. BYTH (A) BEUNYDD. Yn aml iawn; o hyd ac o hyd. Gw. (216).

. . . Yr oedd gweithwyr wedi bod yn ymhêl ag adeiladau yng nghowrt yr ysgol — yr oedd rhyw fusnes ynglŷn â'r adeiladau ar dro *byth a beunydd.* THP-W. OPG. 19.

Gadewir yr 'a' gysylltiol allan weithiau, yn enwedig ar lafar.

368. BYTH BYTHOEDD. Am byth, yn oes oesoedd, i dragwyddoldeb.

O genhedlaeth i genhedlaeth y diffeithir hi [Edom]; ni bydd cyniweirydd trwyddi *byth bythoedd.* Es. 34. 10.

Chwenychai rai ohonynt lechu yng ngwaelod yr afon, a bod yno *fyth fythoedd* yn tagu, rhag cael ymlaen waeth llety. EW. BC. 90.

369. BYTH BYTHOL=byth bythoedd.

. . . distrywiaist yr annuwiol; eu henw hwynt a ddileaist byth bythol. Salm 9. 5.

370. BYTH A HEFYD. O hyd ac o hyd, bob amser.

Er yr holl newid a fu ar y penaethiaid a'r awdu[illegible]lau eraill gwelid Acaci *fyth a hefyd* yn yr un lle.
THW. SR. 16.

Yr oedd Wil yn cael dillad newydd yn fynych, tra mai hen ddillad Bob fy mrawd, wedi ei hailwneud gan fy mam, a gawn i *fyth a hefyd*. DO. RL. 31.

371. BYTH OND HYNNY. Byth eto, byth wedyn. S. (*n*)*ever again*.

Yr Eifftiaid y rhai a welsoch chwi heddiw, ni chewch eu gweled *byth ond hynny*. Ecs. 14. 13.
Pan fygythiodd [perchennog y bwthyn] ei throi allan am nad oedd yn talu'r rhent dywedodd Nansi wrtho . . . y dygai hithau hynny o felltithion a feddai Gehenna am ei ben ef a'i deulu. Ni ofynnodd y gŵr rent gan Nansi *byth ond hynny*. DO. GT. 19.

BYW

372. AR DIR Y BYW. Yn parhau yn fyw. 'Yn nhir y rhai byw' yw'r ymadrodd Ysgrythurol a roes gychwyn i'r priod-ddull [Gwel. Salm 27. 13]. Gw. (401—dyfyniad). Bellach, yn aml, gadewir *y rhai* allan.

'Diana Brunela (seren actoresau'r ffilmiau yn Los Angeles) a fuasai'n briod seithwaith, a'r saith o hyd *ar dir y byw*.
RGB. LlD. 64.

373. BYW A BOD yn rhywle. Treulio'r amser i gyd yno.

Yr argraff a geir o'r cerddi i Ifor [Hael] yw fod eu hawdur yn *byw a bod* yn llys y gŵr hwnnw. GDG. xix.

374. BYW O'R LLAW I'R GENAU.

(1) Byw yn afradlon a di-ddarbod am yfory.

(2) Treulio adnoddau (arian, bwyd, dillad) fel y dônt i law, naill ai o raid neu o ddilunwch. Darlun sydd yn y geiriau o ddyn a'i brydau mor ansicr nes, pan gaiff damaid i'w law, ei fod yn ei daro'n ei enau y funud honno. Cf. 'Dal llygoden a'i bwyta.'

375. DECHRAU BYW. Sonnir am ddeuddyn newydd briodi, eu bod yn *dechrau byw*.

376. DIM BYW NA BOD. Dim heddwch i'w gael; dim darbwyllo'n wahanol.

. . . 'd odd *dim byw na bod* gyda Williams na fodlonwn i gael fy sherco mewn cart. IJ. YP.

377. DIM BYW NA MARW=Dim byw na bod.

378. TEIMLO I'R BYW. Teimlo'n ddwys. Y *byw* yn y fan yma=y mannau tyner, teimladwy, meddal o'r cnawd e.e. dan yr ewinedd, yn y llygad (cf. *byw* y llygad), neu dan ganol carn ceffyl etc. Peth poenus iawn yw *torri i'r byw* i ddyn ac anifail. Pan fo dyn yn dweud pethau miniog, brathog wrth rywun arall, a theimladau hwnnw'n cael eu brifo dan y driniaeth, dywedir yn ffig. fod yr ymosodwr yn *torri i'r byw* a'r llall yn *teimlo i'r byw*.

Un elfen a rydd fod iddi ['Yr ias'] yw ymdeimlo *i'r byw* â phellter. THP-W. Y. 28.

Y geiriau a lefarodd oedd wermod i mi,
Ochneidiais ac wylais fy nagrau yn lli.
Mi dorrais fy nghalon, *mi deimlais i'r byw.*
A ffarweliais â Mari o Hafod y Rhiw.

Hen Gân Werin.

NODIAD: Mae'n ddiddorol cofio mai'r gair Saesneg am *byw* yn yr ystyr yma yw *'quick'* [*cut to the quick*] a bod i hwnnw gynt yr ystyr o 'byw'=(*alive*). Cedwir y gair o hyd yn y Credo yn Saesneg — *'the quick and the dead'* (=byw a meirw). Bod yn gwic yw symud yn gyflym o ran corff neu feddwl, a rhaid bod yn fyw i wneud hynny! *Traeth byw* yw man lle mae'r tir yn symud (*quick*sand). Arian *byw* yw'r metel aflonydd *mercury,* alias *quick*silver.

379. YN FY MYW. Er pob ymdrech o'r eiddof. Defnyddir byw fel=bywyd neu einioes. Ceir enghr. yn Salm 146 2 'Molaf yr Arglwydd *yn fy myw;* canaf i'm Duw *tra* fyddwyf.' (NEB *as long as I live . . . all my life long*). Sonia EW am y Cybydd

Yn gyfoethog *yn ei fyw,* ac yn resynol wrth farw.
EW. RBS. 233.

Mewn brawddeg fel, 'Ni fedrwn wneud hyn *yn fy myw*' magodd yr ystyr 'pe cawn einioes gyfan ati' neu 'pe bawn yn ymdrechu *am oes.*' O ymdrech *hir* aeth y pwyslais ar ymdrech *galed* a bellach golyga'r ymadrodd rywbeth tebyg i 'er pob ymdrech o'r eiddof; ni waeth beth a wnaf'.

Mewn cyswllt tebyg y mae gan y Saeson hefyd frawddeg *'for my life'* neu for the *'life of me'* ond yn yr achos hwnnw yr ystyr yw 'pe bai fy mywyd yn dibynnu arno'.

Yn fy myw ni chawn gan y [bachgen] mwyaf ddysgu gair o Gymraeg. LlGO. 8.
Er hynny yn *fy myw* nid ai o'm cof fy ngweledigaethau o'r blaen. EW. BC. 83.

Weithiau er mwyn pwyslais ychwanegir 'oes' neu 'einioes' at yr ymadrodd er ei fod yn gyfystyr â 'byw'. Mae'r dull hwn yn sionc iawn o hyd ar lafar yn Sir Ddinbych, a mannau eraill o bosibl.

Prysur iawn fûm i o hyd, F'Ewythr Rhobet . . . faswn i *yn 'y myw oes* yn cael egwyl. WR. AFR. 316.

380. YN FYW o . . . S. *teeming with, swarming with, alive with . . .*

Ar bob ochr ymhell islaw i mi gwelwn y llethrau *yn fyw* o ddefaid mân yn llamu o flaen y cŵn. IW. IDdA. 49.
'Roedd y dyffryn *yn fyw* o gymdeithasau a dosbarthiadau nos. Gw (213). MH. Mn. 8.

CABL

381. DAN GABL (o 'Cablu'). Dan ymosodiad difrïol, dan feirniadaeth neu gerydd llym.

Na'm dilorner ac na'm doder *dan gabl*. THP-W. Ll. 49.

CACWN

382. CICIO NYTH CACWN. Gwneud neu ddweud rhywbeth i ennyn dicter pigog llawer o bobl ar yr un pryd. Defnyddir y gair *cacwn* am wahanol fathau o wenyn gwyllt. Yma mae'n debyg mai 'cacwn brithion', gair rhannau o Wynedd am wenyn meirch (S. *wasps*), a olygir. Gwna'r rheini eu nythod weithiau mewn 'crogennau' yn hongian mewn gwrychoedd, llwyni, eithin, etc., ond yn aml yn y ddaear. Os rhydd rhywun ei droed ar y nyth daw'r gwenyn allan yn haid am ei ben — profiad annymunol.

Ow'r fath wb, sybwb a sŵn
A wnaeth cicio nyth cacwn. Trebor Mai.

Ffurf arall ar yr ymadrodd yw 'Tynnu nyth cacwn yn fy mhen'.

383. FEL CACYNEN MEWN BYS COCH. Yn swnian, yn enwedig swnian cwyno yn undonog a di-daw. Hoff gyrchfan gan y cacwn bwm (*bumble bee*) yw blodau bysedd y cŵn (*foxglove*) neu fysedd cochion. Byddai'n

chwarae gan blant gau genau'r blodyn ar y gacynen er mwyn ei chlywed yn grwnan oddi mewn.

> Ei bwysig gainc mewn bys coch
> Chwery pan ei carcharoch. (Eben Fardd).

CAD

384. CAD GAMLAN. Tyrfa brysur, aflonydd, derfysglyd.

> A chynta peth a welwn i, yn f'ymyl, dwmpath chwarae a'r fath *gadgamlan* mewn peisiau gleision a chapiau cochion yn dawnsio'n hoyw brysur. EW. BC. 6.

Cad Gamlan (=brwydr Camlan) yn ôl traddodiad oedd brwydr olaf Arthur Frenin, lle y gorchfygodd hwnnw Medrawd fradwr, a derbyn clwyf angheuol ei hun. Lle o gyffro ac ymwáu trwy'i gilydd yw brwydr ac felly daeth Cadgamlan — y frwydr *par excellence* i'r Cymry i sefyll am unrhyw olygfa gythryblus.

CADW

385. CADW AR rywun. Peidio ag achwyn arno wrth eraill, er gwybod ei fod wedi cyflawni drwg.

386. MYND I GADW. Mynd i'r gwely. Fe fyddwn (gobeithio!) yn *cadw* pethau yn eu priod le ar ôl gorffen eu defnyddio, nes bydd galw amdanynt drachefn. Yn debyg, ar derfyn dydd rhown ein *hunain* i 'gadw' nes dod galw arnom i wynebu gofynion diwrnod newydd.

> "Wel, wel, os ei i ddechre hefo'r hen Williams [Pantycelyn] ene, dyma lle byddwn i trwy'r nos," ebe F'Ewythr Robert. "Gad inni fynd *i gadw*" — ac i'w gwelyau yr aethant. WR. AFR. 48.

CAE

387. DDIM YN YR UN CAE (â rhywun arall a enwir). Ddim i'w gymharu ag ef (hi): ddim agos cystal ag ef (hi).

> 'Dydw i'n dweud dim am y beirdd diweddar yma, ond yn fy marn i, dydyn nhw *ddim yn yr un cae* â Gwynn Jones, Williams-Parry a'r to yna.

388. MYND I'R CAE SGWÂR. Mynd i'r gwely.

CAEAD

389. RHOI CAEAD AR BISER (rhywun). Ei ateb (e.e.

mewn dadl neu drafodaeth) mor effeithiol nes rhoi taw arno. Gweithredu yn y fath fodd fel ag i roi terfyn effeithiol ar yr hyn y mae'n ei wneud.

CAEL

390. CAEL-A-CHAEL. Dim ond llwyddo o ychydig iawn; y syniad a fynegir yn S. â'r ymadroddion — *a close (narrow) shave; touch and go.*

Dim ond *cael-a-chael* a gefais i ddal y tren.

Digwyddodd dafnau o'r asid sylffurig . . . dasgu hyd ran o'm hwyneb . . .Drwy drugaredd ni bu dim helynt andwyol . . . ond *cael-a-chael* oedd hi mae'n siwr. Mi allwn fod wedi colli fy nau lygad . . . THP-W.P. 29.

391. CAEL CAWELL. Cael siomedigaeth (yn enwedig mewn cariad).

Yr oedd o â'i lygad ar ferch o Fangor, ond *cawell gafodd* o. Fe briododd hi lanc o Fethesda.

Cawell neithiwr, cawell echnos
Cawell heno'n bur ddiachos.
Os *caf gawell* nos yfory,
Rhoddaf ffarwel byth i garu. HB. 116.

CAFN

392. CURO'N Y CAFN. Defnyddir yr ymadrodd e.e. pan fo un plentyn mewn teulu yn well bwytawr na'r lleill, 'Mae hwn yn *curo'n y cafn'*. Y darlun yw, moch yn cydfwyta o gafn, ac un, am ei fod yn gryfach, yn cael y siâr orau o'r bwyd.

CAIS

393. CAIS LLE BU. Defnyddir y geiriau mewn achos lle yr eir i chwilio am rywun neu rywbeth a chael ei fod wedi diflannu. Nid annhebyg i'r ymadrodd S. "*the bird has flown*" ond mai at bersonau'n unig y cyfeiria hwnnw.

I'w holi ynghylch y mater yn dyner aed i'w dŷ
Beth allai fod ei ymgais 'doedd yno ond *cais lle bu*.
John Thomas. Telyn Arian (1836)

CALCHEN

394. FEL Y GALCHEN. Yn wyn a gwelw o wedd.

"O'r gore; pryd y cawn ni drïo?" [ymladd], ebe Ernest. "Pryd y mynnoch," ebe Harri a'i wyneb *fel y galchen*. DO. GT. 90.

Hefyd 'cyn wynned â'r galchen'.

CALON

395. AGOS AT FY NGHALON. Pwysig, annwyl, neu werthfawr yn fy ngolwg.

Rhaid i chwi bellach ymladd am eich iawnderau heb ein cymorth ni; ond pa le bynnag y byddom bydd eich cysur a'ch llwyddiant *yn agos at ein calon.* DO. RL. 118.

396. CALON Y GWIR. Y gwir hollol.

[wedi cyfeirio at bedwar mudiad y ddeunawfed ganrif yng Nghymru — dysgedig, gwerinol, adysgol a chrefyddol].

. . . ni all neb wadu nad yw'r dosbarthiad yn *galon y gwir.* TP. BDG. 103.

397. CLYWED AR FY NGHALON. Bod ag awydd neu duedd (i wneud rhywbeth). S. *to feel inclined to.*

. . . *ni chlywai* ei stiwart ef *ar ei galon* godi mo'r ardreth un ffyrling yn uwch. LlGO. 9.

398. A'M CALON YN FY NGWDDF. Mewn mawr ofn am yr hyn sy'n digwydd neu ar ddigwydd. Y syniad yw bod y galon mewn cyffro yn neidio o'i lle a pheri tagfa. Cf. S. *my heart in my mouth.* Fe ddefnyddid 'gwddf' a 'cheg' fel cyfystyron gynt.

399. A'M CALON YN F'ESGIDIAU. Yn llwfr ac ofnus a llawn digalondid. Yn yr ymadrodd blaenorol neidio i fyny a wnâi'r galon; yn hwn, suddo cyn ised ag y gall.

Waeth imi heb geisio dweud fy mod i'n teimlo'n ddewr. I'r gwrthwyneb, yr oedd *fy nghalon yn f'esgidiau.*

400. IECHYD I GALON (rhywun). Ebychair o ddymuniad da ac un a ddefnyddir fel gair o gymeradwyaeth.

" . . . Kilsby — mae hwnnw, *iechyd i'w galon.* chwedi deud y drefn yn wych ryfeddol ar y mater. LlHFf. 55.

401. O EIGION CALON. Gyda dyfnder a dwyster teimlad a didwylledd.

Yr wyf yn gobeithio o *eigion fy nghalon* nad yw sefyllfa Harri mor ddrwg ag a ddywedais. DO. GT. 230.

Emrys, Frenin y Brutaniaid yn y cyfamser oedd glaf yng Nghaer Went, ac hyfryd iawn oedd y newydd ynghlustiau Pascen, ac a ddymunasai o *eigion calon* ei fod efe mewn rhywle arall nag yn nhir y rhai byw (372). TE. DPO. 119.

Dengys y dyfyniadau â pha amrywiaeth o foddau a theimladau y defnyddir yr ymadrodd — llawenydd, gobaith, tristwch, edifeirwch, etc. Cyffelyb o ran ystyr, ond nid cyn rymused yw 'o waelod calon'.

Yr wyf yn gallu maddau iddo o *waelod fy nghalon.*
DO. RL. 24.

NODIAD: Eigion. Tardd y gair o'r Lladin 'oceanus' (ocianus) a'i ystyr yw *cefnfor* neu *ddyfnder y môr.* Ond fe'i defnyddir hefyd i fynegi'r syniad o ddyfnder neu bellter mewn unrhyw gysylltiad, hyd yn oed ar y tir. a sonnir am 'eigion y mynyddoedd'.

402. RHOI CALON I LAWR. Digalonni, llwfrhau.

403. TEIMLO AR FY NGHALON. Bod ag awydd neu duedd i wneud rhywbeth.

Ar feic y byddai dyn yn gallu dangos ei orchest (886) orau, os byddai'n *teimlo ar ei galon* i wneud hynny.
THP-W. M. 82.

404. TORRI CALON. Tristáu neu anobeithio. Peri i rywun dristáu neu anobeithio.

Os yda nhw'n credu bod y gwir gynu nhw, ni raid iddu nhw ddim *tori'u clone.* WR. LlHFf. 7.

Ni ddaw fyth i ddeifio hon* — golli ffydd,
Na thro cywilydd, na *thorri calon.* TGJ. C. 33.

(*Ynys Afallon).

405. WRTH FODD CALON (rhywun). Yn dderbyniol iddo; yn ei foddio.

Yr oedd . . . Rhobet . . . wedi mynd i'r dref ar adeg etholiad i wrando ar ryw areithydd oedd i annerch yno. Nid oedd politics y gŵr hwnnw *wrth fodd calon* Rhobet.
THP-W. OPG. 37.

. . . a'r Cewri [eu lluniau yn Nhaith y Pererin] — y maent yn gewri nobl dros ben — *wrth fodd calon* hogyn.
RTJ. YDda. 127.

CALLESTR

406. YN GALED FEL CALLESTR. Carreg galed iawn yw'r callestr neu'r fflint. Fel yr adamant (sef y diemwnt) mae'n hen, hen sumbol am unrhyw beth caled. Ceir y ddwy gyffelybiaeth yn yr enghr. hon:

Gwneuthum dy dalcen fel *adamant,* yn galetach na'r *gallestr.* Esec. 3. 9.

Dywed GPC fod yr ymadrodd *'caled fel callestr'* ar lafar yng Ngheredigion o hyd.

407. GOSOD FY WYNEB FEL CALLESTR. Bod yn benderfynol ac eofn a di-droi'n-ôl.

Oherwydd yr Arglwydd Dduw a'm cymorth . . . am hynny *gosodais fy wyneb fel callestr,* a gwn na'm cywilyddir. Es. 50. 7.

Fel na phlyga'r fflint, felly ni fydd yntau'n gwyro oddi wrth ei fwriad.

CAM (Anghyfiawnder)

408. AR GAM. Yn groes i degwch. S. *unjustly.*

Annwyl fachgen, mae gen i ofn garw i ti roi dy galon i lawr, a cholli iechyd am i ti gael dy roi yn y jail *ar gam.* DO. RL. 130.

Cynnwys y dyfyniad nesaf y gair gwrthwyneb hefyd.

Ni ddyry ef ddim coeg atebion ffraeth wrth ei geryddu pa un bynnag ai *ar gam* ai *ar union.* EW. RBS. 95.

409. AR Y CAM. Ar fai.

Ac wele ddau Hebrewr yn ymryson. Ac efe [Moses] a ddywedodd wrth yr hwn oedd *ar y cam,* Paham y tarewi dy gyfaill? Ecs. 2. 13.

Gw. (145).

410. YN GAM NEU YN GYMWYS. Yn iawn neu fel arall. S. *right or wrong.*

Pan yn cyhoeddi [Hunangofiant Rhys Lewis] mi a gymerais — pa un *ai yn gam ai yn gymwys* . . . — y darllenydd i fy nghyfrinach. DO. EH. (Rhagarweiniad).

Nid cynghanedd yn unig, ond synnwyr hefyd, a barodd ddewis 'cymwys' yn yr ymadrodd i gyferbynnu â 'cam'. Ystyr 'cymwys' yma yw *union* ("Main a *chymwys* fel y fedwen" oedd y ferch yn yr hen bennill, h.y. slender and *straight*). Erbyn heddiw bron na ddiflannodd yr ystyr honno i'r gair o'r iaith lenyddol, ac o'r iaith lafar hefyd yn y Gogledd. Ond cadwodd tafodiaith y Deau y gair (yn y ffurf 'cwmws') a'r ystyr o 'union'. 'Pren cwmws= darn syth o bren' yw enghr. GPC. Mewn gwahanol ieithoedd mynegwyd y syniad o 'iawn' ac 'afiawn' trwy ddefnyddio geiriau'n golygu (yn eu tarddiad o leiaf) 'union' neu 'gam'. Felly yn yr ymadrodd yma. Felly hefyd yn y S. cyfatebol. Daw *'right'* o wreiddyn yn golygu 'syth', a *'wrong'* o wreiddyn yn golygu 'cam'.

CAM (=S. *step*)

411. CAM A CHAM. Yn raddol, o un cam i'r llall. S. *step by step.*

Am hynny arwain, *gam a cham,*
Fi i'r Baradwys draw. WW. LlEM. 465.

412. CAMAU BREISION. Ffig. Cynnydd da; symudiad sylweddol ymlaen. S. *great progress.*

Y mae meddygaeth wedi cymryd *camau breision* ymlaen ers hanner canrif.

413. CAEL CAM GWAG. Rhoi cam gan ddisgwyl derbyniad ar le soled ond y troed yn hytrach yn disgyn ar wagle, a'r camwr yn cael sgegfa os nad codwm. S. *false step.* Yn ffig. camgymeriad; siomiant.

Bu llwyddiant Napoleon yn rhyfeddol. Ond pan benderfynodd arwain ei fyddin yn erbyn y Rwsiaid, *cafodd gam gwag* aruthr.

Nid oedd Richard Trefor uwchlaw meddwl am arian ond os priododd ef er mwyn arian, *cafodd gam gwag.* DO. EH. 29.

414. Weithiau dywedir 'CYMRYD CAM GWAG'.

Gwelais ef [J. H. Davies] yn llywyddu llawer cyfarfod anodd ei drin, ac nis gwelais erioed yn *cymryd cam gwag.* TGJ. Cym. 59.

Ffurf arall ar yr ymadrodd yw CAEL (CYMRYD) CAFF GWAG.

CAMP

415. CAMP A RHEMP. Rhagoriaeth(au) a diffyg(ion).

Mae'r ymdaeru rhyngddynt am *gamp a rhemp* Gwen Tomos [nofel Daniel Owen] yn odiaeth o ddifyr ac addysgiadol. JHJ. GG. 121.

416. Bod heb LAWER O GAMP arnaf; bod heb lawer o ragoriaeth; heb lawer i'w ganmol.

"Mae pawb ohonom yn bechaduriaid, mi wyddoch, Thomas Bartley". "Ydan, ydan," ebe Thomas, "does *dim llawer o gamp* ar neb ohonom ni." DO. RL. 167.

Sut mae'r iechyd heddiw?
Dim llawer o gamp.

417. TAN (DAN) GAMP. Rhagorol. S. *excellent.*

Cyfrifai ei gyd-efrydwyr [Thomas Roberts] . . . yn llenor gwych, ac yn Gymreigiwr *dan gamp.* JPJ. Ysg. 15.

Edrychwch, gwelwch, rhaid gwylio — hen gorn
Fu *dan gamp* am hyrddio.
A rhwydd iawn, drwy fir, rhydd o
I ddiotwr hwrdd eto.

Clwydfardd (i gorn yfed a wnaed allan o gorn hwrdd).

CANFED

418. AR EI GANFED.

(1) Cant o gynnydd am bob un gwreiddiol.

> . . . a ddygasant ffrwyth, *peth ar ei ganfed* . . .
> Math. 13. 8.

S. *hundredfold.*

(2) Gan fod llwydd *ar ei ganfed* yn llwydd eithriadol, dywedir am rywun a wnaeth rhyw farc arbennig mewn unrhyw gyfeiriad, 'Fe ddaeth allan *ar ei ganfed*'

CANLYN

419. CANLYN ARNI. Mynd ymlaen â (rhywbeth); dal ati.

> Do, mi ddechreuais yn dda [fel adroddwr] — ond ni chanlynais arni. THP-W. Ll. 9.

420. CANLYN (AR) ANTERLIWT. Actio anterliwt o gwmpas y wlad. S. *go on tour.*

> Gwneuthum *Interlude* i'w hactio rhwng dau, a mi a *ganlynais ar* honno dros flwyddyn ymhell ac yn agos, ac a enillais lawer o arian. HLlTN. 37.

Digwydd y term droeon yng ngwaith Twm o'r Nant. Byddai'n derm hwylus i'w atgyfodi heddiw am gwmni drama (etc.) yn mynd ar daith.

421. CANLYN AR RYWUN. Bod ar ôl rhywun yn barhaus yn ceisio dylanwadu arno, yn enwedig i fynd at waith.

> Nid oedd dim llawer iawn o achos *canlynt arnynt* i'w perswadio. TE. DPO. 99.

422. CANLYN Y WEDD. Canlyn ceffylau, wrth aredig etc. Gwedd (yn y cyswllt hwn)=dau geffyl yn gweithio ynghyd mewn harnais. Sonnid gynt hefyd am *wedd o fulod, gwedd o ychen,* ond nid bellach. Yn wir, cyn bo hir bydd '*canlyn gwedd*' hyd yn oed o geffylau wedi mynd i blith y pethau a fu.

CANNWYLL

423. CANNWYLL Y LLYGAD. Llythr. S. *apple of the eye, pupil of the eye.* Ffig. Oherwydd fod canol y llygad mor eithafol deimladwy fe'i defnyddir fel arwyddlun o'r peth a gerir yn angerddol ac a warchedwir yn ofalus.

Draw ar y don mae dy dad . . .
O mae'n dy garu yn fawr;
Cannwyll ei lygad wyt ti.
Glan Padarn. (Cân y fam i'w phlentyn)

A gyffyrddo â chwi, sydd yn cyffwrdd â *channwyll ei lygad ef*. Sech. 2.8.

Gw. (1110).

424. DAL CANNWYLL (i rywun).

(1) Ei gynorthwyo mewn swyddogaeth is-raddol.

Rhaid i'r gwan *ddal y gannwyll*
I'r dewr i wneuthur ei dwyll. EP.

Cf. *I'll be a candle bearer and look on*. (Shakespeare. Romeo and Juliet. 1 IV).

(2) Cymharu â rhywun, e.e.

Nid oes i'r diawl bydawl bwyll
Ddiawl gennyt a *ddeil gennwyll*. BGO. 93.

NODIAD: (a) Yn (2) G. Owen, mewn 'Cywydd i Ddiawl' yn cyfarch y Diafol, ac yn galw sylw at *un* sy'n waeth na dim un o'i gythreuliaid. Lewys Morris oedd hwnnw, a oedd, ar y pryd, wedi pechu'n erbyn y bardd.
(b) Sylwer mai mewn brawddegau *negyddol* yn unig y defnyddir y priod-ddull hwn.

Ni ddeil morwyn fwyn a fu
Cain oll wyt, *cannwyll yty*. ST.
yty=iti.

CANT

425. CANT A MIL. Nifer mawr.

Y mae gennyf *gant a mil* o bethau i'w gwneud cyn nos.

CANU

426. CANU CYWYDD Y GWCW. Ymadrodd na ddichon ei well i ddisgrifio rhywun sy'n mynnu siarad hyd ddiflastod ar yr un pwnc. Fel y gog nid oes amrywiaeth yn ei stori.
Cywydd: Heblaw ystyr gyfarwydd y gair fel enw ar un o'r 24ain mesur traddodiadol defnyddid ef gynt hefyd fel=(1) Cân neu gerdd. (2) byrdwn neu brif bwnc ymddiddan.
(Cf. 'Rhygnu ar yr un tant'.

427. CANU'N IACH. Dweud ffarwél.

Paul wedi aros eto ddyddiau lawer, a *ganodd yn iach* i'r

brodyr, ac a fordwyodd ymaith i Syria. Act. 18. 18.
Ni'm carai'r macwy mwyach,
Ac yn y nos canu'n iach. RWP. HCE. 61.

"Yn iach [trig(wch) yn iach]" oedd y dymuniad a fynegid wrth ymadael â'i gilydd.

Cf. ystyr y S. *'farewell'*.

Yr oedd i 'canu' unwaith yr ystyr o fynegi neu ddatgan.

428. CYTHRAUL CANU. Cenfigen ymhlith cerddorion. Hen stori yw hon ond hwyrach y goddef ei hadrodd unwaith eto: Ymddiheurai blaenor wrth Anthropos am waeledd y ganiadaeth yn ei gapel, ond chwanegai: "'Does yma ddim *cythraul canu*". "'Does yma ddim cythraul fedr ganu", ebe Anthropos.

429. DAN GANU. Gwneud rhywbeth *tan ganu.* Yn llythr. ei wneud a chanu yr un pryd. (Gw. Seffaneia 3. 17). Ond o hyn datblygodd ystyr arall, sef gwneud rhywbeth yn *hollol rwydd a didrafferth.*

Tra'r oedd ei gyd-ddisgyblion yn ymlafnio i geisio gwneud eu tasgau gwnai ef y cwbwl *tan ganu.*

430. DOS I GANU. Ymadrodd a ddefnyddir, yn ffwrbwt a braidd yn anfoesgar, i wrthod cais ac yn golygu rhywbeth fel, "'Does gen ti mo'r siawns leia i gael yr hyn yr wyt ti'n ei ofyn".

"Oes dim siawns cael benthyg rhyw ganpunt?"
"Dos i ganu!"

Aneglur yw'r tarddiad, onid oes gysylltiad rhyngddo a'r arfer (gynt yn fwy cyffredin na heddiw) o fynd o gwmpas tai i ganu am gardod.

431. MAE WEDI CANU ARNAF. Mae fy sefyllfa'n anobeithiol; mae'n rhy hwyr imi fedru gwneud dim ynglŷn â hi.
Gwelais awgrymu mai o'r arfer mewn gweithfeydd (yn y chwareli yn arbennig), o ganu corn (*hooter*) i arwyddo diwedd gwaith y dydd y daeth yr ymadrodd. Unwaith yr oedd hi *wedi canu,* yr oedd popeth drosodd am y dydd.

CAP

432. OS YW'R CAP YN FFITIO. Yn ffig. arferir "Mae'r cap yn ffitio" i olygu bod disgrifiad neu gyhuddiad yn wir am y sawl a ddisgrifir neu a gyhuddir. Os gwneir cyhuddiad penagored heb enwi neb, a rhywun yn lled-

achwyn mai ato ef y cyfeirir, gellir troi arno gydag "Os yw'r cap yn ffitio . . ." a'r awgrym: Os gwir y cyhuddiad, pa achos cwyno? Os nad gwir, pa achos ei gymhwyso ato'i hun?

"Tydi rhai pobol yn malio dim faint o chwyn dyfith ar fedda i teulu nhw." "Nag ydyn," ebe Dora, yr un mor ddigyffro. Gwyddai na *ffitiai'r cap* yna mohoni hi.
KR. OGB. 107.

CARCHAR

433. CARCHAR CRYDD. Ymadrodd byw iawn am esgidiau rhy dynn.

Diolch am gael tynnu f'esgidiau. 'Rydw i wedi bod drwy'r dydd mewn *carchar crydd.*

CARN

434. (1) CARN. Ansoddair cryfhaol: pennaf, prif, gwaethaf. Medd Richards yn ei Eiriadur: Carn, *meer, arrant.* Carn butain: *an arrant whore, a common strumpet.* Carn leidr; *a most notorious thief.* Carnfradwyr: *the worst of traitors.*

". . . f'â'r *carn witsiaid* melltigedig hyn â mi i fwyty neu seler rhyw bendefig. EW. BC. 7.

435. (2) CARN (enw). Awdurdod a ddyfynnir fel ateg i chwedl a adroddir, neu osodiad a wneir, neu'r cyffelyb; ffynhonnell y wybodaeth a fynegir.

Fe fu'n hir cyn medru cofio *ei garn,* ond o'r diwedd fe gofiodd mai Andro Edds . . . a ddywedasai wrtho.
LlGO. 61.

. . . Y Doctor Adam Smith . . . yw *fy ngharn* i am bob peth yn y bregeth yma nas gwyddwn i fy hun.
JPJ. GD. 13.

Na fydd hyf yn gwirio peth amheus, eithr wrth adrodd bydd lednais a chymhedrol yn ôl gradd cyffelybrwydd y peth a grym y rheswm, a'th *garn* dithau. EW. RBS. 100.

436. (3) CARN. Y man gafael ar gledd, cyllell, etc. S. *hilt.* I'R CARN. Yn llwyr, yn gyfangwbl, i'r eithaf. S. *to the hilt.* Pan drywanai cledd neu ddagr *i'r carn,* fe drywanai i'r eithaf posibl. Felly, e.e. *Cymro i'r carn* yw Cymro i'r eithaf. *Annibynnwr i'r carn*: Annibynnnwr trwyadl a digymrodedd.

Yr oeddwn yn barod . . . i brofi fy niniweidrwydd *i'r carn.*
THP-W. 39.

437. TROI YN FY NGHARN. Gwadu yn hyn a ddywedais, neu beidio â chyflawni yr hyn a addewais, a thrwy hynny ddangos fy hun yn un na ellir ymddiried ynddo, fel na ellir dibynnu ar erfyn y bo'i garn yn llac, a'r erfyn felly yn troi rywsut rywsut heb reolaeth arno.

(4) CARN. S. *hoof.*

438. AR BEDWARCARN GWYLLT. Disgrifiad o geffylau'n carlamu.

Dyfais waedlyd oedd hon ["cerbydau a bachau heyrn odditanynt"] canys wrth yrru *ar bedwarcarn gwyllt,* hwy a dorrent restrau y gelynion ac a'u llarpient yn echrydus.
TE. DPO. 37.

CARNAU

439. CYMRYD [y] CARNAU. Ffoi.

Pan welais beth oedd yno, [llythyr at gyfreithiwr yn annog gyrru ar yr awdur am ddyled] mi a losgais y llythyr ac a *gymerais y carnau* i'r Deheudir. HLlTN. 40.

440. NERTH [y] CARNAU. Nerth traed: cyn gyflymed ag a aller.

Dacw gywydd y Farn . . . wedi mynd i Allt Fadawg . . . ac oddiyno fe ddaw atoch chwithau [Richard Morris] i Lundain o *nerth y carnau.*

CARRAI

441. HEB HIDIO CARRAI. Heb falio dim.

"Mi fynna i gaul gwared ohonoch chi Glame nesa, a chewch chi buth dir tanai, na'ch bath chi chwaith" ebe'r Meistr Tir. "Tydw i'n *hitio care* yn hynu mistar."
WR. LlHFf. 21.

'Carrai' yw un o nifer o eiriau a defnyddir yn gyson gydag ymadroddion fel "Nid wy'n malio (neu hidio) . . ." neu "nid yw'r [peth-ar-beth] yn werth . . ." gyda'r ystyr "Nid wy'n malio *dim*" neu "Nid yw'n werth *dim.*" Geiriau ac ymadroddion eraill o'r un math (a gellir rhoi pob un ohonynt yn lle 'carrai' uchod) yw draen, botwm (corn), catiaid o fanus, ffeuen, llychyn.

CARREG

442. CARREG ATEB. Atsain, eco.

Codesid y capel [Bethel Talsarnau] ar lannerch laith; ac oblegid hynny neu rywbeth arall, yr oedd ynddo atsain — 'carreg ateb', chwedl y gair gwlad y pryd hwnnw —

eithriadol o gryf. Clywid y bregeth ddwywaith, sef o enau'r efengylydd ac yna wrth iddi ddychwelyd ar ôl taro'r pared pellaf. JHJ. GG. 17.

Enwau eraill: carreg watwar, carreg atsain, craig lafar, craig lefain.

443. O FEWN ERGYD CARREG. O fewn ychydig bellter; cyn belled ag y gallai dyn daflu carreg â'i law.

Digon i mi yw dywedyd i'r 'amgylchiad' hwn droi'r hen lysywen wiberog . . . a welswn o fewn *ergyd carreg* i ddrws fy nghartref yn ymlusgiad llyfn-loyw ag agosatol . . . THP-W. OPG. 22.

CARTREF

444. TŶ EI HIR GARTREF. Y bedd. Dullwedd Hebreig a ddaeth drwy'r Beibl Cymraeg yn ymadrodd cynefin i ninnau.

. . . pan elo dyn i *dŷ ei hir gartref*. Preg. 12. 5.

NEB, *everlasting home*.

Cof gennyf fy mod yn nhŷ Thomas Bartley y noswaith o flaen y diwrnod yr oedd Seth i gael ei hebrwng *i dŷ ei hir gartref*. DO. RL. 93.

Weithiau gadewir allan y gair 'tŷ':

Pan aem i Langeithio i'w hebrwng i'w *hir gartref*, gorweddai niwl gwelw yn dorchau ar y bryniau a'r coed. TGJ. Cym. 61.

CARTHU

445. CARTHU (CORN) GWDDF. Clirio'r gwddf o fflem, yn aml gan wneud cryn sŵn.

Safodd y siaradwr ar ei draed, edrychodd yn bwyllog o'i amgylch, yna, wedi *carthu ei wddf*, yn swnllyd iawn, dechreuodd siarad.

CAS

446. RHOI CAS AR (rywun neu rywbeth). Cymryd yn ei erbyn, dod i'w gasáu. S. *to take a dislike to*.

Buasai Callao a Lima . . . yn ddigon i beri i ddyn *roddi ei gas* ar y forlan orllewinol adfydus hon. THP-W. Y. 30.

CASEG

447. CASEG EIRA. Pelen o eira a dreiglir ac a dyf yn gyflym wrth dreiglo.

Chwedl a aeth allan (a chwedl a gynydda fel *caseg eira*) fod yma 5 lleng wedi dyfod. TE. DPO. 79.

O'i gadael yn yr haul todda'r gaseg eira yn eithaf cyflym hefyd.

Ar y gair, mi'm clywn yn dechrau toddi *fel caseg eira* yng ngwres yr haul. EW. BC. 59.

CAST

448. (TALU) I RYWUN AM EI GAST. Cast yw tric, ystryw, neu dro (annymunol fel arfer).

A phe tae rhywun . . . pwy bynnag fo, yn cynnig gwasgud arnoch chi i ddeyd syt y daru chi fotio, mi fydde yn rhoid i hun yngafel y gyfreth, a mi ga'i gosbi'n drwm iawn hefyd . . . *am ei gast.*

WR. LlHFf. 50.

449. CASTIAU HUG. Siwglaeth. S. *conjuring tricks, leger-demain.*

Hyd y stryd allan gwelit chwaraeon interlud, siwglaeth a phob *castiau hug.* EW. BC. 23.

CATIAID

450. MALIO CATIAID O FANUS. Malio dim. Gw. (441).

. . . nid oes neb sydd tua'r brig yn Westminster fel pe bai'n *malio catiad o fanus* am dynged y tlawd a'r hen.

Col. Led-Led Cymru. Y Faner, 21/12/73.

Nid yw catiaid (catiad, catied) ond llond cetyn (=pibell ysmygu). A pheth diwerth iawn yw manus.

CATH

451. BLINGO'R GATH HYD EI CHYNFFON. Gwario hyd y geiniog olaf.

Yn y ffair daeth rhyw ffit sydyn o ryfyg dros Wiliam. Pa ddiben oedd edrych yn llygad pob ceiniog? Penderfynodd gael sbri iawn o wario, a *blingo'r gath hyd ei chynffon.*

[Cytuna GPC â'r eglurhad uchod: ond ar raglen radio'n ddiweddar clywais esboniad arall gan wraig o Arfon. Yn ôl a ddywedai hi ystyr yr ymadrodd oedd: gadael rhyw waith yn anghyflawn, a hynny o fewn ychydig i'w orffen.]

452. CARIO'R GATH. Plethu breichiau ar draws y fynwes. S. *to fold arms.*

453. FEL CATH I GYTHRAUL. Yn gyflym iawn. S. *hell for leather, like greased lightning.*

Dydi doctoriaid wyddost ddim yr un fath â chi, y ffermwrs 'ma, yn dreifio *fel cath i gythrel.* DO. GT. 201.

Yn y Deau ceir ymadrodd cyffelyb, FEL CATH AR DÂN.

454. FEL CATH MEWN CORTYN. Yn aflonydd a diamynedd.

Yn yr ysbyty 'roedd Henderson fel *cath mewn cortyn* . . . edrychodd ar ei wats a gweld fod ganddo ddeg munud arall cyn y byddai'n rhaid i'r ymwelwyr fynd. IFfE. CH.

455. GOLLWNG Y GATH O'R CWD(YN). Datgelu'r gyfrinach.

Erbyn hyn yr oedd y *gath o'r cwd* am amgylchiadau Harri — nid oedd yn bosibl eu cadw oddi wrth Gwen. DO. GT. 227.

Daniel Owen yn beirniadu nofel: 'Mae'r *gath allan o'r cwd* yn rhy fuan. Fe wn i [ar ôl dwy neu dair pennod] sut y mae'r stori'n mynd i dyfu a dibennu'. Dyf. JHJ. GG. 116.

456. NAW BYW CATH. Y mae gan gath y fath wydnwch i ddod trwy ddamweiniau etc., nes rhoi bod i'r dywediad bod *naw bywyd* ganddi. Defnyddir yr ymadrodd yn ffig. am *bobl* os byddant yn hirhoedlog, yn enwedig os ydynt wedi dod trwy afiechydon neu ddamweiniau, ac eto'n dal i wydnu byw. Clywais ei ddefnyddio hefyd am gar modur hynafol a barhai i drafeilio ymhell wedi pasio oed pensiwn, a hyd yn oed am ddilledyn a welsai well dyddiau (790) ond a oedd yn wisgadwy yn ei henaint.

'Roedd damwain yn digwydd bob ugain llath
A chwedl ddi-sail oedd *naw byw cath,*
Pan oedd Anti'n dysgu dreifio.

Mewn rhai rhannau o'r Deau ffurf y dywediad yw 'naw 'whyth (chwyth) cath'.

457. PRYNU CATH MEWN CWD. Prynu rhywbeth heb ei weld, heb wybod ei wir werth. Bargen ddall. Y S. cyfatebol yw *to buy a pig in a poke.* Yn Ffrangeg prynu *cath* a wneir fel yn Gymraeg, *acheter chat en poche.*

"Tipyn o *brynu cath mewn cwd* ydi'r holl fusnes yma o fynd i mewn i Farchnad Ewrob", meddai Ianto.

Braidd yn chwithig i ni heddiw yw'r syniad o *brynu* cath, mewn cwd neu beidio. Ond mae'n amlwg oddi wrth yr hen gyfreithiau fod gwerth yn cael ei osod ar gath gynt. Ffurf arall ar yr idiom yw PRYNU CATH MEWN FFETAN. Ffetan=cwd, sach. Gw. Gen. 44. 11.

CAU

458. CAU LLYGAD AR (rywbeth). Edrych heibio iddo, peidio â chymryd sylw ohono.

Nid oedd y clerc newydd yn un delfrydol o bell ffordd, ond yr oedd clercod o unrhyw fath mor brin fel mai doethach oedd *cau llygad* ar ei fynych ddiffygion.

459. CAU PEN Y DAS. Gorffen rhyw orchwyl ac yn enwedig gorffen traethawd, araith, llythyr neu'r cyffelyb

Be ddyliet ti pe bawn i'n *cau pen y das?* Os nad yw'n das grothog [tas drwchus, yn bochio allan] cymer hi yn ei theneurwydd. LlB. D. 174. (ar derfyn llythyr).

Gw. hefyd, CAU PEN Y MWDWL (1173).

CAWL

460. GWNEUD CAWL OHONI. Gwneud stomp neu gymysgfa. S. *to make a mess of it.*

Mi *wnaeth gawl* braf yn yr arholiad ysgrythur — mi ffwndrodd rhwng y deuddeg disgybl a'r deuddeg patriarch.

Cyffelyb yw ystyr 'gwneud potes (maip) ohoni'. Gynt byddai gwraig tŷ ddarbodus yn defnyddio pob gweddillion bwytadwy yn y tŷ (fel cig, llysiau, bara) i'w berwi gyda'i gilydd gyda'r gwlyb i wneud cawl neu botes. Mae cawl yn burion delwedd felly i ddisgrifio sefyllfa pan fo pethau wedi mynd yn gymysgfa fawr ar draws ei gilydd.

CAWS

461. Y DRWG YN Y CAWS. Achos yr hyn sydd o'i le.

Nid yw'n fyw esmwyth rhwng Harri a'i wraig. Mae mam Harri yn byw efo nhw, ac, yn fy marn i, hi ydi'r *drwg yn y caws.*

CEFN

462. AR WASTAD FY NGHEFN. Ffig. wedi fy nhrechu'n gyfangwbl.

Pennaf hyfrydwch Shon Owen ydoedd cael rhywun i ddadlau ag o ar bynciau diwinyddol; ac nid byth y blinai nac y darfyddai nes cael ei wrthwynebydd *ar wastad ei gefn.* JHJ. M. 10.

Tebyg mai delwedd o chwarae ymafael codwm sydd yma, a'r gorchfygedig wedi ei daflu'n ddiymadferth ar lawr.

463. BOD YN GEFN I RYWUN. Bod yn gymorth iddo; sefyll o'i blaid; ei gefnogi.

Agorai'r Crynwyr eu drysau iddo. 'Caraf eu dulliau a'u hysbryd [meddai], 'maent wedi *bod yn gefn* i mi yn nydd y ddrycin.' Tom Nefyn (Gol. W. Morris). 21.

464. CAEL CEFN (RHYWUN). Cael adeg pan fydd yn absennol.

"Nid oedd lonydd i'w gael gan Harri, a chytunais, *pan gaffem gefn* yr hen bobl, i roddi prawf ar y ddau glochdar" (h.y. i gael gornest rhwng y ddau geiliog). DO. GT. 11.

465. CAEL FY NGHEFN ATAF. (a) adennill nerth: 'Nid wyf wedi *cael fy nghefn ataf* eto ar ôl bod yn sâl'. (b) ymsefydlogi'n foddhaol mewn busnes neu'r cyffelyb.

A dyma ti, Rheinallt, os bydd Gwen yn cael aros acw [: ar fferm y Wernddu] aros dithe efo hi nes iddi *gael ei chefn ati.* DO. GT. 239.

466. CEFN DYDD GOLAU. Y dydd ar ei oleuaf. S. *Broad daylight.*

Nosasai'n sydyn fel y gwna yn y trofannau, ond yr oedd lampau'r llong a'r cei yn gwneuthur y lle fel *cefn dydd golau.* THP-W. 37.

467. CEFN-GEFN. Cefn at gefn. S. *back to back*.

Rhwymwch y pedwar [ffidler] *gefn-gefn* a thaflwch hwy at eu cymheiriaid i ddawnsio'n droednoeth hyd aelwydydd gwynias . . . EW. BC. 67-8.

468. CEFN NOS. Canol nos. Y nos ar ei thywyllaf S. *dead of night.*

Y mae o [y peswch] 'n beth distawach nag y bu ond eto chwi gewch *gefn y nos fawr* ei glywed yn chwarae maes yr iwl dros yr holl dŷ. LlM. 25.

469. CODI CEFN. (1) Ennill nerth, ymgryfhau.

Yn ôl hir ymgynghori a dyfal fyfyrio e farnwyd nad oedd fodd i mi *godi fy nghefn* i fyny i wneuthur lle i'r gwŷr y'm trefnodd Duw iddynt nes cael onof yn ganllaw ac yn nodded im, ŵr a'i ewyllys yn dymuno da imi. GR. GC. 5.

(2) Gorffen gweithio, ymlacio.

470. CURO CEFN RHYWUN. Ei ganmol, ei gymeradwyo.

Pwy bynnag a ddarllenai'r llithoedd o'r sgrythur ar ddechrau'r oedfa, fe haedda *guro'i gefn* am gynhanu mor groyw a phwysleisio mor synhwyrol. JHJ. M. 87.

471. DANGOS CEFN i rywun. Ffoi rhagddo. S. *turn tail.*

A phan welas y paganiaid eu gorchfygu o'r Ffreinc *dangos eu cefnau* i'r Ffreinc a orugant [=a wnaethant] ac adaw y maes. YCM. 150.

472. DI-GEFN. Heb "gefn" yn yr ystyr a welir yn (463); di-gymorth, heb neb i'w helpu.

Gŵr gweddw oedd Bob Ifans ac yr oedd ei garedigrwydd i bobl *ddi-gefn* yr ardal yn ddiarhebol. KR. OGB. 103.

473. WRTH GEFN. Wedi ei roi heibio a'i gadw ar gyfer angen yn y dyfodol. Dros ben. S. *in reserve.*

Trwy fod y cyflogau mor fychan . . . nid oedd gan fy mam ddim *wrth gefn* tuag at fyw. DO. RL. 147.
Dechreuais ysgrifennu *Rhys Lewis,* pennod ar gyfer pob mis, heb fod gennyf air *wrth gefn.* Hunangofiant DO. dyf. JHJ. GG. 115.
"Aeth J i mewn yn Etholiad y Cyngor Sir a *digon wrth ei gefn.*" S. *with a large majority.*

474. YNG NGHEFN RHYWUN. Pan na fydd ef ei hun yn bresennol.

"Cadwai [Harri Royal] hwch fagu ym Moelogan . . . byddai'r hwch a'i thylwyth o berchyll cyn amled yn y ffordd fawr ag ym Moelogan, ac ni feddyliai neb yn yr ardal am gyfeirio atynt *yng nghefn eu perchennog,* ond fel y Royal Family. RDW. CT. 132.

CEFFYL

475. BOD YN GEFFYL BLAEN. Llythr. bod yn gyntaf o ddau neu fwy o geffylau yn tynnu y naill y tu ôl i'r llall. Ffig. bod yn arweinydd; bod yn ddyn pwysig ynglŷn â rhyw sefydliad, gwaith neu fudiad; cael y lle cyntaf.

Bu dewis blaenor dro yn ôl
Yng nghapel Tan-y-Coed;
A thrwy ffolineb un dyn ffôl
Bu'r helynt arwa 'rioed;
Yn ei ymddygiad taerai o hyd
"Y fi yw'r unig ddyn";
Peth od 'doedd neb drwy'r cwrdd i gyd
'Run farn ag ef ei hun.
Faint rowch chi am grefydd y sawl ddaw ymlaen
I geisio cael *bod yn geffyl blaen*? GM. 37.

476. AR GEFN FY NGHEFFYL. Yn ffig. fe ddefnyddir yr ymadrodd hwn mewn dwy ystyr: (1) I gyfleu teimlad o oruchafiaeth a llawenydd: Am ddyddiau wedi'r fuddugoliaeth etholiadol bu J *ar gefn ei geffyl.* (2) I gyfleu tymer enbyd: Gwell i chwi gadw o ffordd y meistr y bore yma; mae o ar *gefn ei geffyl.*

CEG

477. CAU CEG (RHYWUN). Ei gadw'n ddistaw (trwy foddion mwyn neu anfwyn); ei atal rhag mynegi barn neu feirniadaeth.

. . . cawsom gysuron gwag o enau pob Ysgrifennydd a gafodd Cymru, ac ambell ffatri fach i *gau'r cegau* mwyaf taer. Gol. *Y Faner* 18/3/73.

478. CEG-YNG-NGHEG. Cyfystyr â 'yng nghegau'i gilydd' (481) a 'genau-yng-ngenau'.

479. HEN GEG. Rhywun llac ei dafod, rhy hoff o siarad, ac felly un na ellir ymddiried cyfrinach iddo (neu iddi).

Yr oedd hi'n gymaint o *hen geg;* 'roeddwn i am fy mywyd yn celu popeth rhagddi na fynnwn i'r byd ei wybod.

480. YNG NGHEG Y BYD. Yn destun siarad pawb.

Mae'i helyntion priodasol o *yng ngheg y byd* ers blynyddoedd.

481. YNG NGHEGAU'I GILYDD. Mewn sgwrs glos iawn y naill â'r llall.

Yr oedd claf a pherthynas [yn yr ysbyty] *yng nghegau'i gilydd,* y perthynas fel pe'n ceisio croesi'r bont rhyngddo a'r claf. KR. TH. 119.

CEINIOG

482. Defnyddir CEINIOG yn aml — (trwy'r troad ymadrodd a elwir yn *lleihad.* Gw. JMJ CD 60) i sefyll am *swm go sylweddol o arian.*

Hi oedd biau'r bwthyn ar ôl ei rhieni, a gadawsant iddi dipyn o *geiniog* heblaw hynny — digon i sicrhau iddi incwm o goron yr wythnos. DRW. CT. 129.

CEIRCH

483. RHOI CEIRCH I RYWUN. Ei ganmol. Rhoi gweniaith iddo (fel arfer er mwyn cael rhyw help ganddo neu fantais trwyddo). Tu ôl i'r ymadrodd y mae'r darlun o ffarmwr yn rhoi tamaid blasus i'w geffyl er mwyn cael ganddo ddal ati i weithio neu weithio'n well.

CELAIN

484. YN FARW GELAIN. Yn hollol farw. S. *stone dead.*

Rhuthrodd y ci arno, a thrawodd Harri ef yn ei ben nes . . . syrthiodd i bob golwg, *yn farw gelain.*

DO. GT. 54.

Ceir yr ymadrodd weithiau'n wyneb wrthwyneb: yn *gelain farw.* Cryfheir ef weithiau wrth ddweud 'Yn farw *gelain gegoer*' (ceg+oer) neu'n 'farw gelain gorn'.

"Nid wyf yn amau nad ydych bellach yn tybio fy mod wedi marw yn *gelain gegoer.*" LlGO. 85.

CELWYDD

485. PALU CELWYDD(AU). Dweud celwyddau'n ddi-ymatal fel petai yn eu rhofio at y gwrandawr â rhaw neu *bâl.*

486. RHAFFU CELWYDDAU. Ymadrodd o'r un ystyr â'r un blaenorol. Y darlun yn hwn yw celwydd ar ôl celwydd yn dod o enau'r rhywun yn un llinyn neu raff ddiderfyn. Yn y Beibl ceir sôn am *glytio celwydd* (Salm 119. 69) ac *asio celwydd* (Job 13. 4). Yr un syniad, o gydio'r naill gelwydd wrth y llall, a gyfleir yn y ddau ymadrodd.

CENNAD

487. CENNAD I'M CROGI. Ebychair yn cyfateb i'r Saesneg: *May I be hanged.*

Cennad i'm crogi onid wyf yn meddwl fod yr awen, fel llawer mireinferch arall, po dycnaf . . . y cerir . . . coecaf fyth ei ceir. LlGO. 22.

CERDDED

Y mae llu o briod-ddulliau'n cynnwys y gair *cerdded.* Noder ambell un:

488. Mae'r amser yn *cerdded*=yn mynd heibio. S. *time is moving on.*

'Y nos a *gerddodd ymhell* a'r dydd a nesaodd.'

Rhuf. 13. 12.

489. Mae'r cloc yn pallu *cerdded.* Ymadrodd o'r De am gloc wedi sefyll (stopio).

490. Teimlo ias oer yn fy *ngherdded*=yn mynd trosof.

491. Mae pethau ar *gerdded* ynglŷn â'r cyngerdd=yn symud ymlaen. S. *in progress.*

492. Afiechyd yn *cerdded* rhywun=yn ymledu trwy ei gorff.

493. Y mis sy'n *cerdded*=y mis hwn. S. *the current month.*

Echdoe y derbyniais yr eiddoch, o'r namyn un ugeinfed o'r mis *sy'n cerdded*". (h.y. S. *the* 19th *of this month*). LlGO. 77.

Sylwer mai'r un math o syniad a gyfleir gan y term S. â chan yr un Cymraeg. 'The current month'=y mis sy'n *rhedeg*. Daw *current* o ffurf ar y ferf Ladin *currere*, rhedeg.

494. Gwybod neu holi *cerdded* rhywun; h.y. ple y mae a beth yw ei hanes.

A wyddoch chi ddim am *ei gerdded* wedi iddo fynd oddi-yma? EMH. CLlD. 36.

CI

495. CADW CI A CHYFARTH FY HUN. Cadw gweision ond gwneud y gwaith fy hunan; gwneud yn lle rhywun y peth y dylai hwnnw ei wneud.

"Gan eich bod mor glyfar", ebe Harri [wrth Nansi'r Nant] "mi ddylech wybod beth ydi musnes i heno". "Wrth gwrs 'y mod i'n gwybod ond 'dydw i ddim am *gadw ci a chyfarth fy hun*". DO. GT. 132.

CIL

496. AR GIL. Yn encilio. S. *in retreat.* Hefyd, croes i *ar gynnydd*. Dywedir fod y lleuad *ar ei chil* pan fyddo wedi pasio'r llawn.

"Nid oedd dim perygl yn Israel a Syria; galluoedd *ar eu cil* oeddynt. Y mae Asyria yn allu mawr ac yn allu *ar ei gynnydd*. JPJ. GD. 12.

497. GYRRU AR GIL. Gyrru ar ffo.

Erin y môr! yno mae
Y gŵyr y bûm yn gwarae
Gyda hwy, ac wedi hyn
Ar gil yn gyrru'r gelyn.

TGJ. Can. 68.

498. CNOI CIL. Llythr. dwyn bwyd yn ôl i'r safn, a'i gnoi, fel y gwna buwch. Yn ffig. troi pethau trosodd yn y meddwl; myfyrio. S. *chew the cud.*

Y noson honno ni fedrais gysgu dim. Troai fy sgwrs â Gruff yn fy mhen; awn dros bob gair ohoni a *chnoi cil* ar bob teimlad a gefais. KR. TH. 22.

CIL LLYGAD

499. RHOI AWGRYM CIL LLYGAD. Amneidio, neu wneud arwydd, ar rywun trwy wneud llygad bach arno. S. *tip a wink.*

. . . nid oedd eisiau ond *rhoi awgrym cil llygad* i Jones a byddai y gorchwyl wedi ei gyflawni. DO. EH. 182.

Am 'cil llygad' gw. (1111) (1116).

CILIO

500. CILIO YN FY NGEIRIAU. Tynnu fy ngeiriau'n ôl.

Dewis di ai *cilio yn dy eiriau* ai rhyfela [Caswallon wrth Iwl Caisar]. TE. DPO. 28.

CIP

501. AR GIP. Ar yr olwg gyntaf; a barnu yn frysiog. S. *at a cursory glance.*

Gallesid meddwl *ar gip* fod Thomas Roberts yn lled ddiofal o reolau iaith. JPJ. Ysg. 16.

502. BOD Â CHIP AR (rywbeth). Bod â 'mynd' arno. Bod â galw mawr amdano.

Mae *cip mawr* ar y llyfr, mae'n amlwg. Doe y cyhoeddwyd ef. Eisioes fe werthwyd y rhan orau o fil o gopïau.

503. CIPIO GWOBR. Dull o ddweud '*ennill*' gwobr, ond mymryn mwy dramatig!

Cipiodd Ap Clogwyn y gadair.

504. CIPOLWG. Cywasgiad o 'cip o olwg'; golwg frysiog am ysbaid byr. S. *glance, glimpse.*

Gorweddais ar y glaswellt tan synfyfyrio deced a hawddgared [wrth fy ngwlad fy hun] oedd y gwledydd pell y cawsom *gip o olwg* ar eu gwastadedd tirion a gwyched oedd cael arnynt lawn olwg. EW. BC. 5.
Cafodd Marged Ty'r Capel *gipolwg* ar dop ei wallt [Wil Bryan] yn suddo i'r sêt. DO. RL. 28.

Gellir rhoi ansoddair i mewn yng nghorff yr ymadrodd

. . . i'n helpu i gael *cip newydd o olwg* ar y gwir. RGB. LlD. 60.

CIPYN

505. CIPYN A CHAPAN. S. *bag and baggage.* cipyn= pecyn (S. *Kip*) capan=cap.

. . . felly gorau i chwi gipio'ch *cipyn a'ch capan* a dyfod.
LlGO. 130.

CLAWDD

506. Y TU CLYTAF I'R CLAWDD. Llythr. ar yr ochr bellaf oddi wrth y gwynt, yr ochr gysgodol. Ffig. ar yr ochr orau i'r fargen.

Mewn unrhyw fusnes a fyddai rhyngddynt, gofalai J mai ychydig fyddai'r perygl iddo ef fod ar ei golled. Gallech fentro y byddai o'r *tu clytaf i'r clawdd* bob tro.

CLAMP

507. CLAMP O . . . ddyn, dynes, hogyn, llyfr etc.

(1) dyn, dynes, hogyn, llyfr etc., *o faintioli mawr.*

(2) Weithiau, fel yn y dyfyniad sy'n dilyn, defnyddir "clamp o . . ." yn goeglyd i olygu nid *mawr* yn gymaint â 'mawreddog'.

. . . gwelwn *glamp o* bendefig ieuanc a lliaws o'i ôl yn deg ei wên a llaes ei foes. EW. BC. 15.

(3) ar raddfa fawr e.e. 'clamp o gelwydd', 'clamp o gusan', 'clamp o groeso', 'clamp o reg'.
Gw. enghraifft arall (207).

CLENSIO (CLEINSIO)

508. CLENSIO CENADWRI. Sicrhau y neges ym meddwl a chalon gwrandawyr.
Weithiau fe glywid hen bregethwr yn *cleinsio cenadwri* drwy ddweud, "'Roedd Williams wedi gweld hi. 'Glywch chi o'n canu,

Mi welaf olau'r haul
Ar fryniau tŷ fy Nhad etc."

THP-W. P. 56-7.

Y darlun a geir yma yw dyn yn *cleinsio* hoelen drwy droi ei blaen wedi ei churo drwy'r pren, er mwyn ei gwneud yn sownd. Yr un syniad a welir yn y geiriau *'clensio bargen'*, sef ei gwneud yn derfynol a chadarn. O'r S. *clench* a *clinch* (amrywiadau ar yr un gair) y cawsom *clensio.* Gw. (23).

CLINDARDDACH

509. CLINDARDDACH DRAIN DAN GROCHAN. Benthyciwyd yr ymadrodd yn ei grynswth o'r ysgrythur.

> Canys chwerthiniad dyn ynfyd sydd fel *clindarddach drain dan grochan.* Preg. 7. 6.

Sŵn craciog yw *clindarddach,* a da y disgrifia'r sŵn a wneir gan ddrain pan losger. CSA *'crackling of thorns under a pot'.*

Sôn am chwerthin y mae Syr Ifor Williams yn y dyfyniad hwn hefyd:

> Ychydig iawn o bobl mewn oed fedr chwerthin yn dlws. Rhyw *glindarddach drain dan grochan* yw'r sain arferol. IW. MI. 9.

Ond fe ddefnyddir yr ymadrodd am unrhyw 'sŵn cracio amhersain'.

> Mae sŵn holl ddamnedigaeth yn awr yn gytsain un
> Yn gryno *yn clindarddach* yn f'erbyn i fy hun.
> WW. (Theomemphus 15).

CLO

510. Fe ddefnyddir *clo* (neu ddiwedd*glo*) i olygu'r geiriau ar ddiwedd araith, dadl, ymresymiad etc., sy'n symio i fyny'r drafodaeth. S. *conclusion.*

> *Clo* ar y cwbl yw'r hyn a ddywaid yr Apostol, mae cybydd-dod yn eilunaddoliaeth. EW. RBS. 233.

Rhoi *clo* ar rywbeth i'w sicrhau — dyna'r darlun a gyfleir. Yr un syniad o 'gau' sydd yn wreiddiol y tu ôl i'r term S. hefyd, a fenthyciwyd o'r Lladin, *concludo* o *con*=ynghyd+*claudo*=cau. Cf. Rhuf. II, 32. CSA: God hath *concluded* them all in unbelief. CAC, Duw a'u *caeodd* hwynt oll mewn anufudd-dod.

CLOBYN

511. CLOBYN (CLOBEN).=Clamp (507).

> A mi'n edrych o bell ar y rhain a chant o'r fath, dyma'n dyfod heibio i ni *globen* o beunes fraith ucheldrem ac o'i lledol gant yn sbïo . . . EW. BC. 14.

CLOCH

512. CODI CLOCH. Codi'r llais yn awdurdodol neu haerllug. S. *to raise one's voice.*

> Beth ydyw llywodraethu yn ôl syniad llawer ohonom? Stiwardio, onidê, tra arglwyddiaethu, dwrdio, *codi'r gloch* fawr, mynnu ei ffordd ei hun. JPJ. GD. 33.

513. YN UCHEL FY NGHLOCH. Yn fawr fy sŵn; yn amlwg fy llais.

Y dydd hwnnw . . . fe ddatguddir fod rhai o'r bobl oedd yn *uchel eu cloch* yn fy niarddel heno wedi cancro a braenu mewn bydolrwydd a budrelw. DO. RL. 81.

CLOI

514. CLOI BARGEN. Ei setlo; dod i gytundeb terfynol arni.

Mae'r *fargen wedi ei chloi.* LlGO. 43.

CLOCHYDD

515. FEL PERSON A CHLOCHYDD. Cymhariaeth i ddisgrifio dau ddyn yn cydweithredu'n gyson ond nid fel rhai cydradd. Yn hytrach y mae'r naill ohonynt yn dilyn y llall ym mhopeth, yn ei gefnogi ar bob achlysur ac yn adleisio ei farn ar bob pwnc, fel y bydd clochydd mewn gwasanaeth eglwysig yn arwain "atebion" y gynulleidfa ar yn ail â'r offeiriad.

CLORIAN

516. YN Y GLORIAN=yn y fantol (1144).

"Mae gennych hawl i opiniwn arall ond yr ydw i'n siomedig fod teulu Lleifior wedi dangos cyn lleied o ymddiried yn eu hen feddyg teulu". "A bywyd 'y ngwraig *yn y glorian* 'ellwch chi ddim disgwyl i hynny sefyll ar y ffordd".
IFfE. CC. 204.

CLÔS

517. GWISGO'R CLÔS. Defnyddir am wraig briod sy'n rheoli'r gŵr, gan drawsfeddiannu safle draddodiadol y gŵr fel pen y tŷ.

Pwy bynnag a briodai hi . . . yr oedd yn benderfynol y mynnai gael ei ffordd ei hun, neu — ac i mi ddefnyddio ymadrodd isel — yr oedd wedi gwneud diofryd y mynnai gael "gwisgo'r clôs." DO. EH. 36.

Fe barheir i ddefnyddio, a deall, yr ymadrodd, er nad yw *"gwisgo clôs"* bellach yn rhagorfraint y gwryw yn unig! Clywir y geiriau LLYWODRAETH Y BAIS weithiau i'r un perwyl.

CLUN

518. O GLUN I GLUN. Ymadrodd a ddefnyddir ar ôl geiriau fel mynd, cerdded, ymlwybro etc. i ddisgrifio (1) cerdded hamddenol, ac yn arbennig (2) cerdded yn null hwyaden gan siglo o ochr i ochr. S. *waddle*. Ceir enghr. enwog yn y disgrifiad o'r "Aldramon" hwnnw yn y *Bardd Cwsc*.

> "prin y gallai ymlwybran *o glun i glun* fel ceffyl a phwn o achos y gest a'r gowt ac amryw glefydon boneddigaidd eraill. EW. BC. 15.

519. RHOI (DODI, GOSOD) CLUN I LAWR. Eistedd. Cymryd egwyl i orffwyso.

> Wel, Sem, [ebe Thomas Bartley] lle buoch chi'n cadw, ddyn? Rydw i wedi bod yn ych disgwyl chi drw'r dydd . . . fase waeth i chi *roi clun i lawr* yma na phendwmpian gartre. DO. RL. 117-8.

CLUST

520. RHOI CLUST I RYWBETH. Gwrando arno.

> Os gan wrando y gwrandewi ar lais yr Arglwydd . . . a rhoddi clust i'w orchmynion ef. Ecs. 15. 26.

521. RHOI CLUST I RYWUN. Gwrando arno.

> Ni wrandawodd yr Arglwydd ar eich llef, ac ni *roddes glust* i chwi. Deut. 1. 45.

522. TROI CLUST FYDDAR. Gwrthod gwrando.

523. YN WÊN O GLUST I GLUST. Yn gwisgo gwên lydan dros yr wyneb i gyd.

> "Beth ydi'ch barn chi am y Deg Gorchymyn, William Jones?" "O rhyw fwgan brain sy gan y Brenin Mawr i'n cadw ni o'i gae", ebe'r hen ffarmwr . . nes bod y blaenor yn arswydo, a ninnau'r plant yn *wên o glust i glust*. JHJ. M. 27.

CLUSTIAU

524. DROS BEN A CHLUSTIAU. Yn ddwfn, yn gyfangwbl (mewn cariad, dyled, gwaith, trybini etc.).

> 'Roedd Gareth *dros ei ben a'i glustiau* [mewn cariad] ers tro bellach, a phinacl ei wythnos oedd cael hebrwng Marian o'r capel, ar nos Sul, at Giat y Ddôl. IFfe. CH. 41.

Y syniad o ddyn yn suddo dros ei ben mewn dyfnder o ddŵr a roes fod i'r ymadrodd, mae'n debyg.

525. MAE GAN FOCH BACH GLUSTIAU MAWR. Rhybudd i fod yn wyliadwrus beth a ddywedir yng ngŵydd plant.

526. MAE GAN GLODDIAU GLUSTIAU. Rhybudd i fod yn ofalus pa bryd a pha le i siarad am beth y mynner ei gadw'n gyfrinach. Mae clustfeinwyr ym mhob man.

527. YN GLUST(IAU) I GYD. Yn gwrando'n astud. Yn ymroi'n gyfangwbl i wrando.

CLWT

528. AR Y CLWT. Mewn cyflwr diymgeledd, mewn eisiau, yn ddigartref.

> Mae yn ddrwg gennyf ysbeilio Mr. Huws o'r holl arian yma ac eto os rhown [waith] Coed Madog i fyny, mi fyddaf *ar y clwt*. DO. EH. 291.
> Claddant ym mron y dwyrain doeth eu dagr, a thaflu crefftau Cymru *ar y clwt*. Gwenallt. *Cnoi Cil*. 27.

Un o ystyron *clwt* yw darn o dir. Gellir dyfalu mai dyna a olyga yma. Darlun sydd yn yr ymadrodd o ddyn wedi colli popeth a heb le i roi ei ben i lawr ond ar y ddaear noeth.

CNAU

529. TORRI CNAU GWEIGION. Gwneud peth nad oes ynddo ddim budd neu elw.

> Sylwch chi eto ar gownteri'r siopau mawr . . . fod y Beibl ar werth yno. Mi ellwch fod yn dawel fod marchnad iddo, achos 'dydi'r siopau hynny ddim yn *torri cnau gweigion*. RW. EE. 79.

CNEIFIO

530. CNEIFIO MOCHYN. Yr ymadrodd yn llawn yw, 'Fel cneifio, mochyn, llawer o dwrw, 'chydig o wlân.' Fe'i defnyddir yn goeglyd i ddisgrifio (1) rhywun yn addo'n helaeth a huawdl ond yn cyflawni'n brin; (2) unrhyw weithgaredd sy'n llawn ffwdan a phwysigrwydd, ond lle mae'r budd sy'n dilyn yn fychan iawn. Cf. y dywediad 'Mwy o dwrw nac o daro'.

CNOI

531. CNOI CIL. Yn llythr. dwyn bwyd yn ôl i'r safn a'i ail gnoi fel y gwna buwch; yn ffig. troi pethau trosodd yn y meddwl; myfyrio.

(Ebr Mari Lewis): "Ydyn nhw yn cael Beibil yn *jail* dywed? A mae nhw! Mae'n dda gen i glywed; ond o ran hynny mae Bob [yn y carchar] yn gwbod digon o Feibl i *gnoi ei gil* arno fo am ddeufis beth bynnag".

DO. RL. 130.

COCYN

532. COCYN HITIO. Gwrthrych ymosodiad a beirniadaeth.

'Rwy'n fodlon mynd yn *gocyn hitio* i bawb yn y plwy, os gallaf rywsut eu hargyhoeddi fod y mater o'r pwys mwyaf.

Cf. â cocyn hitio, cocyn annel; cocyn saethu.

CODI

533. CODI DANI. Gwrthryfela, protestio.

Wedi hir ddioddef anghyfiawnder ar law'r meistri fe ddechreuodd y gweithwyr *godi dani.*

534. CODI I BEN RHYWUN. Effeithio ar ei synhwyrau gan gael effaith debyg i effaith e.e. diod feddwol.

"Leusa Pritchard", meddai wrthi ei hun, "mae'r arian yna wedi *codi i dy ben di*". AL. CT. 101.

535. CODI'N DAIR (bedair, ugain etc.) OED. Ar fedr cyrraedd yr oedran hwnnw.

Mae genni ebol melyn
Yn codi'n bedair oed. Hen Hwiangerdd.

Wrth syllu'n hurt ar yr hen gar sydd gennyf—car sydd bellach yn *codi'n un ar hugain oed* ac felly bron a dyfod i'w oed . . .

THP-W. M. 81.

536. CODI YSGAFARNOG. Llythr. Gair o fyd hela yn golygu cyffroi ysgyfarnog oddi ar ei gwâl. Yn ffig. Dwyn i mewn i ddadl neu drafodaeth lafar neu ysgrifenedig, bwnc neu fater amherthnasol.

CODIAD

537. AR FY NGHODIAD. Cyn gynted ag y codaf o'm gwely yn y bore.

Ar ei chodiad drannoeth, ar ôl noswaith ddi-gwsg a helbulus, a chyn profi tamaid cychwynnodd Gwen tua thŷ Nansi. DO. GT. 219.

CODWM

538. CYMRYD FY NGHODWM. Wynebu drygfyd. Cymryd fy siawns, fy anffawd.

Rhyw ddyrnaid fechan oeddynt (disgyblion Eseia) o ffyddloniaid oedd yn barod i *gymryd eu codwm* gyda baner y Duw byw. JPJ. GD. 22.

539. TEULU'R CODWM. Teulu dyn; y ddynoliaeth, o edrych arni yng ngoleuni y ddysg feiblaidd am "y cwymp"; dynoliaeth bechadurus.

Cf. Hil syrthiedig Adda. WW. LlEM. 307.

COED

540. DOD AT FY NGHOED. Dod i feddwl ac ymddwyn fel y dylwn.

Pe gwele'n meistred [tir] rhw fwfment [: S. *movement*] wel hun mhlith y tynantied, mi *ddoyn nhw at ei coed** toc y da. WR. LlHFf. 11.

*toc y da=yn bur fuan.

541. DOD Â RHYWUN AT EI GOED. Dod ag ef i gyflwr o feddwl ac ymddwyn fel y dylai. Gw. (540).

542. METHU GWELD Y COED GAN BRENNAU. Methu, oherwydd lluosogrwydd manylion, â chael darlun cyffredinol clir. Methu didol y pethau hanfodol, mewn sefyllfa etc., oddi wrth y manion. Tebyg mai o'r Saesneg y daeth y dywediad i'r Gymraeg. Mae yn yr iaith honno o leiaf er 1546. *"One can't see the wood for the trees"* a glywir heddiw yn Saesneg. *"For trees"*, fel yn y fersiwn Gymraeg o hyd, oedd y ffurf gynnar.

COEL

543. AR GOEL. Heb dalu ar y pryd, ond dan addewid talu eto; ar dryst. S. *on trust; on credit.*

[Yn Ynysoedd y Caneri] cleddid cyrff *ar goel* — talu treuliau'r angladd bob yn ddogn*; ond os esgeulusid talu erbyn yr adeg osodedig, codid y corff o'r bedd a'i fwrw i'r wyneb. JHJ. GG. 156.

*bob yn ddogn=*by instalments.*
Am y gwrthwyneb, gw. (1067).

544. RHOI COEL AR rywun neu rywbeth. Ei gredu.

Felly rhaid *rhoi coel* ar y copïau [o emynau Ann Griffiths] h.y. eu derbyn fel rhai dilys. THP-W. M. 52. Cynt y *rhown* goel ar y Brut sy'n addaw dyfodiad Owain Lawgoch . . . nag y disgwyliwn weld Cymro uwch bawd na sawdl. (201). LlGO. 50.

COELBREN

545. BWRW COELBREN. Mae'r Beibl wedi gwneud yr ymadrodd hwn a'i ystyr yn gynefin inni. (Am dri chyfeiriad ymhlith llawer gw. Lef. 16. 7-10; Jona 1. 7; Math. 27. 35). Hen hen ddull ydoedd ymysg yr Hebreaid a chenhedloedd eraill o wneud dewisiad neu benderfyniad ar sail siawns. Rhoddid nifer o goelbrenni (darnau o bren fel arfer) mewn blwch neu lestr ac yna'u tynnu neu eu hysgwyd allan ar antur. Credid fod y canlyniad yn datguddio ewyllys Duw neu'r duwiau. Defnyddir y gair bellach i ddynodi unrhyw ddull o ddewis neu benderfynu sy'n dibynnu ar hap a damwain.

546. BWRW FY NGHOELBREN GYDA rhywun neu rywrai. Ymgysylltu ag ef (neu hwy); mynd yn gyfrannog o'u ffawd. S. *throw in my lot with.*

Bwrw dy goelbren yn ein mysg. Bydded un pwrs i ni i gyd. Diar. 1. 14.

Pan orffenwyd y cwt, ffarweliodd yr ieir â'r aelwyd a *bwriasant eu coelbren* gyda chynulleidfa luosog o rai tebyg iddynt yn y cartref newydd. RDW. CT. 130.

COES

547. CYMRYD Y GOES. Dianc; rhedeg i ffwrdd.

Mae [i'r llew] 'n hen gyfarwydd â dynion mae'n amlwg neu fe fydde wedi *cymryd y goes* erbyn hyn. IFfE. TB. 14.

COF

548. AR GOF A CHADW. Wedi ei groniclo a'i gadw. S. *on record.*

Dyma* yr araith gyntaf sy *ar gof a chadw* ar natur eglwys. JPJ. GD. 13.

*Proffwydoliaeth Eseia yn Es. 8. 16-18.

549. COF BRITH. Atgof ansicr ac annelwig.

Cof brith sydd gennyf am ei bryd a gwedd [bachgen y bu'n ymladd ag ef yn hogyn ysgol] — tywyll, 'rwy'n credu, a rhyw nam ar ei lygad. THP-W. P. 24.

Gw. (291).

550. COF GENNYF. Yr wyf yn cofio.

Cof gennyf am un cymydog i ni a gollodd ddau geffyl, un tymor, adeg trin tir at hau y gwanwyn. TGJ. Br. 54.

Ceir hefyd yn nacaol. *Nid* cof gennyf.

Nid cof gan ŵr iddo fod yn fachgen. D.
Nid cof gennyf weld *un** ym miloedd llinellau Tudur Aled. JMJ. CD. 151.

*Llinell lle rhoir yn y brifodl sillaf gadarnleddf i gyfateb i ddwy sillaf yn yr orffwysfa.

551. DWYN AR GOF. Cofio neu atgofio.

'Cynheliwch fi â photelau'.* (Y mae'r cyfieithiad grymus Saesneg yn werth ei *ddwyn ar gof* yma: *Stay me with flagons.*) THP-W OPG. 16.

*Gw. Can. Sol. 2. 5.

552. DWYN rhywbeth AR GOF i rywun. Ei atgoffa ohono.

Dylai pob gweinyddiad [o Fedydd] *ddwyn ar gof* i bawb sy'n bresennol, fod yr arwydd hwn o fwriad Duw wedi ei osod arnynt hwythau hefyd. DEM. BRA. 143.

553. (ER) CYN COF. Er yr adeg pan nad oes cof am rywbeth. S. *from time immemorial; time out of mind.* Defnyddir yr ymadrodd yn gellweirus yng nghwpled Dafydd ap Edmwnd (yn sôn am lanc yn disgwyl wrth ei gariad).

Oeri y bûm ar y barth
Er cyn cof, a'r ci'n cyfarth.
dyf. JMJ. CD. 57.

554. GALW I GOF. Cofio, Atgofio . S. *call to mind.*

Gan *alw i'm cof* y ffydd ddiffuant sydd ynot ti . . .
2 Tim. 1. 15.

555. GOLLWNG DROS GOF. Anghofio.

Fy mab *na ollwng* fy nghyfraith *dros gof*. Diar 3. 1. Canys chwi a gewch rai yn gytrym [=cyn gynted] ag y gwelant afon Hafren neu glochdai Amwythig a chlywed Sais yn doedyd unwaith good morrow, a ddechreuant ollwng eu Cymraeg *tros gof*. GR. GC. (Annerch).

556. MYND O'M COF.

(1) Mynd yn angof gennyf.

Nid *aeth* o'n *cof* dy wyrthiau gynt. E.Wyn. LlEM. 405.

(2) Colli pwyll a synnwyr — yn llythrennol weithiau. S. *to become insane*. Ond gan amlaf, yn yr ystyr o 'golli tymer, gwyllitio.'

Pan welodd Smith fod rhywun wedi gollwng y gwynt o'i deiars, *aeth o'i go'n lân*.

COFFA

557. COFFA DA AM (rywun). Ebychair o gymeradwyaeth yn cyfateb i'r S. *of blessed memory; of revered memory*.

Mi ddysgodd Twm o'r Nant, *coffa da amdano*, [wersi i] lawer o othrymwrs i ddydd o, yn feistred tir a stiwardied . . .
WR. LlHFf. 57.

CONGL

558. CAEL FY NGWASGU I GONGL. Cael fy rhoi mewn sefyllfa o anfantais na allaf yn hawdd ddod ohoni.

Yr oedd yn ddadleuwr rhy gyfrwys i mi a buan y gwelais fy mod wedi *fy ngwasgu i gongl*.

559. CAEL FY NGWASGU I'R GONGL. Cael fy nghaethiwo i'r tŷ, er nad i'm gwely, gan afiechyd neu ddamwain.

Tomos Bifan a glafychodd gyntaf a *gwasgwyd* ef *i'r gongl*.
RDW. CT. 16.

560. MEWN CONGL. Yn ddirgel.

Nid wyf yn tybied fod dim o'r pethau hyn yn guddiedig rhagddo [y brenin Agripa]; oblegid nid *mewn congl* y gwnaed hyn. Act. 26. 26.

COLLI

561. COLLI ARNAF FY HUN. Drysu yn fy synhwyrau.

Byddai rhai o fewn y capel, rhai yn y fynwent, yn syrthio

mewn llewyg; ac ar ôl ychydig yn neidio yn drachwyllt ar eu traed megis rhai wedi gwallcofi a *cholli arnynt eu hunain.* TE. DPO. 277.

562. COLLI'R ÔL. Methu â pharhau i ganlyn y llall neu'r lleill. Methu â pharhau i ymdopi â rhyw waith neu alwad(au). S. *fall behind.*

Cychwynnodd y crwt tair oed i ganlyn y plant mawr, ond gan fyrred ei goesau *collodd yr ôl* cyn pen dim o dro.

Am gyfnod llwyddodd Sian i dalu'r taliadau misol ar y set deledu yn rheolaidd, ond pan gollodd y gŵr ei waith, buan yr aeth i *golli'r ôl.*

COPA

563. POB COPA. Pob person. Pawb.

'Roedd y lle'n llawn. Rhaid fod *pob copa* yn y fro wedi dod yno.

Copa=pen. Cf. fel y defnyddir 'pen' hefyd=person.

Os Darwin iawn ystyria — o ble, bobl
Bach y daethom yma?
Cyn pen tipyn at epa
Daw *pob pen* gan ddweud, Pa-pa!
Pedrog (ar ddamcaniaeth Esblygiad).

Pob pen=pawb, pob un.

564. POB COPA WALLTOG=POB COPA. Daeth yr ymadrodd o'r Beibl.

Duw yn ddiau a archolla ben ei elynion a *chopa walltog* yr hwn a rodio rhagddo yn ei gamweddau. Salm 68. 21.

CORFF

565. YR HEN GORFF. Yr enw a roir (mewn rhan o fregedd, mewn rhan o ymffrost, mewn rhan o anwyldeb) ar Gyfundeb y Methodistiaid Calfinaidd (bellach, Eglwys Bresbyteraidd Cymru).

Ac felly darfu i Owen Edwards, oedd yn Fethodist eithafol, gael yn ei natur ryw gainc o'r Annibynwyr Cymreig hefyd. Nid oedd ef, bid a fynno, yn gynnyrch pur *yr Hen Gorff.* JPJ. Ysg. 33.

566. HEN GORFF. Hen greadur. Hen gymeriad.

Hen gorff go anodd i'w deall yw Gwalchmai. LlGO. 39.

567. YNG NGHORFF Y DYDD (yr wythnos, yr amser etc.). Yn ystod y dydd, etc.

Ymhen rhyw dair wythnos . . . yr oedd yr ŷd wedi ei gael i ddiddosrwydd. *Yng nghorff yr amser hwnnw* yr oedd Mr. Morgan y Swan wedi cyfarwyddo ei gyfreithiwr i sgrifennu at Gwen Ifan. RDW. CT. 71.

NODIAD: Digwydd yr ymadrodd 'corff y dydd' droeon yn y Beibl (Gw. Gen. 7. 13; Ecs. 12. 7; Esec. 2. 3; 24. 2), *ond nid* yn yr ystyr uchod. Ymddengys mai cyfieithiad llythrennol o briod-ddull Hebreig ydyw a'r cyfieithiad S. yw *the self-same day; very day*. Gw. CSA a NEB ar gyfer y cyfeiriadau uchod. Nid anodd deall sut, wedi benthyca'r ymadrodd, y daeth i olygu '*yn ystod* y dydd' yn Gymraeg. Cyfunwyd ef wedyn ag ymadroddion eraill yn dynodi amser, e.e. Yng nghorff yr wythnos, y flwyddyn etc.

568. CORFF Y GAINC. Byrdwn [cân]; y prif bwnc; y thema; y syniad arweiniol; y peth pwysicaf.

Hawdd ganddo [: y pendefig ifanc] wylo wrth y bobl faint yw eu cam gan ddrwg swyddogion yn eu gorthrymu eto ei fawrhad ei hun, nid llesâd y deyrnas, *yw corff y gainc*.
EW. BC. 16.

CORN

569. BABAN YN EI GORN. Baban wedi ei lapio yn dynn mewn rhwymyn fel y byddid yn arfer ers llawer dydd. S. *a babe in swaddling clothes.*

Ac wrth y drws, llyma fab bychan *yn ei gorn*, gwedi troi llen o bali yn ei gylch. WM. 16.

Lle dywed y CA yn hanes geni'r Iesu: "chwi a gewch y mab bychan wedi ei rwymo mewn cadachau" cyfieithiad William Salesbury yw "chwi a geffwch y dyn bychan *yn ei gorn*".

570. CORN O FRETHYN (gwlanen, calico etc.). Rowl o'r defnydd hwnnw fel y'i ceir e.e. mewn siopau defnyddiau.

CORN (ANIFAIL)

571. AR GORN rhywun neu rywbeth. O'i herwydd neu o'i achos.

Aeth Dygwyl Dewi heibio unwaith yn rhagor a bu llawer o loddesta *ar gorn* y Sant. *Y Goleuad*, 14/3/73.
Ar gorn y nodweddion hyn, a'i ddewiniaeth, fe aeth ei enw [R.W. Parry] yn chwedl. THP-W. M. 67.

572. RHEWI'N GORN. Rhewi'n galed.

573. WEDI RHEWI'N GORN. Wedi rhewi nes stiffio.

Pan aethom ato gwelsom ar unwaith ei fod yn berffaith farw ac wedi *rhewi yn gorn.* DO. GT. 62.

CORN (YFED, ENEINIO etc.)

574. ENNILL Y CORN OLEW. Cael ordeiniad fel gweinidog.

Mi wn am ambell un dienaid a gysegrodd flynyddoedd ac a aberthodd bopeth, o'r aderyn to at y bustach, i *ennill y corn olew.*

Daeth y term o'r Hen Destament; ac o'r arferiad o eneinio dyn ag olew wrth ei wneud yn frenin. (Gw. I Sam. 16. 13).

CORN (AR DROED ETC.)

575. SATHRU AR GORN (neu GYRN) rhywun. Gwneud rhywbeth i'w dramgwyddo neu i frifo'i deimladau. Ei gythruddo trwy anwybyddu ei hoff ragfarnau.

Mae tipyn o hunanbarch yn y dyn mwyaf gostyngedig ac iselfryd . . . Mae *sathru ar ei gorn* yn gwneud iddo gau ei ddwrn y munud hwnnw. DO. EH. 265.

CORUN

576. O'M CORUN I'M SAWDL. Yn gyfan i gyd; drwof draw; bob modfedd ohonof.

Y mae yma [yn Rhydychen] fachgen o Gymro mewn siop, heb ddysgu Saesneg ddim llun yn y byd ond yn llwyr ddifetha'i Gymraeg, druan; y mae o'n llediaith *o'i gorun i'w sawdl.*
JPJ. dyf. RWJ/JPJ. 69.

COSTIO

577. Defnyddir 'costio' yng ngogledd Cymru mewn rhai cysylltiadau fel=gorfod, rhaid.

Ar fy ffordd i Ddolgellau o Aberystwyth, *costiodd* imi fynd rownd trwy Gemaes a Dinas Mawddwy, gan fod y ffordd dan ddŵr yn ymyl Pont-ar-Ddyfi.

h.y. dyna'r "gost" neu'r "pris" yr oedd yn *rhaid* ei dalu am fedru mynd o Aberystwyth i Ddolgellau ar yr achlysur hwn.

Yn nyfnder rhod y nefoedd draw ynghudd
Cwpan y *cyst* i bawb ei yfed sydd. JMJ. Can. 178.

COT

578. TROI CÔT. Cefnu ar egwyddorion a arddelid gynt a throi at blaid yn proffesu i'r gwrthwyneb. Daeth yr ymadrodd i'r Gymraeg o'r Saesneg mae'n ddiamau. Edrydd Brewer hen chwedl yn honni egluro'i darddiad. Yr oedd Dug o Sacsoni a'i diroedd am y ffin â Ffrainc. Meddai hwn gôt a oedd yn wyn ar un tu ac yn las ar y llall. Yng nghwmni Ffrancod gwisgai'r tu gwyn tu allan, yng nghwmni Sacsoniaid, y tu glas. Esboniad difyr, ond prin fod angen amgen eglurhad na'r gair *turncoat* ei hun.

> Y mae teml hardd a hen fel hon* yn deffro'r eglwysyddiaeth sy 'nghladd yn nyfnder pob ymneilltuwr hyd yn oed . . . Rhag imi droi nghôt yn y fan. fe adroddais bennill neu ddau o gân Dyfed i'r hen Fendigedig Ysguboriau'** JHJ. M. 36.

*Prifeglwys Tyddewi. **Capeli ymneilltuol cynnar.

COTWM

579. COLLI (EI) GOTWM (ei chotwm). Yr ystyr gyntaf yw'r hyn a gyfleir yn yr ymadrodd. S. *become threadbare* (am ddilledyn etc.). Ond fel yn y S. defnyddir y geiriau yn drosiadol am *golli graen trwy heneiddio.*

> Mae 'i ddadleuon o wedi hen *golli hynny o gotwm* oedd arnyn nhw.

COW

580. CADW COW ar rywun. Cadw gwastrodaeth arno, ei gadw i lawr, o'r S. *cow=to overawe, to dispirit.*

> Mae' [r prifathro] 'n gofyn i mi, gan fy mod ar ben y cylch, sefyll o flaen y dosbarth i *gadw cow* arnynt tra fydd ef yn yr ysgol fawr. KR. LW. 13.

CRACH

581. CODI CRACH. CODI HEN GRACH. Edliw hen feiau; dwyn i gof ddigwyddiadau annymunol yn y gorffennol.

> Peidiwch dwedyd gair o'i le,
> Peidiwch dadlau dim ag e . . .
> Peidiwch *codi* dim *hen grach;*
> Rhowch chi amser i'r dyn bach.
> (sef y "dyn bach wedi drysu") IJ. CDN. 61.

CRAGEN

582. BYW YN FY NGHRAGEN. Ymgadw i mi fy hun.

Fyddan' nhw gynt ddim yn *byw yn eu cregin* fel malwod, fel yr ydan ni heddiw, nes yn bod ni wedi mynd heb ddim i'w ddeud wrth neb. TGJ. Bri. 68.

583. DOD ALLAN O'M CRAGEN. Dod dros swildod ac annhueddrwydd i siarad a chymdeithasu.

Fel rheol ni ddywedai air, ond o raid. Ond os crybwyllid ei brif ddiddordeb, sef cŵn defaid *dôi allan o'i gragen* ar unwaith, ac nid oedd taw arno.

584. MYND I'M CRAGEN. Yswilio a mynd yn fud. Ymgilio oddi wrth sylw eraill.

"'Taw, Wmffre; [ebe Gwen] wnai ddim diodde' i ti siarad fel ene o 'mlaen i. Cadw dy siarad i ti dy hun a dy sort." Suddodd Wmffre *i'w gragen*. DO. GT. 108.

Y darlun yw un o greadur cragennog — malwen yn arbennig — yn cilio i gysgod y gragen pan fo perygl.

585. HEB GRAGEN I YMGRAFU. Yn dlawd druenus; tlotach hyd yn oed na Job ar y domen: yr *oedd* gan hwnnw gragen i ymgrafu.

A Satan a drawodd Job â chornwydydd blin . . . ac efe a *gymerth gragen i ymgrafu*. Job 2. 7-8.

CRAIG

586. CRAIG RHWYSTR. Anhawster ar y ffordd. Fe'i cysylltir ag ymadrodd arall mwy cynefin fyth, o'r un ystyr, sef MAEN TRAMGWYDD. Daw'r ddau o'r ysgrythur ac o'r un adnod.

Efe a fydd . . . yn *faen tramgwydd* ac yn *graig rhwystr* i ddau dŷ Israel. Es. 8. 14.

Yn ffig. y defnyddir y ddau bellach.

. . . er y dangoswyd pob caredigrwydd tuag ato, ac na ddarfu i hyd yn oed Didymus . . . fod yn un math o *graig rhwystr* iddo, dechreuodd Mr. Simon yn lled fuan deimlo yn anesmwyth. DO. EH. 296.

587. CRAIG O ARIAN. Ymadrodd a ddefnyddir i ddisgrifio rhywun mor gefnog nes bod ei sefyllfa ariannol mor soled â chraig.

CRAP

Defnyddir 'crap' (o'r S. *grab,* mae'n debyg) mewn dwy ystyr sy'n debyg ac ar yr un pryd yn annhebyg i'w gilydd.

588. BOD Â CHRAP AR (rywun neu rywbeth). Bod â gafael gadarn arno.

> . . . Hon yw mam pob drygioni a thrueni, a chanddi *grap* ofnadwy ar bob dyn byw. Hi a elwir *pechod.*
>
> EW. BC. 148.

589. CRAP AR rywbeth. Gafael yw hwn eto, ond gafael lawer mwy egwan. Defnyddir y gair mewn brawddeg fel "Yr oedd ganddo *grap* ar ddarllen" h.y. yr oedd ganddo beth syniad, ond nid llawer, am fedru darllen.

> "A fedrwch chi ddarllen, Thomas Bartley?" gofynnai y pregethwr. "Mae gen i *grap* ar y llythrene a dim chwaneg". DO. RL. 167.

Y mae'r ferf 'crabio' neu 'crapio' ar arfer hefyd i'r un perwyl.

> Er mai dim ond tri mis sydd er pan ddaeth yma o'r Almaen, mae o eisoes yn *crabio* Cymraeg yn dda iawn.

590. YN FY NGHRAP. Dan ddylanwad diod. Wedi lled-feddwi.

Ceir y ferf 'crapio' yn golygu 'meddwi'.

> Yr oedd [Lewis Morris] yn taeru . . . fy mod wedi hanner *crapio;* ac yn wir mae atgof gennyf yfed ohonof ran o ffiolaid o bwins (=S. *punch*) yn nhy y câr H. Prys cyn dyfod yno. LLGO. 127.
>
> Adwaenwn ddyn na welid byth mohono yn gweddïo ond pan fyddai wedi meddwi, ac mi adwaen ambell un nad ydyw yn bosibl cael rhodd nac elusen ganddynt ond pan fyddant *'yn eu crap'*. DO. EH. 281.

Ymddengys fod yr ymadrodd ar lafar yn Sir Fflint a Sir Ddinbych o hyd, ond methais â chael eglurhad ar darddiad y gair 'crap' yn yr ystyr hon.

CRIB

591. TORRI CRIB (rhywun). Darostwng ei falchder a'i hunan-dyb.

> ". . . ebe'r yswain . . . 'Dod yma i ddiolch iti 'rydwi am y gwaith da a wnest ti [sef rhoi curfa i Ernest]. *Mi doriff* y cweir yr wyt ti wedi roi iddo dipyn ar *ei grib o'.*

Crib ceiliog sy'n rhoi iddo lawer o'i olwg falch a thrahaus. Os torrir hwn mae golwg tipyn mwy llipa arno.

CROEN

592. ACHUB FY NGHROEN. Sicrhau fy niogelwch corfforol.

593. Â CHROEN CYFAN. Yn iach ei groen; yn ddianaf.

> Efe a ymladdodd ddeg brwydr ar hugain â'i elynion ac, er nid o hyd *â chroen cyfan* . . . eto fe [Caradog] a ddaeth bob amser yn ddiangol o'i fywyd. TE. DPO. 45.

594. AR Y CROEN: Defnyddir y geiriau fel term amaethyddol i olygu 'ar y tirglas' (mewn gwrthgyferbyniad i dir âr). 'Hen Groen' y gelwir tir glas nas arddwyd ers amser. Am enghr. o 'ar y croen' gw. (1335).

595. CROENDENAU. Teimladwy iawn i ddifrïaeth neu sen. Hawdd ei dramgwyddo.

> Mae o mor groendenau rhaid ei drin efo cyllell a fforc*.

*h.y. yn 'fonheddig' a 'neis'.

596. DIM OND CROEN AC ASGWRN. Disgrifiad o berson neu greadur tenau iawn. Yn chwedl *Math fab Mathonwy* adroddir am y dewin Gwydion, yn dod o hyd i Leu Llaw Gyffes yn y ffurf o eryr ac mewn cyflwr truenus. Disgrifir Lleu wedi i Wydion roi yn ôl iddo'i ffurf ddynol.

> Ni welsai neb ar ŵr dremynt [=olwg] druanach . . . nac a oedd arno ef. *Nid oedd ddim ond croen ac asgwrn.* WM. 108.

597. METHU BYW YN FY NGHROEN. Bod mewn cyflwr mor gyffrous o ddisgwyliad, pryder, awydd eiddgar etc., nes bod fy "nyn oddi mewn", megis, ar ffrwydro allan!

> Ambell waith bydd y stori'n ymestyn ymlaen ac ymlaen a stori arall yn dwad i mewn iddi nes y byddwch yn methu *byw yn eich croen* eisiau cael gwybod beth fydd y diwedd. JGW. PS. 200.

598. MYND DAN FY NGHROEN. Peri blinder ysbryd imi. S. *to irritate, annoy.*

> Mae o'n mynd *dan 'y nghroen i* efo'i hen stumiau rhagrithiol.

Efallai mai cyfeiriad sydd yn yr ymadrodd at y math o bryfed sy'n treiddio drwy'r croen ac yn achosi ysfa boenus ac anodd ei dioddef.

599. RHOI CROEN EI DÎN AR EI DALCEN. Bod yn wynebgaled o ddigywilydd.

600. YN IACH FY NGHROEN. Yn ddianaf.

Dihangais o'r heldrin yn gwbl *iach fy nghroen* — er bod rhwyg neu ddau yn fy nillad.

601. YN LLOND FY NGHROEN. Yn edrych yn borthiannus; â graen da arnaf.

Daeth Haf Bach Mihangel trwy weddill yr ŷd
Yn llond ei groen, ac yn gelwydd i gyd.
THP-W. DG. 6.

602. TÂN AR FY NGHROEN. Rhywbeth sy'n annioddefol imi.

. . . 'rydach chi [= y Saeson] wedi bod wrthi ers canrifoedd yn treio pob trais ac ystryw i'n lladd ni . . . fedrwch chi ddim diodde'r ffaith fod yma genedl arall ar wahân i chi yn byw yn yr un ynys â chi, a ni oedd yma gyntaf p'un bynnag, ac y mae'r ffaith fod yr iaith Gymraeg yn dal yn fyw o hyd yn *dân ar eich croen chi* . . .
JGW. MM. 244.

Gw. hefyd dan 'tân' (1382).

CROES

603. CROES YMGROES. Wedi eu croesi ar draws ei gilydd.

Ond bod y rheiny [Cywydd deuair hirion a chywydd deuair fyrion] wedi eu gwau a'u plethu *groes ymgroes* trwy ei gilydd. LlGO. 74.

CROGI

604. DROS FY NGHROGI. Waeth beth a wnaf nac a wneir imi, hyd yn oed pe cawn fy nghrogi:

Dywedodd fy nghydymaith na foddai ef gath wedyn *dros ei grogi.* THP-W. Y. 56.

Ceid ambell un [: car] na thaniai *dros ei grogi.*
RW W. 91.

Dyma, gan RW, enghraifft ddiddorol o beth sy'n digwydd yn fynych gyda phriod-ddulliau, sef colli'r ymdeimlad â'r ystyr lythrennol wreiddiol ac ymwybod yn unig â'r ystyr drosiadol. Dyweder am ddyn: "Ni thâl mo'i dreth *dros ei grogi*". H.y. pe baech yn ei grogi. Wel, mae ystyr mewn sôn am grogi *dyn,* ond y peth sydd oruchaf ym meddwl y llefarwr yw cyfleu styfnigrwydd y dyn i dalu'r dreth. Ond pan yw RW yn sôn am *gar* yn gwrthod tanio *dros ei grogi,* mae'n amlwg fod yr ystyr wreiddiol wedi peidio â chyfrif.

NODIAD. *dros. Grym yr arddodiad *dros* yn y cyswllt yma yw 'hyd yn oed pe bai'n golygu' . . . [fy nghrogi]. Ceir enghrau. o ddefnyddio *dros* yn yr ystyr hon yng ngweithiau'r Cywyddwyr. (Gw. GDC. Nodyn ar dud. 499) ond, hyd y gwn, nis arferir bellach ond yn yr ymadrodd uchod. Eithriad, mi dybiaf, yw'r enghr. a ganlyn o Awdl 'Gwlad y Bryniau'.

"Dafydd", eb hi, "pe defod
Nef ei hun a fynnai fod
Rhwystr rhyngom, down, *dros drengi*,
Awn i wae'r tân erot ti"!

TGJ. Can. 53.

*Morfudd yn cyfarch Dafydd ap Gwilym.

CRONGLWYD

605. DAN GRONGLWYD rhywun. 'Cronglwyd' yw to, 'o dan gronglwyd rhywun'=o dan ei do, yn ei dŷ.

A'r canwriad a atebodd 'Arglwydd, nid wyf fi deilwng i ddyfod ohonot *dan fy nghronglwyd.*

Math. 8. 8. (Gw. hefyd Gen. 19.8).

CRWN (CRON)

606. AWR GRON. Awr gyfan. S. *full hour.*

Traethodd am *awr gron.*

cf. Blwyddyn gron=blwyddyn gyfan.

607. Y BYD YN GRWN. Y byd i gyd, yn ei grynswth.

Chymerwn i mo'r *byd yn grwn* am frifo teimlad plentyn.

608. CREFYDD GRON. Term (hen-ffasiwn bellach) am grefydd sy'n cyfuno'r ochr ddefosiynol â'r agweddau ymarferol; h.y. heb fod yn unochrog.

CRWYS

609. DAN EI GRWYS. [corff] wedi ei osod allan yn barod i'w gladdu. Gan hynny, cyfystyr yw'r ymadrodd â 'wedi marw'.

Fe ddywedir pan fo marw un. fod y cyfryw un *dan ei grwys*, canys felly yr oedd y ddefod gynt, sef, wneuthur *crwys* [h.y. croes] . . . a'i gosod ar y corff hyd oni osodid mewn daear. ST. HB. 111 Dyf. yn GPC.

NODIAD: Benthyciad o'r Lladin 'crux' yw 'crwys', ac unigol oedd ar y dechrau. Ar ddelw 'croen' (ll. 'crwyn') ffurfiwyd unigol newydd *croes* a chyfrif *crwys* yn ll. Yn y man ffurfiwyd ll. 'croesau' o *croes*.

CRYSTYN

610. HEN GRYSTYN. Defnyddir am rywun afrywiog ei dymer, a hefyd am rywun crintachlyd.

CUDYLL

611. GWYLLTIO'N GUDYLL. Mynd i dymer ffyrnig iawn — mor ffyrnig â chudyll; neu ynteu, efallai, gwylltio mor sydyn ag y bydd y cudyll (ar ôl hofran yn llonydd yn yr awyr am sbel) yn disgyn yn blwm ar ei ysglyfaeth.

> Cofiaf am fy nhad yn trwsio to'r beudy . . . Pan oedd newydd osod llechi newydd ar y to daeth Dei fy mrawd ieuengaf heibio o rywle . . . neidiodd ar y to a rhedeg arno yn ei esgidiau . . . *Gwylltiodd* fy nhad *yn gudyll,* ac aeth Dei i'r tŷ at mam wedi torri ei grib (591) yn arw.
>
> KR. LW. 91.

CUWCH

612. EDRYCH DAN FY NGHUWCH. Edrych yn gilwgus. Cuchio yw crychu'r talcen i gyfleu dig neu anfoddogrwydd.

> Yn anymbwydodol, troai pawb eu llygaid yn lladradaidd ar Nansi ac yr oedd ei llygaid meinion, duon, hithau yn cyniwair yn aflonydd *dan ei chuwch* ar bawb.
>
> DO. GT. 174.

CWCH

613. GWTHIO'R (GYRRU'R) CWCH I'R DŴR. Rhoi cychwyn i rywbeth (fel mai cychwyn siwrnai'r cwch yw ei wthio o'r lan i'r dŵr). Defnyddir yr ymadrodd e.e. wrth sôn am symbylydd cyntaf unrhyw beth.

> I Mr. Jones y mae'r clod am fod gennym neuadd gyhoeddus. Cydweithiodd llu o bobl yn y fenter, ond ef a *wthiodd y cwch i'r dŵr* yn y lle cyntaf.

Ond, gan amlaf, cyfeiria'r geiriau at waith rhywun, mewn hwyl neu mewn difrif, yn swcro anghytundeb, neu ffrae rhwng dwyblaid.

> Aethai yn ffrwgwd rhwng y ddau [y gwas a'r forwyn] oni buasai i Modryb Elin gyfryngu ei hawdurdod i'w hatal. Yr oedd yr hen ŵr am *yrru'r cwch i'r dŵr* gymaint a allai.
>
> WR. AFR. 35-6

614. YN YR UN CWCH. Yn yr un sefyllfa, yn cyfranogi o'r un ffawd (neu'n fynychaf, anffawd). Fel pobl mewn cwch ar wyneb y cefnfor, at drugaredd gwynt a thonnau.

CWILS

615. GWŶR Y CWILS. Term (braidd yn ddifrïol) am y cyfreithwyr — ac o bosibl am weinyddwyr a chlercod. *Cwils*=pinnau ysgrifennu (a wneid gynt o fonau plu gwyddau etc. S. *quill*).

Yr hollt gost fawr aeth i'w bildio nhw a'r cyloge [=cyflogau] anferth sy'n cail u talud i *wur y cwils* yma.
WR. LlHFf. 34.

Neidiodd Jona i lawr o ben y clawdd, — "Mae gen inne *ddynion* yn trin *cwils* yn y dre ene," medde fo . . .
ETD. N. 38.

CWMAN

616. YN FY NGHWMAN. A rhan uchaf fy nghorff yn plygu at ymlaen. S. *stooping*.

Pob un *yn ei gwman* a'i bwn ar ei gefn.
(Baled yr Heicwyr) MH. Cor. 10.

CWMPAS

617. YN RHYWLE O'I CHWMPAS HI. Yn weddol gywir. S. *approximately correct.*

Anaml iawn y bydda i'n cyfrif newid [mewn siop] . . . os ydi'r newid *rywle o'i chwmpas hi,* mi neith y tro.
RW. 75.

CŴN

618. CYN CODI CŴN CAER. Yn fore iawn, iawn. Ond pam 'cŵn Caer'? Ceir eglurhad y diweddar Dr. R. Alun Roberts yn 'Seiat Byd Natur' (Cyhoeddiadau Modern Cymreig).

Gynt yr oedd yn rhaid cael halen i halltu cig anifeiliaid at y gaeaf. Ond o ble y ceid halen? Dyfynnaf y Dr. Alun Roberts:

"Y lle hwylusaf oedd y gwelyau halen yn Sir Gaer ac y mae hanesion ar gael am yr hen Gymry'n mentro'n aml dros y ffin i ddwyn halen . . . Yr unig lwybr cyfleus i ddwyn yr halen oedd trwy *dref* Caer. Rhaid felly, oedd i'r Cymry fentro liw nos a chroesi Dyfrdwy pan oedd cŵn y dref yn debygol o fod yn cysgu. Petai'r cŵn yn cyfarth a deffro'r dinaswyr, yna dyna ddiwedd ar y fenter i ddwyn halen am y noson honno. Felly daeth sôn am siwrnai gynnar yn cychwyn *'cyn codi cŵn Caer'* yn ymadrodd cyffredin yng Nghymru."

619. FEL CŴN A MOCH. Ar delerau anheddychol. Yn cweryla'n barhaus. Meddai Tudno (1844-95) mewn englyn i ddau gwerylgar newydd briodi:

Mwynhau cysur mewn cusan — yr ydych
Yn gariadus weithian;
A chynhennwch un anian
Â *chŵn a moch* yn y man.

Cf. 'fel ci a chath' mewn ystyr gyffelyb.

620. MYND I'R CŴN. Mynd i ddistryw; dirywio'n enbyd; colli pob safon.

Waeth ichi heb siarad 'does dim posib cael gan bregethwyr gymeryd diddordeb mewn canu cynulleidfaol ac o'u rhan nhw mi fase'r canu wedi *mynd i'r cŵn* ers talwm. DO. EH. 138.

621. MYND RHWNG Y CŴN A'R BRAIN. Gw. hefyd (266). Defnyddir yr ymadrodd am ryw bethau fel stad neu gyfoeth yn cael eu hafradloni yn anghyfrifol, neu gael eu hysglyfaethu gan bobl ddiegwyddor. S. *to go to rack and ruin.* Cigfrain yn ddiamau yw'r *brain* yn yr ymadrodd — ac efallai mai difrod cŵn a brain ar dda, yn enwedig ŵyn, sydd tu ôl i'r dywediad. Fe gofir am ddiwedd cerdd enwog Jac Glan y Gors, 'Y Sessiwn yng Nghymru' —

Wel cofiwch i gyd, mai gwell yw cytuno
Rhag ofn y cewch frathiad os ewch i gyfreithio
A mynd yn y diwedd ar ôl cadw sŵn
Fel yr aeth yr oen bach *rhwng y cigfrain a'r cŵn.*
GGG. (CF). 81.

Ceir yr un darlun gan Ellis Wynne: —

. . . yn stryd Balchder disgynnasom ar 'hangle o blasdy mawr, wedi i'r *cŵn a'r brain* dynnu ei lygaid. EW. BC. 13.

CWR

622. O'R CWR. Cynnwys yr ymadrodd ddau syniad (a) llwyrder a (b) threfn. Weithiau y naill syniad sydd amlycaf, weithiau'r llall. 'Gwneud peth o'i gwr' yw ei wneud yn llwyr a chyda threfn. S. *completely and systematically.* Darllen llyfr *o'i gwr* yw ei ddarllen gan ddechrau ar y tudalen cyntaf a mynd ymlaen o dudalen i dudalen mewn trefn nes cyrraedd yr olaf.

Medrai [Thomas Roberts] Lyfr hymnau Roger Edwards braidd *o'r cwr,* rhif y tudalen a'r cwbl. JPJ. Ysg. 16.

Rhedegwr a red i gyfarfod a rhedegwr . . . i fynegi i frenin Babilon oresgyn ei ddinas ef *o'i chwr.* Jer. 51. 31.

Mae'n debyg y dywedai arbenigwyr y cyfnod . . . mai polisi golwg byr oedd ganddynt [perchenogion a stiwardiad y chwarel] yn mynd ar ôl y faen orau, yn lle cymryd y graig *o'i chwr*. KR. LW. 138.

CWRS (CYRSIAU)

623. AR GYRSIAU. Ar wahanol adegau.

Llawer o bob iaith a chrefydd a chenedl sy'n byw ymhob un o'r strydoedd mawr obry. A llawer un yn byw ymhob un o'r tair stryd *ar gyrsiau*. EW. BC. 5.

624. CWRS Y BYD. Digwyddiadau'r byd a'i helynt.

. . . dedwydded oedd y rhai a welseint *gwrs y byd* wrthyf i a'm bath. EW. BC. 5.

CŴYN

625. DWEUD FY NGHŴYN. Dweud fy ngofid. S. *make my complaint*.

Yr oedd yn haws gan Siams *ddweud ei gŵyn* wrth Elin nac wrth neb arall. RDW. CT. 69.

S. *to share his troubles with Elin.*

Ond mwynaf yn y gwynt y dwed ei gŵyn [sef Hiraeth]. RWP. HCE. 37.

626. RHOI CŴYN i rywun. Rhoi cydymdeimlad iddo. Dangos tosturi tuag ato.

CWYS

627. TYNNU CWYS, TORRI CWYS. Aredig cwys. S. *plough a furrow*. Cwys=y rhimyn tir a droir drosodd gan swch yr aradr ar un siwrnai o dalar i dalar. Defnyddir y ddeuair yn ffig. i olygu 'byw bywyd'.

Fe'i *tynnodd* trwy yr anialwch
A heibio i Fagdalen;
Adnabu'r byd mo'i phrydferthwch:
Hoeliwyd yr Arddwr ar bren.

A heddiw 'rôl ugain canrif
O lewyrch y golau claer,
'Does neb wedi mentro *torri*
Cwys debyg i Fab y Saer.

WJR. (dyf. LlB. D. 35)

628. TYNNU CWYS UNION. Ffig. byw bywyd teilwng. Gw. yr erthygl flaenorol.

Yr oedd yn rhywbeth go fawr ei fod wedi *tynnu cwys mor union* ar draws maes peryglus temtasiynau iuenctid. (O lythyr cydymdeimlad, dyf. RWJ JPJ).

CYFER

629. SIARAD AR FY NGHYFER. Siarad heb wybodaeth. Siarad ar amcan. Y darlun sydd yma yw rhywun nad yw'n gwybod ei ffordd mewn lle di-lwybr yn cerdded yn union o'i flaen neu gan ddilyn ei drwyn.

Wel nid *siarad ar fy nghyfer* 'r ydw i", meddai Wil . . . "mi ddarfu gystal â dweud hynny wrthai 'i [sef ei fod wedi cynnig am gael Mali'n wraig]. AL. CT. 3.

CYFLE

630. MYND I GAETH-GYFLE. Mynd i le amhosibl dod oddi yno. Ffrangeg a S. *impasse*.

Rhaid penderfynu pa ffordd i fynd nesaf [wrth ddringo] . . . Ar dro mae'r dewis yn anffodus ac â dyn i *gaeth-gyfle*. RW. W. 32.

CYFLEUSTRA

631. DAL AR Y CYFLEUSTRA. Cymryd y cyfle.

Cyfle byr ydoedd hwn iddo ef dalu'n ôl i ddynoliaeth am ei gamddeall a'i gam-drin. Chwarae teg iddo am *ddal ar y cyfleustra*. THP-W. Y. 40.

CYFRIF

632. GALW RHYWUN I GYFRI(F). Gofyn iddo ateb am ryw weithred neu weithredoedd o'r eiddo.

Pitar y Frwynos sy'n poeni mywyd i, a dallt 'roeddwn i daswn inna hefyd yn aelod [o'r seiat] y basech chi *yn i alw fo i gyfri*. RDW. CT. 15.

CYFYL

633. AR GYFYL (RHYWUN neu RYWBETH). Yn agos ato.

Nesa i'r drewbwll yma, gwelwn dyrfa fawr yn eu heiste'n ochain yn greulonach na dim a glywswn i hyd yn hyn o Uffern . . . Ebr fi, be' sy'n peri i'r rhain achwyn mwy na neb heb na phoen na chythraul *ar eu cyfyl*?
EW. BC. 95-6.

[Rhywun] yn dweud iddo ymweld ag ynys dawel dros y lli heb arian ar *ei chyfyl hi*. 'Does yno 'r un sentan yn agos i'r lle.
RW. W. 78.

Sylwer mai mewn brawddeg negyddol yn unig y dylid defnyddio'r ymadrodd erbyn hyn.

634. YNG NGHYFYL. Yn agos i . . .

Nid yw anobaith *yng nghyfyl* mor beryglus â rhyfyg.
RF. YDdu. 114.

CYFF

635. CYFF GWAWD. Gwrthrych i wneud gwawd ohono. Testun sbort.

Pe gwelid fi yn clunhecian ar hyd ei heolydd [: Rhydychen] ar fy merlyn mynydd moel . . . a'm het jim cro a'm llodrau cwta a'm gwep llo gwlyb—awn, fe awn yn *gyff gwawd* i'r Rhydycheniaid beilchion.
JHJ. M. 72-3.

Un o fugeiliaid bryniau Darrog oedd Lewis, a mynych y cyrchai i'r efail am ymgom â'r gof, ac edrychid ar y ddau fel gwatwarwyr medrus gan bobl y capel ac ofnai pawb syrthio'n *gyff gwawd* iddynt. RGB. LlD. 21.

CYNGOR

636. AR FY NGHYNGOR. Mewn ansicrwydd meddwl. Yn methu penderfynu'n bendant. Gw. yr erthygl nesaf.

Ar fy nghyngor yr ydwyf, a af i Gaerdydd ai peidio.

637. AR FY NGHYFYNG GYNGOR. AR GYFYNG GYNGOR. Mewn penbleth a phetruster mawr. S. *dilemma, quandary.*

Sefais ennyd *ar fy nghyfyng gyngor* awn i atynt ai peidio.
EW. BC. 6.

638. YNG NGHYFYNG GYNGOR=AR GYFYNG GYNGOR.

. . . ac Owain rhwng y ddwyddor . . . fal na allai Owain fyned oddiyno. Ac *yng nghyfyng gyngor* yr oedd Owain.
WM. 119.

Ymadrodd nid annhebyg o ran ystyr yw *'Cloffi rhwng dau feddwl'* (I Bren. 18. 21).

639. TYWYLLU CYNGOR. Peri dryswch neu aneglurder mewn dadl neu drafodaeth drwy ddwyn i mewn ystyriaethau amherthnasol neu gamarweiniol. Daw'r ymadrodd o'r Ysgrythur:

Pwy yw hwn sydd yn *tywyllu cyngor* heb wybodaeth?
Job 38. 2.

CYLLELL

640. FEL CYLLELL TRWY FENYN. Yn rhwydd a didrafferth.

'Roedd rhesymeg yr Athro yn torri trwy ddadleuon y disgybl fel *cyllell trwy fenyn.*

CYMAINT

641. CYMAINT A CHYMAINT. Defnyddir yr ymadrodd hwn mewn dwy ffordd. (a) i fynegi'r syniad o swm, nifer neu fesur penodol ond mewn dull amhenodol e.e.

Nid oedd awdurdod y cenhadon a ddanfonwyd at y Saeson ddim amgen ond (99) amodi â hwy er *cymaint a chymaint* o gyflog. TE. DPO. 97.

Defnyddir 'hyn a hyn' yn yr un modd.

(b) i ddynodi mewn dull amhenodol nifer, mesur neu swm cymharol fychan.

Nid oedd yno *gymaint â chymaint* o gynulleidfa ac nid oedd y casgliad *gymaint â chymaint* o'r herwydd.

Mewn brawddegau negyddol y ceir y priod-ddull hwn.

642. CYMAIN(T) UN. Pob un heb eithriad.

Cymaint un a hunasant yn yr Arglwydd a drosglwyddir i oruchafion nefoedd. LlGO. 15.

Am enghr. o'r ffurf 'cymain un' gw. Effes. 5. 33.

CYMRAEG

643. DIM CYMRAEG RHYNGOM. Nid ydym ar delerau siarad.

Ar y pryd yr oedd rhyw ffrigwd yn bod rhwng fy nhaid a'm nain ac *nid oedd Cymraeg rhyngddynt*. KR. LW. 74.

Pellhawyd y ddau . . . oddiwrth ei gilydd ar waith Gwilym [Cowlyd] yn gofyn caniatâd Tudno i gladdu ysgerbwd dynol a brynasai mewn arwerthiant ac i Dudno nacáu . . . Ar ôl hyn ni bu *ail i ddim* (76) o *Gymraeg rhyngddynt*. JD. HL. 61.

CYMYLAU

644. CANMOL (CODI) RHYWUN I'R CYMYLAU. Ei ganmol yn frwdfrydig iawn.

Byddaf yn edrych arno'n gariadus [y motor beic, K 16] a'i *ganmol i'r cymylau*. THP-W. Y. 9.

Syniodd dyn erioed fod y canmoladwy *i fyny* a'r gwrthwyneb *i lawr*. Edrych i *fyny* a wnawn ar y sawl a edmygwn a *chodi* rhywun wrth ei ganmol. Hyd yn oed yn nyddiau chwilio'r gofod mae "codi i'r cymylau" yn dipyn o ddyrchafiad.

Mae'r un idiom gan y Ffrancwyr, *Porter aux nues.* A chan y Saeson: *Praise to the skies;* 'cymylau' oedd ystyr 'skies' ar y cychwyn cyntaf.

645. RHEGI (RHYWUN) I'R CYMYLAU. Ei regi'n ddi-ymatal. Ymosod arno yn ddiarbed (mewn geiriau). Ymadrodd yw hwn a luniwyd ar batrwm yr un blaenorol ond gydag ystyr cwbl wrthwyneb iddo. Yn lle 'rhegi' defnyddir weithiau eiriau o ystyr debyg fel 'melltithio', 'diawlio' neu fel 'fflamio' yn y dyfyniad a ganlyn:

> Ond beth am Sam Jones? [Dr. Sam Jones, y B.B.C.] Mi gafodd dipyn o drafferth efo ni [Triawd y Coleg] o bryd i'w gilydd, ac mi fyddai'n ein *fflamio ni i'r cymylau.*
>
> RW. BG. 96.

CŶN

646. ÔL Y CŶN YN Y NADDIAD. Ffigur yw hwn o grefft neu gelfyddyd y sawl sy'n trin pren neu faen. Bai ar waith un felly yw fod ôl ei erfyn i'w ganfod ar y "cynnyrch" wedi iddo'i orffen. Camp y celfydd (ym mha grefft bynnag) yw cuddio'i gelfyddyd. Os metha wneud hyny, os bydd (yng ngeiriau R. Williams Parry) yn "cymell sylw oddi wrth y mater at y modd", os bydd marciau'r ymdrech i lunio ar y peth a luniwyd, yna bydd *ôl y cŷn yn y naddiad.*

CYNEFIN

647. CYNEFIN (DEFAID). Darn o fynydd-dir agored a borir gan ddiadell ffarm arbennig. S. *sheep-walk.*

> Yma [tu hwnt i glawdd y mynydd] yr oedd cynefin Bryn Marian . . . er bod gan y defaid saith milltir a rhagor o le i grwydro, byddent yn glynu'n rhyfeddol o ffyddlon mewn rhyw gwr ohono yn eu *cynefin* eu hunain. RDW. CT. 67.

Fe ddefnyddir 'cynefin' hefyd am amgylchedd arferol a naturiol creaduriaid. I Eifion Wyn Cwm Pennant oedd

> Cynefin y Carlwm a'r Cadno,
> A hendref yr hebog a'i ryw. EWyn. CA. 30.

Naturiol wedyn ei gymhwyso at bersonau.

> Yn y fyddin yr oedd Hedd Wyn yn llwyr allan o'i *gynefin.*

CYNFFON

648. A'I GYNFFON YN EI AFL=A'i gynffon rhwng ei goesau. Disgrifiad o ymddygiad rhywun wedi ei gywilyddio neu dan waradwydd. Cymherir agwedd hwnnw i ymddygiad ci'n cael ei geryddu, neu wedi ei guro mewn ymladdfa.

649. CYN BRYSURED Â CHYNFFON OEN. Yn brysur anghyffredin. Nid oes raid egluro'r gymhariaeth i neb a welodd ysgytwad aflonydd cynffon oen pan fo'n sugno.

A mae hwn [Curad Proselytgar] cin *brysured a chynffon oen* yn y Gyrffena yn rhydresa o dŷ i dŷ ac yn ceisio hudo a dallud pobol i ddwad ato fo. WR. AFR. 485.

650. WRTH GYNFFON (RHYWUN). Yn dilyn y tu ôl iddo.

Da thi, blentyn, dos i chwarae yn lle bod *wrth y nghynffon i* fel hyn drwy'r dydd.
Pe bai ŵr canolig a phump neu chwech o ddihirwyr *wrth ei gynffon* yn beiddio mwrddo a lledrata fe estynnid eu ceg* wrth grocpren am hynny. TE. DPO. 27.

*'ceg' yma=gwddf.

651. WRTH GYNFFON (RHYWBETH). Yn ei ddilyn fel ychwanegiad ato.

"Profwch bob peth", meddai Paul. Cyngor ysgubol iawn . . . Gwir iddo ychwanegu *wrth gynffon* y cyngor — "deliwch yr hyn sydd dda". RW. W. 41.

652. WRTH GWT(YN)=WRTH GYNFFON.

653. YNG NGHYNFFON. Yn y dyfyniad hwn,

Dyma Ragrith yn olaf oll [o dywysogesau'r Ddinas Ddihenydd] yn arwain cadfa luosocach na'r un o'r lleill . . . *yng nghynffon* y llu dau-wynebog ninnau aethom i olwg y llys.
EW.BC. 106.

geill YNG NGHYNFFON (y llu) feddu'r un ystyr ag 'wrth gynffon' (650) sef, yn dilyn y tu ôl (i'r llu). Neu, fel sy debycaf, geill olygu 'yn olaf yn y llu'. Cf. *yng nghynffon* yr orymdaith=tua'r diwedd. *Yng nghynffon* y gystadleuaeth=ym mhlith y rhai isaf. Defnyddir YN Y GYNFFON mewn cyd-destunau tebyg e.e. "Ple'r oedd y côr arni yn y gystadleuaeth?" "Yn y gynffon!"

CYRRAINS

654. FEL CYRRAINS CYBYDD. Cymhariaeth yw hon i ddisgrifio unrhyw bethau prin ac anaml. Y tu ôl iddi y mae darlun o bobydd crintach yn paratoi torth gyrrains ac yn gwarafun pob cyrensen sy'n disgyn i'r toes. Byddai hen athro ysgol a gofiaf yn dechrau pob gwers trwy wasgar y dyrnaid o "blant drwg" hysbys yn y dosbarth hyd y stafell cyn belled oddi wrth ei gilydd ag oedd bosib. Y sylw a fyddai'n cyd-fynd â'r oruchwyliaeth hon bob tro fyddai, "Un yma, un acw, *fel cyrrains cybydd.*"

CYRN

655. GWYBOD HYD FY NGHYRN. Adnabod fy nghyraeddiadau. Os dibynna anifail ar ei gyrn i'w amddiffyn, mae'n ddoeth iddo fod yn wyliadwrus wrth ymladd anifail arall a chanddo gyrn hwy. Mantais fawr i ddyn, er mwyn ei gysur yn y byd, yw gwybod yn o sicr beth sydd o fewn cyrraedd ei alluoedd, a pha bethau sydd tu hwnt iddo.

656. TYNNU FY NGHYRN ATAF. Mynd yn llai ymosodol. Cilio'n ôl mewn ymrafael.

> Dechreuodd y meistr fygwth yn ffyrnig. Ond pan welodd agwedd ddigymrodedd y gweithwyr, *tynnodd ei gyrn ato* rhag blaen. (223).

At falwen yn tynnu ei chyrn i mewn pan fo perygl y mae'r cyfeiriad, mae'n debyg.

CYSGOD

657. RHOI RHYWUN YN Y CYSGOD neu EI DAFLU (EI FWRW) I'R CYSGOD. Ymddisgleirio neu ymenwogi cymaint yn fwy nag ef nes peri iddo golli ei fri a mynd yn ddi-sylw mewn cymhariaeth. Fel adeilad uchel yn cael ei godi yn ymyl adeilad llai ac yn mynd rhyngddo a'r haul, gan beri ei fod bellach nid yn amlwg a golau fel cynt ond yn dywyll a di-sylw. Neu efallai, fel haul llachar yn tywynnu ar rywbeth oedd yn ddisglair cynt, e.e. fflamau tân mewn ystafell, a mynd â'r llewych ohonynt.

> Yn anffodus yr oedd y forwyn briodas o ran harddwch ac urddas yn *taflu'r* briodferch *i'r cysgod.*

658. YNG NGHYSGOD RHYWUN.

(1) Dan ei nawdd a'i amddiffyn.

> Gogoniant tragwyddol i'th enw fy Nuw,
> Mae'r byd *yn dy gysgod* yn bod ac yn byw.
> ER. LIEM. 745.

(2) Yn rhinwedd perthynas ag ef, ar bwys ei haeddiant.

Os caf rywbeth *yng nghysgod* rhywun arall fe'i caf nid o'm hawl a'm haeddiant fy hun ond oherwydd digwydd bod yn ei gwmni, neu yn ei ymyl neu mewn rhyw gysylltiad ag ef.

> Credaf mai'r Robin Goch . . . oedd y ffefryn, — ond bod y lleill [yr adar to] yn cael braint a briwsion *yn ei gysgod.*
> THP-W. Y. 34.

(3) I'w ganlyn; fel canlyniad iddo.

daeth blinder ac *yng nghysgod* blinder daeth fy Meistr Cwsg yn lledradaidd i'm rhwymo. EW. BC. 6.

CYSGU

659. CYSGU ALLAN. Ymadrodd (braidd yn wamal) a ddefnyddir ar lafar yn gyfystyr â bod yn y bedd.

CYTHLWNG

660. AR FY NGHYTHLWNG. Yn newynog. Mewn eisiau bwyd.

Cyn y cei di fod *ar dy gythlwng* yng ngwasanaeth dy Geidwad, fe'th ddwg di i ddirgelfa ei babell . . . ac fe rydd iti fwyta o'r manna cuddiedig. JPJ. GD. 46.

Deuai'r Robin [Goch] yno'n hyderus o hyd ac, mi gredaf, nid am ei fod *ar ei gythlwng* bob amser. THP-W. Y. 35.

CYTHRAUL

661. YN FY NGHYTHRAUL. Yn fy nhymer ddrwg. (Pan fo'r "cythraul" wedi fy meddiannu!)

Os na chaiff [y car] ei ffordd ei hun—yn llythrennol felly—fe â, *yn ei gythraul,* i ffordd rywun arall, ni waeth am na'r malurio na'r dolurio. RW. W. 102.

CYW

662. YN CRYNU FEL CYW MEWN DWRN. Yn eithriadol ofnus a nerfus. Gŵyr unrhyw un a fu'n dal aderyn bach yn ei law mor gywir yw'r gyffelybiaeth.

CYWION

663. CYWION ALIS. Saeson. Gw. Plant Alis (1269).

CYWILYDD

664. RHAG CYWILYDD. Ebychair o anghymeradwyaeth neu gondemniad. S. *for shame*! *Shame on you.*

Dos i ymofyn pardwn yr hen ŵr ar unwaith, *rhag dy gywilydd.* DO. RL. 64.

Geill *rhag cywilydd* hefyd olygu *oherwydd cywilydd* (fel y gall *for shame* yn S. olygu *because of shame*. 'I wept for shame'. Yn Gymraeg 'Wylais rhag cywilydd'.

daeth chwys iddo i bob aelod *rhag cywilydd* ei fod mor fygwl* â hynny. YCM. 120.

*Bygwl=ofnus.

CHWARAE

665. AR CHWARAE BACH. Yn hawdd. Heb ymdrech.

Nid ar *chwarae bach* y newidir ac yr ail-ffurfir cymdeithas. JHG. CNgh. 71.

666. CHWARAE'R DIAWL. Creu helynt fawr. Ceryddu mewn tymer ddrwg ac iaith gref. Tebyg ei fod yn hen ymadrodd, ac iddo darddu o "chwaryddiaethau" crefyddol yn yr oesoedd canol lle y byddai'r diafol yn un o'r cymeriadau. Ffurfiau 'mwynach' arno yw 'chwarae'r andros' (andros=yr anras=y gŵr drwg); 'chwarae'r coblyn' (coblyn o'r S. *goblin*); 'chwarae'r aflwydd'.

667. CHWARAE'R FFON DDWYBIG. Twyllo trwy ffugio helpu a hyrwyddo lles dwyblaid wrthwyneb ar yr un pryd. Twyllo trwy ragrith.

Ni ddysgais erioed *chwarae'r ffon ddwybig*, a thybio'r wyf na ddichon neb wasanaethu Duw a Mamon. LlGO. 31.

A fuoch chwi 'rioed mewn sesiwn yng Nghymru
Lle mae cyfraith ac ieithoedd yn cael eu cymysgu?
Rhai yn siarad Cymraeg, a'r lleill yn rhai Seisnig
A 'nhwythau'r twrneiod yn *chwarae'r ffon ddwybig*.
GGG. (CF). 79.

Mae gau-athrawon yn *chwarae'r ffon ddwybig* — ar y naill law ymddangosant fel pe byddent yn Gristnogion ac ar y llaw arall maent yn ymhel â heresiau dinistriol.
Y Parchg. J. Price Williams, *Y Cymro*.
(Myfyr y Maes) Rhag. 3. 1974.

'Y ffon ddwybig' S. *quarterstaff* oedd erfyn y werin gynt. Ffon neu bolyn ffyrf ydoedd, o 6 neu 8 droedfedd o hyd. Eglura'r dyfyniad a ganlyn pa fodd y defnyddid ef: 'Gafaelid ynghanol y pastwn ag un llaw, ac yn nes i'r pen â'r llall, a'i chwidr-droi er ymamddiffyn, gan lithro'r llaw ôl a blaen, fel y medrid rhoi bonclust effeithiol â'r naill "big" neu'r llall yn ôl y cyfle.'
IGE 388.

668. CHWARAE PLANT.

(1) Rhywbeth hawdd i'w wneud. S. *child's play*.

Chware plant ydi rhoi'r gorau i smocio. Yr hyn sy'n anodd ydi peidio ail ddechrau.

(2) Ymddygiad neu weithred blentynnaidd.

Rhyw *chwarae plant* oedd dweud ffarwél.
(Alun Mabon wrth Menna wedi'r cweryl). JCH. MFAM. 46.

(3) Rhywbeth i'w gyflawni'n ysgafala a'i gymryd yn ysgafn.

Nid *chware plant* ydi galw dyn i fugeilio eglwys.
DO. EH. 135.

669. CHWARAE PLANT YN Y PISTYLL. Dyma ffurf ddiddorol ar yr ymadrodd yn (668) yn yr ail ystyr a roir iddo yno. Fe'i ceir yng ngwaith yr hen weriniaethwr, Jac Glan y Gors.

Heblaw rhannu rubanau a gwneud Arglwyddi a rhyw *chwarae plant yn y pistyll* o'r fath hynny mae'r brenin yn ben-barnwr Lloegr. JJ. (G). STG. 15.

Ni chlywais fod unrhyw chwarae penodol a adwaenid wrth yr enw hwn. Ond gan fod hoffter plant o chwarae mewn dŵr yn ddihareb, prin efallai bod angen chwilio ymhellach am eglurhad ar y dywediad.

CHWEDL

670. CHWEDL HWN A HWN. Fel y dywed (neu y dywedodd) hwn-a-hwn.

Newydd da yw hwn, ac o ben* da hefyd *chwedl* y bobl. LlGO. 61.

*pen, yma=genau, ceg, fel yn gyffredin yn y Deau o hyd; cf. 'a'i bib yn ei ben'. Hyd yn oed yn y Gogledd, fe glywir, 'ddeudodd o ddim gair o'i ben'.

Pan ballo angerdd y chwantau a llacio ohonynt eu gafael, yn bendifaddau fe ddaw, *chwedl Sophocles*, ryddhad oddiwrth feistri gwallgof lawer iawn. DEE. PW. 3.

Y ffurf lafar ar y 'chwedl' hwn yng Ngwynedd yw *chwadal* neu *chadal*. Defnyddir y ffurf hon hefyd mewn ystyr arbennig, i olygu *o gymharu â* e.e.

Mae'r tŷ yma'n ddrud iawn chwadal y llall. (=mewn cymhariaeth â'r llall). Mae prisiau wedi codi chwadal y llynedd. (=o gymharu â'r llynedd). Mae o wedi gwaelu chwadal oedd o neithiwr (=wrth fel yr oedd o neithiwr).

Awgryma GPC mai "drwy ryw ddatblygiad ystyr tebyg i stori neu chwedl *wahanol* y daeth yr arlliw hwn ar y gair".

CHWINCIAD

671. MEWN (CH)WINCIAD. Ar drawiad amrant. Yr amser a gymer i roi winc.

Mi fyddaf efo chi *mewn chwinciad* (S. *in a jiffy*).

672. MEWN CHWINCIAD CHWANNEN. Yn yr amser a gymer i chwannen i roi winc — goruchwyliaeth go sydyn, gellid tybio!
Rhydd GPC ymadrodd o gyffelyb ystyr o'r Deau: WINCIAD LLYGAD LLO.

CHWIP

673. YN CHWIP AC YN DOP. Defnyddir yr ymadrodd i ddisgrifio dau berson sy'n cyd-fynd, cyd-ddeall a chydweithio i berffeithrwydd.

Yr oedd popeth fel pe buasai yn gweithio i ddwylo Enoc Huws ac yr oedd y weddw [perchen y siop a meistres Enoc] ac yntau cyn bo hir *yn chwip ac yn dop*.
DO. EH. 24.

Cyfeiria'r ymadrodd at chwarae plant nas gwelir yn aml bellach — sef chwipio top neu dopyn. I'r chwarae hwnnw y mae'r *chwip a'r top* mor gwbl angenrheidiol â'i gilydd.

674. CHWIPIO RHEWI. Rhewi'n ffyrnig ac mewn byr amser. I fod yn effeithiol rhaid i slaes chwip fod yn llym a chyflym a dyna'n union nodweddion y rhewi hwnnw sy'n chwipio — ei *lymder* a'i gyf*lymder*.

DADL

675. TORRI'R DDADL. Penderfynu pa ochr sy'n iawn lle bo dwy fan ar ryw bwnc neu'i gilydd. S. *to settle the argument, the dispute*.

Galwyd ar Solomon i *dorri'r ddadl* rhwng y ddwy wraig—eiddo pa un oedd y plentyn byw.
Bu'r gŵr a minnau yn trafod yn hir a symudem ni i fyw i'r dref o'r wlad. Yr hyn a *dorrodd y ddadl* o blaid aros yn y wlad oedd barn y meddyg y byddai'r plant yn cael gwell iechyd yno.

DAFAD

676. DAFAD DDU. Eithriad mewn diadell gyffredin yw dafad ddu, ac ni phrisir ei gwlân gymaint ag eiddo'i chymheiriaid gwynion. Pan geir person sy'n aelod diwerth o gymdeithas ac sydd â'i foes heb fod yn rhy wyn, nid rhyfedd ei alw yntau'n *ddafad ddu*. Dafad ddu'r teulu=un sy'n dwyn gwarth ar ei berthnasau.

Mi wn mai *dafad ddu* ydwyf yng nghyfrif llawer o [aelodau Bethel] a phe bawn yn dweud fy meddwl yn onest, edrychid arnaf fel un yn rhegi Israel. DO. EH. 147.

DAL

677. DAL DAN rhywun. Ei amddiffyn. Dweud yn dda amdano. Am enghr. gw. 'lladd ar' (1041).

678. DAL DIG. Parhau i ddigio. S. *bear a grudge.*

A *ddeil ef* ei *ddig* beth? Jer. 3.5.

679. DAL DŴR. Llythr. Peidio â gadael dŵr i mewn — nac allan.

Dyma'r sgidiau gorau fu gen i erioed am *ddal dŵr*=cadw'r dŵr *allan*.
Dydi'r botel ddŵr poeth yma ddim yn *dal dŵr*=cadw'r dŵr i *mewn*.

Yn ffig. defnyddir am ddadl neu ymresymiad sy'n gadarn ei resymeg.

Mae'r ddadl yn *dal dŵr*.

(Mewn geiriau eraill, nid oes "dyllau" ynddi. S. *no holes in the argument*).
Yr ymadrodd gwrthwyneb ei ystyr i DAL DŴR yw GOLLWNG DŴR.

680. DAL DWYLO. Yn ôl GPC atal llaw, S. *to stay one's hand,* yw'r ystyr. Ond hyd y sylwais i, yn y Gogledd o leiaf, yr ystyr yw *bod yn segur.*

Dos i wneud rhyw swydd, da thi, yn lle *dal dy ddwylo.*

681. DAL (CADW) Y DDYSGL YN WASTAD. Yn gyffredinol ystyr y dywediad yw: ymgadw rhag tramgwyddo. Tu ôl iddo mae darlun o rywun yn cludo llond dysgl o (e.e.) ddŵr ac yn ofalus iawn rhag ofn i'r cynnwys lifo trosodd am ben eraill a all fod yn ymyl.

(i) Mewn perthynas â chymdeithas golyga ymgadw rhag tramgwyddo neb.

Un diddrwg didda ydoedd fel gweinidog a'i brif nod oedd *cadw'r ddysgl yn wastad* yn ei eglwys.

(ii) Mewn perthynas ag unigolyn arall golyga ymgadw rhag tramgwyddo hwnnw ar unrhyw adeg.

Os fi (pan ddown yna) a fethwn yn yr hyn lleiaf *ddal y ddysgl yn wastad* i'r Llew, ni wnai ond fy nirmygu a'm cablu. LlGO. 127.

(iii) Mewn perthynas â dwy blaid golyga ymgadw rhag tramgwyddo y naill ochr na'r llall.

Adroddodd Mr. Jones [wrth yr Yswain] hanes y cweryl [rhwng Harri'r Wernddu a mab yr Yswain] fel y cawsai ef gan Harri gan geisio *dal y ddysgl mor wastad* ag y gallai heb ymddangos ei fod yn ochri at Harri ond megis o angenrheidrwydd. DO. GT. 116.

682. DIM DAL (AR RYWUN). Dim hid i'w roi arno; ni ellir ymddiried ynddo.

Y mae yn ddyn caredig iawn ond *nid oes fawr o ddal arno.* Ni ellir dibynnu dim ar ei air, ni wyddys pa hyd y pery ei garedigrwydd tuag at yr un rhai. Eapl. H(1). 10.

Dywedir am ddyn o'r fath ei fod yn un *di-ddal.* Gwahaniaether rhwng y defnydd uchod a 'dim dal' mewn brawddeg fel hon. 'Doedd *dim dal* ar y plant na chaent fynd i'r Syrcas, lle mae 'dal ar'='dal yn ôl'.

DAMWAIN

683. AR DDAMWAIN. Trwy hap, trwy ddigwyddiad, nid o fwriad.

A [Jacob] a ddaeth *ar ddamwain* i fangre ac a letyodd yno dros nos. Gen. 28. 11.

684. O DDAMWAIN. Efallai, o bosibl.

Y bardd godidocaf . . . sy'n fyw y dydd heddiw ac *(o ddamwain)* a fu byw erioed yng Nghymru. LlGO. 13.

DAN

685. DAN UN (TAN UN). Ar yr un pryd. Tra bydder wrthi. S. *at the same time. While I am at it.*

. . . rhai . . . a rwygent â'u winedd a'u dannedd yr holl wrid gosod, a'r ysmotiau, a'r crwyn, a'r cig *tan un.*

EW. BC. 99.

Y sawl a dybio yn dda neu yn fawr o'r cyfryw ddyn â hwn* aed *tan un* i garu'r crocpren am bleser, neu'r mochyn am ddoethineb neu'r ceiliog y rhedyn am gyngor.

EW. RBS. 94.

*y sawl sy'n "erlyn am ofer bethau".

A ydyw'r gras addysgol hwn wrth eich bodd? Os nad ydyw, y mae'n deg i mi hysbysu i chwi fod gan rai o'r diwinyddion ras mwynach ar werth, sef gras i'ch iachau heb eich disgyblu *tan un.* Eapl. H(2) 308.

Ni fedr dyn gynhyrchu diwygiad ynddo'i hun na neb arall . . . Ni waeth iddo geisio codi'r marw *dan un.*

Y Parchg. William Morris, *Y Drysorfa.*

DANNEDD

686. Â CHROEN FY NANNEDD. O fraidd; o ychydig iawn. Defnyddir yr ymadrodd bob amser i ddisgrifio dihangfa gyfyng.

Fy esgyrn a lynodd wrth fy nghroen ac wrth fy nghrawd, ac â ac *â chroen fy nannedd* y dihengais. Job 19.20.

[Mae] tafod fedrus y Mab o'r diwedd yn tycio a chalon y Tad yn toddi a'r pechadur ar ôl hir bryder yn dianc megis *â chroen ei ddannedd.* Eapl. H(1). 171.

Wrth 'groen y dannedd' golygir, mae'n debyg, y croen o gwmpas y dannedd,* a theneurwydd hwnnw yn ddelwedd i ddangos meined y ddihangfa.
*Yng nghyfieithiad S. Miles Coverdale o'r Beibl (1535) felly y cyfieithir yr ymadrodd, "only there is left to me *the skin about my teeth*".

687. BWRW RHYWBETH I'M DANNEDD. Edliw rhywbeth imi. S. *cast in my teeth.*

Goddefwch imi awgrymu'n fwynaidd nad teg iawn yw eich gwaith yn *bwrw i'm dannedd* ymadroddion a ysgrifennais mewn llythyrau cyfrinachol. Eapl. E(1). 63.

688. CAEL (TAFLU) RHYWBETH AR DRAWS FY NANNEDD. Cael ei edliw imi.

Os gwel 'nacw [=ei wraig] het newydd yn capal fora Sul, mi caf inna hi *ar draws 'y nannadd* efo nghinio.
WJGr. SHF. 34.

"Wel dene ddigon" ebe F'Ewythr Robert "rwyt ti a dy Fodryb wedi taflud stori'r hen borthmon ene *ar drawst* y *nannedd* i ni wn i sawl gwaith bellach." WR. AFR. 105.

689. DANGOS FY NANNEDD. Llythr. dwyn y dannedd i'r golwg drwy dynnu'r gweflau'n ôl, fel y gwna ci wrth ffyrnigo. Ffig. dangos agwedd gas neu ymosodol.

Mi fu'n ddigon mwyn ar y dechrau, ond pan welodd na châi mo'i ffordd ei hun buan iawn y dechreuodd *ddangos ei ddannedd.*

Gwneuthum ym Mharis ac yn Lloegr ac amryw fannau eraill lawer lladdfa fawr ohonynt [:y Cristnogion] wedi hynny. Ond beth ydys nes? Tyfu a wnai'r pren pan dorrid ei geinciau: Nid yw hyn oll ond *dangos dannedd* heb allu mo'r brathu. EW. BC. 109.

690. DAN FY NANNEDD. Fel arfer yn yr ymadrodd 'Siarad dan fy nannedd'=Llythr. mwmial yn aneglur. S. *mutter.* Ffig. ensynio neu awgrymu yn hytrach na dweud yn blaen.

Dyn bach twt ydoedd, yn gwisgo locsyn clust, yn chwarelwr dan gamp. (417). Ond ni ddoi ei gymeriad i fyny â safon y seiat, a dweud y lleiaf. Rhyw siarad *dan eu dannedd* y byddai pobl amdano, heb fedru rhoi bys (363) ar ddim ychwaith.
KR. LW. 35.

691. (E)WINEDD A DANNEDD. Yn llawn, 'ag ewinedd a dannedd' S. (*with*) *tooth and nail,* sef gan ddefnyddio'r rhain mewn ymladdfa fel arfau i gripio a brathu. Defnyddir yn ffig. bron yn ddieithriad, a'r ystyr bryd, hynny yw, 'yn egnïol a ffyrnig'. Disgrifia E.W. dair byddin

(Y Tyrciaid, y Papistiaid a'r Rowndiaid) yn brwydro, ac wedi egwyl,

Ati hi *winedd a dannedd* eilwaith yn gynddeiriog, onid oedd yr ergydion megis daeargryn. . EW. BC. 115.

692. GWAETHA(F) RHYWUN YN EI DDANNEDD. Yn wyneb ei wrthwynebiad penderfynol.

Mi grefodd pawb ohonom yn daer arno aros yn ei wely ond codi wnaeth o, *gwaetha' ni yn ein dannedd.*

693. RHOI DANNEDD i rywbeth. Ffig. Rhoi grym effeithiol iddo. Gw. yr erthygl nesaf.

694. TYNNU DANNEDD, rhywun neu rywbeth. Ffig. Peri nad oes ganddo'r gallu i wneud dim effeithiol. S. *to render innocuous.* Ceg aneffeithiol (i ddyn ac anifail) yw ceg heb ddannedd. Ni all afael na chnoi na brathu. O'r herwydd daeth y gair 'di-ddannedd' i olygu yn ffig. diafael, di-allu, er na da na drwg.

'Dyw hwn-a-hwn, wyddoch, ddim cymaint dyn ag y myn y wlad feddwl ei fod, canys er ei holl ddysg, meddyliau *di-ddaint* yw ei feddyliau.

Syr Henry Jones. dyf. JHJ. GG. 85.

(Daint=dannedd).

Ar y llaw arall defnyddir 'dannedd' fel ffig. am allu effeithiol.

Mae'n rhaid inni wrth ein Senedd, *a dannedd iddi,* i wylio ein buddiannau ninnau.

T. Ceiriog Williams, *Y Faner,* 19/7/74.

Trwy beri na ellir troi allan neb o'i dŷ heb gennad llys barn, mae'r ddeddf wedi gwneud llawer i *dynnu dannedd* landlordiaid gormesgar.

Nid yw'r penderfyniad a basiwyd ddim agos mor rymus ac ymosodol â'r cynnig gwreiddiol — gofalodd yr "hen ddwylo" ceidwadol am *dynnu ei ddannedd o.*

I'r gwrthwyneb RHOI DANNEDD yn rhyw gynllun, cynnig, deddf etc. yw darparu moddion i'w wneud yn effeithiol.

695. TYNNU DŴR O DDANNEDD (RHYWUN). Yn ffig. peri iddo genfigennu; codi awydd angerddol arno am rywbeth nad yw ganddo. Yn llythr. y "dŵr" y cyfeirir ato yw'r llif salifa sy'n cael ei gynhyrchu yn y genau gan ragolwg am fwyd blasus. Llythrennol yw'r defnydd o'r ymadrodd yn yr enghr. gyntaf isod ond ffigurol yn yr ail.

'Does dim eisiau aperitif arnaf i i *dynnu dŵr o'm dannedd*

os clywaf aroglau bwyd yn dod o'r gegin neu wynt bara'n crasu'n dod drwy gil drws y ffwrn.
TJM. Rhagair i COG (IFfE).

I *dynnu dŵr o ddannedd* fy narllenwyr dirwasgedig cystal imi roi 'chydig o ffigurau sy'n dangos mor rhad yw angenrheidiau bywyd yn Neau'r Affrig, o'u cymharu â'u prisiau yng Nghymru. GRJ. *Y Faner.* 28/12/73.

696. YN NANNEDD (RHYWUN NEU RYWBETH). Ffig. mewn gwrthwynebiad uniongyrchol a ffyrnig iddo.

Aeth â'i faen i'r wal (1128) *yn nannedd* pob pwyllgor a chyngor, yn gystal ac *yn nannedd* y farn gyhoeddus.

Mynnai gredu bod yr Orsedd yn sefydliad derwyddol *yn nannedd* pob tystiolaeth.

'Yn nannedd y ddrycin'=yn wynebu ei grym eithaf.

DANT

697. AT FY NANT. Yn ateb fy chwaeth.

"Diolch i chwi", meddai Tecwyn wrtho [Puleston] "am wrando mor ardderchog". "O", ebe yntau, "mi fydda'i yn medru gwrando pan gai rywbeth *at fy nant.*"
RWJ. JPJ. 141.

698. BOD Â DANT I RYWUN. Bod â drwg deimlad neu falais tuag ato. S. *bear a grudge.*

Yr oedd ganddo *ddant* i'w gymydog ac achubai bob cyfle i wneud drwg iddo.

DAU

699. NID OES DIM DAU, h.y. dim dau feddwl, dwy farn, yn bosibl, nid oes dadl.

Y mae arnaf ofn, nid oes *dim dau,*
Fod yr hen gyffroadau'n dechrau prinhau.
THP-W. DG. 79.

Ffurf arall ar yr ymadrodd, 'nid oes dim dwywaith'. Gw. (775).

DAWNSIO

700. DAWNSIO TENDANS (AR RYWUN). Troi o'i gwmpas i weini arno, gan fod at ei alwad ar bob gofyn. Mae rhyw ias o'r syniad o "waseidd-dra" yn ymhlyg yn y geiriau. Cymreigiad ydyw o'r S. *dance attendance on*; ymadrodd sy'n digwydd e.e. yng ngwaith Shakespeare (Henry VIII. V. 2). Wrth drafod hwn, dywed Br. "It was the custom at weddings for the bride, no matter how tired she was to dance, with every guest".

DEDDF

701. Y DENG AIR DEDDF. Y Deg Gorchymyn.

"*Y dengair* a lefarodd yr Arglwydd". Deut. 10. 4.

Yr unig dameidyn o Gymraeg a welais tu mewn i eglwys Nanhyfer oedd y deg gorchymyn ('Llath Foesen' chwedl (670) yr hen Gymry am y *Dengair Deddf*) uwchben yr allor. JHH. M. 23.

'Moesen'=Yr hen ffurf ar 'Moses'. Llath=pren mesur. S. *yardstick.*

Dibechod yw y bychan*, a thrwy reddf
Y tyr yfory dri o'r *Dengair Deddf.*

RWP. CG. 82.

*cenau llwynog.

DEFAID

702. (mynd) FEL DEFAID TRWY ADWY. Mae dau arlliw o ystyr yn yr ymadrodd. (1) mynd ar ruthr; (2) mynd y naill ar ôl y llall yn un rhes gan ddilyn esiampl yr arweinydd. Defnyddir yn fynych am bobl yn gwneud rhywbeth yn unig am fod rhywun arall wedi ei wneud yn gyntaf.

Am chwarter i un ar ddeg o'r gloch, rhoddwyd gorchymyn i ni fynd i chwarae, a neidiodd pawb ar eu traed gan ruthro *fel defaid yn mynd trwy adwy.* DO. RL. 47.

Y mae amseriad Dafydd Nanmor wedi peri cryn ddyryswch i'r haneswyr. A Iolo Morganwg cyn belled ag awgrymu bod dau o'r un enw, a dilynwyd ef gan Weirydd a'r Parchg. J.C. Morrice *fel defaid drwy* adwy.

WJG. LlC. 12.

DEHEULAW

703. ESTYN DEHEULAW CYMDEITHAS. (Weithiau, DEAU-DDWYLO CYMDEITHAS). Rhoi derbyniad a chroeso i rywun. Ymadrodd o darddiad Beiblaidd.

Hwy [Iago, Ceffas ac Ioan] a roddasant i mi ac i Barnabas *ddeau-ddwylo cymdeithas* . . . Gal. 2. 9.

Clywir ef heddiw yn fynych pan fo derbyn aelodau newydd i eglwys — ond hefyd mewn cysylltiad â derbyn rhai i gymdeithasau seciwlar.

DEILEN

704. [siarad] HEB DDEILEN/DDAIL AR DAFOD. Siarad yn blaen a heb ymgais i liniaru'r gwir a fynegir.

. . . Ysywaeth, ni chaiff dyn ddweud ei feddwl yn groyw a *heb ddail ar ei dafod* am bobl a phethau heb fynd i helynt (966). THP-W. OPG. 52.

Defnyddir 'deilen ar dafod' yn gyfystyr hefyd â'r nam ar leferydd a elwir 'tafod tew'.

DELW

705. GOSOD DELW (AR RYWBETH). Rhoi ffurf arno. Rhoi 'stamp' arno.

Ein syniad am gymdeithas a *esyd ei ddelw* ar ein syniad am foesoldeb. JPJ. GD. 26.

DEUDDEG

706. TARO DEUDDEG. Gwneud rhywbeth yn y modd gorau posibl, fel na fyddai dichon ei well.

Nid yw'r wisg lafar werinol a roir gan Ellis Wynne ar ryddiaith [Jeremy] Taylor bob tro yn *taro deuddeg*.
Gwyn Thomas, yn trafod cyfieithiad EW [o dan y teitl Rheol Buchedd Sanctaidd] o *Holy Living* Jeremy Taylor).

"Clywais ef [: Puleston] yn pregethu droeon", meddai'r Parch. O. T. Davies, Llanfyllin, "ond unwaith y clywais ef yn *taro deuddeg* a hynny mewn capel bach iawn, Siloh, Llangadfan." RWJ. JPJ. 213-4.

DEUPEN

707. CAEL (CADW) DEUPEN (Y) LLINYN YNGHYD. Byw heb fynd i ddyled. Medru talu'r ffordd.

Llai yr âi'r busnes o flwyddyn i flwyddyn er gwaethaf ymdrechion Elsbeth i *gadw deupen* y llinyn ynghyd.
AL. CT. 50.

Y ddeupen y ceisir eu cael i gyfarfod, wrth gwrs, yw incwm a chostau. Fel pan geisir rhwymo pecyn â llinyn sy'n rhy fyr, mae'n golygu cryn ymdrech, nid un lwyddiannus bob tro, i'w gau. Ceir amryw fân amrywiadau ar *ffurf* y dywediad. Gw. (1087).

DIALEDD

708. (peth) DIALEDD. Llawer. Swm mawr.

Y mae arnaf *ddialedd* o eisiau ysgrifennu ato. LlGO. 63.
Mae yna beth *dialedd* o siarad ynfyd ynglŷn â hawliau merched — o'r ddwy ochr.

DIAWL

709. DIAWL PEN PENTAN. Un sy'n ddreng neu greulon ar ei aelwyd gartref, yn enwedig os bydd yn dal wyneb mwyn tuag at y byd. Cf. y ddihareb, Angel pen ffordd, *diawl pen pentan.*

DIC-SION-DAFYDD

710. DIC SION DAFYDD. Term a ddefnyddir am deip o Gymro sâl, yn arbennig un yn chwannog i wadu ei iaith. Tardd, mae'n ymdangos, o gerdd gan Jac Glan y Gors (1766-1821) sy'n disgrifio'n wawdlyd un o'r enw Richard John Davies, a aeth i Lundain fel gwas i borthmon ("a'i drwyn o fewn llathen i gynffon llo") ac a ddaeth yn ôl â llediaith fawr arno, yn wir bron wedi anghofio'i Gymraeg.

> Diau fod yr enw 'Dic-Sion-Dafydd' yn llawer mwy adnabyddus na'r gerdd ei hun . . . Dewi Môn.
> (dyf. ar waelod y ddalen. GGG. CF. 51.

Am Dic-Sion-Dafydd y canodd Sarnicol:

> Er gwawdio'i dir a gwadu ei iaith
> Doedd o na Sais na Chymro chwaith,
> Ond bastard mul, — 'roedd yn y dyn
> Wendidau'r mul i gyd ond un;
> Fe fedrodd Dic, ŵr ffiaidd ffôl,
> Adael llond gwlad o'i had ar ôl.
> Sarnicol. Blodau Drain Duon. 26.

711. AR DDIEITHR. (Taf. *ar ddiarth*).
Cystal rhoi dyfyniad i ddechrau.

> Un ffordd [gan . . . y chwarelwyr] i'w bryfocio oedd dweud bod rhyw hogan yn y fan-a'r-fan wedi gwirioni amdano . . . ac fe â'i John yno 'i'w chynnig' . . . Drannoeth wrth gwrs fe ddôi'r pryfocwyr i dynnu arno a gofyn sut hwyl a gawsai, pawb yn mynd i'w holi *ar ddiarth* ac fesul un. KR. LW. 140.

Holi *ar ddiarth* oedd holi mewn ffordd anuniongyrchol, ac nid fel pe baent wedi mynd yno yn un swydd i holi.

712. DI-FAI GWAITH (â rhywun). Defnyddir fel yn cyfateb i'r S. *'serve him* (her, them) *right'*, pan fo angen mynegi fod rhywun wedi cael ei gyfiawn haeddiant.

> A mi dorraist dy fys? *Di-fai gwaith* a ti am fusnesa â chyllell finiog.

Ffurf arall ar yr ymadrodd yw 'eitha(*f*) gwaith'. Ar lafar yn bennaf (ac yng Ngwynedd amlaf) y ceir ef.

DIFRIF

713. O DDIFRIF. Mewn sobrwydd; heb wamalu. S. *Seriously*.

Nid oes un o'r rhain [galarwyr mewn cynhebrwng] yn wylo *o ddifri*. EW. BC. 28.

Amrywiad ar yr ymadrodd yw O DDIFRIF CALON:

Ac ni wasanaetha i ti dybied yn ysgafn o wasanaeth Duw . . . ond ei wneuthur e'n ôl bwriad Duw, sef o *ddifrif dy galon*. EW. RBS. 2.

Amrywiadau eraill: mewn difrif (calon), o wir ddifrif. Y gair gwrthwyneb iddo yw *o fregedd*.

DIFFYG

715. O DDIFFYG. Oherwydd eisiau.

Mewn amlder y bobl y mae anrhydedd y brenin; ac *o ddiffyg* pobl y dinistrir y tywysog. Diar. 14. 28.

716. Y NAILL YN NIFFYG Y LLALL. Un yn cymryd lle y llall yn ei dro.

Mae yma wyth ohonom ni, a mi fasen yn gallu edrych ar ei ôl [y gwas claf] *y naill yn niffyg y llall,* yn burion.

DO. GT. 211.

717. YN NIFFYG (RHYWBETH). Pan na bo ar gael.

Defnyddiwch wrtaith ffarm. *Yn niffyg* hwnnw 'does dim ond ceisio bodloni ar y gwrtaith pryn.

DIGON

718. AR (UWCH, WRTH) BEN FY NIGON. Mewn llawnder, heb eisiau dim. S. *in clover*.

Sylwch cyn lleied a wna'r tro i'r anifail. Trowch y ddafad i'r borfa a dyna hi *uwch ben ei digon* . . . JO. Preg. 47.

719. DIGON O WAITH. Go brin. Nid yw'n debygol.

Digon o waith fod yna'r un [trap llygod] yn y fan yma, meddai Edward. AL. CT. 51.

DIHAREB

720. BOD YN DDIHAREB. Bod yn enwog. Bod mor hysbys â dihareb; (weithiau) bod yn esiampl neu'n rhybudd.

Mawr oedd ŵr *mor ddihareb*
Mae yntau'n uwch na maint neb. GTA. 446.

Yr oedd ei ddawn i siarad yn ddifyfyr yn *ddihareb*.

JPJ. Ysg. 21.

DILLAD

Y mae'r priod-ddulliau ynglŷn â dillad yn niferus iawn. Dyma ychydig o'r lliaws:—

721. DILLAD BARA A CHIG (DILLAD CIG A PHWDIN, DILLAD CIG RHOST).
Y rhain i gyd=*dillad dydd Sul.*
Y mae'r rhain ynddynt eu hunain yn dysgu cryn dipyn inni am amodau bywyd dydd a fu — dim ond ar y Sul y câi'r gwerinwr y danteithion a enwir!

722. DILLAD BOB DYDD.

723. DILLAD GWAITH.

724. DILLAD PARCH. Dillad dydd Sul — y diwrnod y gwisgai'r gweithiwr yn *barchus.* Neu efallai mai dillad oeddynt yn dangos ei *barch* at y Dydd a Duw'r Dydd.

725. DILLAD HOEN. S. *gay clothes.* Gresyn na fyddai modd dwyn y term campus hwn ar lafar cyffredin eto.

726. DILLAD GALAR. Dillad mowrning.

727. DILLAD DIWETYDD. Dillad min nos.

728. DILLAD UNSUT. S. *Uniform.*

> Doi'r Clwb yn y bore, a band mewn *dillad unsut* amdanynt. TGJ. Bri. 26.

DIM

729. I'R DIM. Yn hollol, heb ry nac eisiau.

> Gwnai [y teiliwr] ambell bâr o ddillad i ffitio *i'r dim* . . . ac ambell un arall yn bur anghelfydd ac afluniaidd.
> WR. HBHD. 9.

730. O FEWN DIM. Yn agos iawn, iawn. S. *within an ace.*

> . . . pan eid i gymharu cyfieithiad Thomas Roberts â'r Llyfr Cyfiaith, byddai *o fewn dim* i fod yn ddi-wallau.
> JPJ. Ysg. 15.

DIMAI

731. DIMAI GOCH. Mewn ymadrodd fel "'Does gen i 'run ddimai goch", cyfetyb i'r S. *brass farthing.*

Yn wir, yn ein hanes ni fel teulu daethon nhw â'r *un ddimai goch* o elw daearol. RW. W. 52.

"Coch" am mai copr oedd ei defnydd. Ceir "pres cochion", a hyd yn oed "arian cochion" (er gwaetha'r wrtheb), ar lafar am S. *copper coins.*

DIOD

732. DIOD GADARN. Diod feddwol.

Gwae y rhai cryfion i yfed gwin a'r dynion nerthol i gymysgu *diod gadarn.* Es. 5. 22.

733. DIOD GREF=DIOD GADARN.

Chwerw fydd *diod gref* i'r rhai a'i hyfant. Es.24. 9.

734. HEL DIOD. Bod yn yr arfer o yfed diodydd meddwol.

Dylwn egluro na byddai fy nhad yn *hel diod,* ond os âi i gwmni, ni wrthwynebai gymryd glasiad o gwrw gyda chyfaill. KR. LW. 93.

735. YN FY NIOD. Pan fyddaf wedi bod yn yfed. S. *in my cups.* MEWN DIOD=wedi meddwi.

O fy Nuw, *yn fy niod*
Eis i hen bwll isa'n bod. Dewi Havhesp.

Ym Mangor daeth tri dyn i fyny i'r cerbyd. Yr oedd yn amlwg fod y tri *mewn diod,* a cherddent yn frwysg ac afrosgo rhwng y seti. AL. CT. 55.

DIOFRYD

736. RHOI DIOFRYD. Gwneud llw; yn aml, llw yn ymwrthod â rhywbeth.

. . . braidd na *roeswn ddiofryd* byth wneuthur un braich o bennill, hyd oni chawn Ramadeg. LlGO. 74.

DISBEROD

737. AR DDISBEROD. Ar grwydr.

Y mae yn llawenhau am honno mwy nag am yr amyn un cant y rhai nid aethant *ar ddisberod.* Math. 18. 13.

Ansicr (meddir) yw tarddiad *'disberod'.* Geill fod o'r Lladin 'disperatio', ffurf lafar ar 'desperatio', a roes S. *despair*; neu o wreiddyn Celtaidd yn golygu *gwasgaru.*

DISGYBLION

738. **DISGYBLION Y TORTHAU.** Pobl yn ymlynu wrth berson, achos neu fudiad, nid o wir gariad ato ond yn y gobaith o ennill rhyw fudd personol trwy eu perthynas ag ef. Ar ôl gwyrth porthi'r pum mil edliwiodd Iesu Grist i'r dyrfa, "Yr ydych chwi yn fy ngheisio i nid oherwydd i chwi weled y gwyrthiau, ond *oherwydd i chwi fwyta o'r torthau* a'ch digoni". Ioan 6. 26.

Y mae [y curad] cin brysured â chynffon oen . . . yn rhydresa o dŷ i dŷ ac yn ceisio hudo a dallud pobol i ddwad ato fo ac yn cael arian gin y byddigions yma. i brynud y tlodion, a gneyd *disgyblion torthe* gimin ag allo fo. WR. AFR. 485.

Cf. S. *cupboard love.*

DIWEDD

739. **O'R DIWEDD.** Wedi hir ddisgwyl. S. *at last.*

Dyma wrthrych ges *o'r diwedd*
Ag sy'n hollol wrth fy modd.
WW. LlEM. 201.

740. **YN Y DIWEDD.** Wedi'r cwbl.

Mae [aderyn y to] yn ddynol odiaeth ar lawer cyfrif — peth bach powld, ymrafaelgar, cecrus, gwenwynllyd, trystiog a thrahaus — a heb fod yn neb *yn y diwedd.*
THP-W. Y. 33-4.

DOLEN

741. **DOLEN GYDIOL.** Cyswllt. S. *connecting link.*

Yr unig *ddolen gydiol* rhwng Morus Huws a'r byd oddiallan oedd Robin Ifan. RDW. CT. 27.

Gair gwahanol yw *dolen* yma, i'r un a geir yn yr erthygl nesaf.

742. **TROI DOLEN/TROI DALEN.** Diwygio, gwella o ran buchedd; cychwyn ar gyfnod newydd o fywyd gwell. Darlun sydd yma o ddyn yn troi i ddalen newydd o lyfr ysgrifennu, ac felly yn cael cychwyn newydd, cyfle newydd i ysgrifennu'n well a chywirach.

'Dydw i ddim yn gwadu nad ydan ni'n felltigedig o ddrwg. Ond yr ydan ni am ddiwygio . . . yr ydw i am *droi dolen.* DO. GT. 13.

Amrywiad tafodieithol yw 'dolen' ar 'dalen'. Mae cyfnewid rhwng *a* ac *o* yn gyffredin; cf. afal, afol; cawod, cawad; triag, triog.

Pan ddarffo hyn o drafferth, medd un, mi a *dro(f) ddalen* arall. EW. BC. 92.

743. DOW-DOW. Gw. (1035).

DRAEN

744. BOD YN DDRAEN YN YSTLYS (RHYWUN). Bod yn boendod parhaus iddo.

Gresyn na chawsid mwy o Gymraeg ar dabled coffa gŵr [Penfro] a garai'r iaith mor angerddol ac . . . a oedd *yn ddraen yn ystlys* y rhai hynny o benaethiaid y Fam-Eglwys sydd a'u gwynt yn erbyn (117) pawb ar ddeil ar goedd (139) dros eu gwlad. JHJ. M. 23.

Tarddiad ysgrythurol sydd i'r ymadrodd.

Ac oni yrrwch ymaith breswylwyr y tir o'ch blaen, yna bydd y rhai a weddillwch ohonynt yn gethri* yn eich llygaid ac yn *ddrain yn eich ystlysau* a blinant chwi yn y tir y trigwch ynddo. Num. 33. 55 (Gw. hefyd Barn. 2. 3)

*cethri=hoelion, picelli, gwaywffyn.

745. NI PHRISIAF DDRAEN. Ni faliaf ddim.

Os cant hwy [pobl Donnington] eu gwasanaethu, deued a ddel o'r gwasanaethwr *ni phrisiant hwy ddraen.* LlGO. 9.

746. NI THALAF DDRAEN. Nid wyf yn werth dim.

Wedi'r cwbl oni bai ddyfal lewdid fy mrawd Belzebub yn cadw dynion mewn syndod anystyriol *ni thalech chwi oll ddraen* [Lucifer sy'n annerch ei berthnysau a'i gynorthwywyr] EW. BC. 143.

DRAIN

747. AR BIGAU('R) DRAIN. Yn anghysurus o bryderus. Yn llawn disgwyliad poenus-awyddus a di-amynedd. S. *on tenterhooks.*

Wel diolch i'r nefoedd, dyma bopeth wedi ei setlo'n drefnus. Yr ydw i *ar bigau'r drain* eisio cael dweud wrth y lleill. Machgen Gwyn i — J. Edwards. 139.

Yn y dyfyniad a ganlyn, yr *anghysur* a bwysleisir; ni ddaw'r elfen o ddisgwyl i mewn:

O ai fel yna yr wyt ti'n darparu?
[Gwrthod y gŵr a ddewisodd ei mam iddi]
Cei gyweirio'th wely *ar bigau'r drain.*
Oni choeli'm geiriau bydd chwerw'r chwarae.
Os mentri gyda'r bachgen main.
(Hen Gerdd). DMF. CGC. 6.

748. DRIB DRAB. Fesul un neu fesul ychydig, yn awr ac yn y man, ond nid ar adegau rheolaidd.

Gellid ysgrifennu llyfr ar y rhai a ymfudodd o'm hen

gartref i Lerpwl . . . Aent *ddrib-ddrab* cyn rhyfel 1914-18 ond yn ystod y rhyfel hwn dylifasant yno. KR. LW. 143.

Cawsom *drib-drab* i'r Gymraeg o'r S. *drip-drop,* gair yn dynwared sŵn diferynnau o ddŵr yn disgyn yn awr ac yn y man. Gair campus ydyw i ddisgrifio'r math o symudiad ysbeidiog a grybwyllir yn y dyfyniad. Cyfleir y syniad gwrthwyneb hollol iddo gan y gair *dylifasant.* Dyma enghrau, ychwanegol o'r modd y defnyddir yr ymadrodd: Deuai'r aelodau i'r pwyllgor *ddrib-drab,* h.y. nid gyda'i gilydd, ond un yn awr, un eto. Cyfansoddais y llyfr *ddrib-drab,* h.y. nid trwy sgrifennu'n rheolaidd, ond fesur darn y pryd yma a darn y pryd arall.

DRWG

749. BOD YN DDRWG RHWNG (RHYWUN) A'I GILYDD. Y ddwyblaid heb fod ar delerau da.

Byth er pan ddaeth cynnwys ewyllys yr hen ewythr yn hysbys, mae wedi *bod yn ddrwg rhyngddynt* a'i gilydd. (S. *relations between them have been strained).*

750. DRWG EI DRWSIAD. Ei wisg yn aflêr, gwrthg. i trwsiadus. S. *shabby of dress.*

Y frân gynt a'i gweles [=gwelodd] ei hun yn hagr ac yn *ddrwg ei thrwsiad* . . . ChO. 1.

Gw. (1461).

751. DRWG EI HWYL. (1) heb fod yn iach.

Ac efe a iachaodd lawer o rai *drwg eu hwyl* Marc 1. 34.

(2) mewn tymer ddrwg.

Wedi colli ei gwsg y noson gynt yr oedd y meistr yn *ddrwg ei hwyl* gynddeiriog, ac yn arthio ar bawb.

DRWS

752. DANGOS Y DRWS (i RYWUN). Ei orchymyn allan o'r tŷ.

"Unwaith erioed", meddai Mr. Bob Owen, Croesor, "y bu hi'n ddrwg rhyngof a Ioan Brothen . . . Gwelai ef fai ar Tom Nefyn (adeg yr helynt yn y Tymbl). Safwn innau . . . fel callestr o'i blaid a hynny yn nhŷ Ioan. Y noson honno *dangoswyd y drws* i mi.

'Tom Nefyn.' Gol. W. Morris. 20.

753. DRWS (O) YMWARED. Cyfle i ddod allan o beryl, anhawster neu drybini.

Treuliodd Siams y diwrnod i geisio rhyw ffordd i osgoi chwalfa yr arwerthiant . . . ond nid oedd ffordd o waredigaeth yn agor yn unman . . . Aeth dwy noswaith heibio heb i unrhyw *ddrws o ymwared agor.*

RDW. CT. 101.

DRYCIN

754. SEFYLL RHWNG (RHYWUN) A'R DDRYCIN. Bod yn amddiffyn iddo mewn amgylchiadau anodd.

Os byddwch chwi'n barod i sefyll rhwng dynion a'r ddrycinn, hwy fyddant yn eithaf bodlon i chwi deyrnasu. JPJ. GD. 35.

DU

755. AR DDU A GWYN. Mewn ysgrifen neu brint — ac felly yn fwy parhaol, yn fwy safadwy ac yn fwy swyddogol-gyfreithiol nag ar lafar.

Fe allai ichwi feddwl wrth ddechrau fy chwedl, nad yw'r cwbl ond gwamalrwydd ac oferstori, ond mi rof i chwi dan fy llaw (1058) *ar ddu a gwyn* ei bod yn wir bod ag un (235) gair. ALMA. 124.

DŴR

756. CYRCHU DŴR DROS AFON. Mynd ymhell i geisio peth sydd ar gael yn ymyl.

. . . dyma Sion Jôs, dechreuwr canu'r Wesleaid, ar ei draed i ofyn a oedd yn rhaid inni mewn difrif *gyrchu dŵr dros afon* [drwy gael cantor dieithr i'r cyngerdd]. Onid oedd gennym dalentau lleol bob amser yn barod i'n gwasanaethu? WJGr. SHF. 18.

757. DŴR CODI. Dŵr yn tarddu o'r ddaear. S. *spring*.

Nid oedd ffrwd o unrhyw fath, hyd y gwyddwn i, yn llifo yno, a thipyn o *ddŵr codi*, i'm tyb i, oedd yr unig ddŵr y gellid cyfrif amdano. THP-W. OPG. 19.

758. DŴR GLÂN. Ar wahân i'w ystyr eglur o ddŵr difudreddi o'i wrthgyferbynnu â dŵr budr, golyga hefyd 'dŵr yfed' mewn gwrthgyferbyniad yn bennaf (ac ers talwm yn enwedig) â 'dŵr glaw'.

Cefnais arno [yr hen gartref] ac ar ei fuarth di-drefn, ei gloddiau bylchog, a'i bistyll *dŵr glân* a oedd wedi hen sychu. (969). MH. Mn. 3.

759. DŴR POETH. Heblaw ei ystyr lythrennol y mae i'r ddeuair hyn ddau ystyr arall: (i) S. *Heartburn*; (ii) helbul, trybini, trwbl, y mae dyn ynddo.

Dywedodd Chesterton ei fod ef yn wastad *mewn dŵr poeth,* ond na faliai am hynny, gan ei fod yn ei gadw'n lân.

760. TAFLU DŴR OER AR (RYWBETH). Creu digalondid a tharfu brwdfrydedd ynglŷn â bwriad cynllun, etc. Cyfeiriad at dywallt dŵr i ddiffodd tân.

761. MYND I DDŴR DYFN neu RHY DDYFN. Mynd i anawsterau (deallol fel arfer).

"Yr wyf finnau'n credu fod gwahaniaeth rhwng tymherau naturiol plant wrth naturiaeth [ebe Mrs. Harris], ond bod rhai yn cael eu geni o dueddiadau moesol at ddrygioni ac eraill at rinwedd sydd beth na allaf fi mo'i gredu rywfodd . . ." "Yr ydych yn *mynd i ddŵr dyfn* rwan, Marged bach", ebe Modryb Elin. WR. AFR. 312.

Ymadroddion i'r un perwyl yw *mynd i ddyfroedd dyfnion* (795); *mynd allan o'm dyfn* (*dyfnder*) (791). Tu ôl i'r cyfan y mae'r darlun o ddyn mewn perygl o foddi trwy fentro i ddŵr rhy ddwfn.

DWRN

762. A'M GWYNT YN FY NWRN. Ar frys, mewn cyffro a heb amser i gael fy anadl. Fel y bydd dyn ar gychwyn i rywle mewn brys yn cario yn ei law rywbeth hanfodol yr anghofiodd ei bacio, felly dychmyga'r ymadrodd rywun ar ormod brys i gael ei wynt i'w le priodol yn ei ysgyfaint, ac yn ei gipio i'w ganlyn yn ei ddwrn!

Cofiaf yn iawn mai grot a gefais [yn wobr mewn cyfarfod cystadleuol] a chofiaf imi redeg adref y filltir sydd rhwng Rhosgadfan a Rhostryfan *â'm gwynt yn fy nwrn* a rhoi'r grot ar y bwrdd i mam. KR. LW. 54.

(Gw. 116).

763. CIL DWRN. Anrheg fechan o arian a roir (fwy neu lai ar y slei) fel gwobr am wasanaeth. Yn fynych y mae iddo'r ystyr fwy atgas o lwgrwobrwy. S. *tip*.

Breuddwydiodd fod Negro o borter yn estyn ei fagiau i'r platfform, ac nid cyn iddo faglu ar draws un o'r bagiau a gweld y porter yn estyn ei law am *gil dwrn* y gwybu fod ei freuddwyd yn wir. IFTE. TB. 9.

764. CHWERTHIN YN FY NWRN. Cael difyrrwch ond heb ddangos hynny'n amlwg; fel dyn yn celu rhywbeth drwy gau arno yn ei ddwrn yn hytrach na'i gario'n agored yn ei law.

Pe dywedwn mai Cymry oedd y duwiau hyn [Mawrth, Mercher, Sadwrn etc] . . . mi wn eisys y bydd rhai yn barod i *chwerthin yn eu dwrn* a dywedyd, nid yw hyn ddim ond ffiloreg. TE. DP. 148.

765. DWRN TRA DWRN (DWRN TRADWRN): Llaw-yn-llaw, wrth ymladd. S. *hand to hand*. Medd T.A. am ryw uchelwr:

> Ti a arhoud*, —ond dewr hyn?—
> Ddwrn tradwrn, ddyrnod tridyn. GTA. 157.

*arhoud='arhoit' o'r ferf 'arhöi' (heddiw, *aros*) yn yr ystyr o 'oddef', 'dal', 'gwrthsefyll'.

DWSIN

766. SIARAD PYMTHEG YN Y DWSIN. Siarad yn gyflym, mor gyflym nes cael pymtheg gair i mewn yn yr amser a gymerai i rywun cyffredin siarad deuddeg. Mae pethau'n ddrwg yng Nghymru, ond yn waeth yn Lloegr, fe ymddengys. Yno mae'r 'ymadroddwyr pennaf' yn traethu *nineteen to the dozen*.

DWTHWN

767. Y DWTHWN HWN (neu HWNNW). Y diwrnod hwn (neu hwnnw). Ymadrodd ysgrythurol a ddigwydd yn fynych. [e.e. Barn. 3. 30, 2 Sam. 2. 17, Marc 4. 35 etc., etc.]. Enghr. enwog yw:

> A'r *dwthwn hwnnw* yr aeth Peilat a Herod yn gyfeillion, canys yr oeddynt o'r blaen mewn gelyniaeth. Luc 23. 12.

Enghr. ddiweddar:

> Digymar yw fy mro drwy'r cread crwn
> Ac ni fu *dwthwn* fel y *dwthwn hwn*. RWP. HCE. 20.

NODIAD. Daw dwthwn o dydd+hwn. Rhoes dydd hwn: dythwn (yr *h* yn caledu'r *dd* yn *th*); yna cafwyd *dwthwn* trwy i '*w*' ar y diwedd ddylanwadu ar yr '*y*' yn y goben. Yn olaf, collwyd yr ymdeimlad o'r elfennau gwreiddiol yn y cyfuniad a daeth y gair i olygu *dydd; diwrnod*, ac ychwanegwyd *hwn, hwnnw*, eilwaith ato.

DWYLO

768. CADW FY NWYLO'N LÂN. Ymgadw rhag ymddygiad anonest neu foesol amheus.

> Os rhaid i'r Sentars gymud i lladd, gybeithio rydw i y byddan nhw farw'n bobl onest, ac y *cadwan nhw'u dwylo'n lân*, beth bynnag. WR. LlHFf. 7.

Mae'r *dwylo*, fel cyfryngau amlwg i weithgaredd dyn, yn sumbol naturiol am *weithredoedd*. A magodd y gair 'glân' yn gynnar yr ystyr o 'foesol bur'.

769. CAEL (RHYWBETH) I'M DWYLO. Ei gael i'm meddiant.

'Roedd gŵr y *Swan* . . . wedi cynnig cymaint ddwywaith o rent am y ffarm er mwyn ei *chael i'w ddwylo*.
DRW. CT. 100-1.

770. DAN FY NWYLO. (1) Mewn anwybodaeth.

"Beti" ebe Robert [Wyn] "cyn sicred â bod ti'n gwau yr hosan ene mae Lewis Jones yn meddwl am yr eneth — dydw i dd'm yn siarad *dan 'y nwylo*." DO. GT. 326.

Tu ôl i'r ymadrodd mae'r syniad o ddyn yn 'palfalu' ei ffordd yn y tywyllwch, a dim ond yr hyn a deimla 'dan ei ddwylo' i'w arwain.

"Wel" ebe Sem [Llwyd] "hwyrach y medrwn i roi tipyn o oleuni ar hynny bydawn i'n dewis, ond mae pobol yn amal yn siarad *dan'u dwylo*, Thomas". DO. EH. 122.

771. DAN FY NWYLO. (2) Mae ystyr arall i'r ymadrodd hwn. Haws ei egluro mewn enghreifftiau na'i ddiffinio. Yn ei Ragair i'w lyfr *Pedeir Keinc y Mabinogi* dywed Syr Ifor Williams:

Bwriadwn roi crynodeb o hynodion iaith a gramadeg y testun fel atodiad i'r nodiadau, ond wrth weld y llyfr yn ymestyn *dan fy nwylo* bernais mai doeth ymatal.

dan fy nwylo yma=tra'r oeddwn wrthi'n gweithio arno. Dyma enghr. arall sy'n sôn am grefft actio a chynhyrchu drama:

Rhaid cyflymu a dal i gyflymu o hyd efo comedi, neu fe aiff yn fflat *dan eich dwylo chi*. IG. Cr. 105 6.

h.y. tra 'rydych wrthi yn perfformio.

772 DWYLO BLEWOG. 'Bod â dwylo blewog' yw bod yn lleidr. S. *to be light fingered*.

Ac am fod ganddi [:Miss Bifan] *ddwylaw blewog*, chreda i byth mo hynny. Mae cannoedd o forynion, druain, yn cael cam dybryd. Pan fydd y mab wedi ponio ei *gold* studs i gael diod, O! forwyn fydd wedi eu lladrata!
DO. EH. 309.

Rhag ofn i'r lleidir llidiog mewn temper drwg fynd heibio ar dro, Fel blaidd, â'i *ddwylo blewog*.
Wm. Roberts. Llannor BC. 25.

O ba le y tarddodd yr ymadrodd? Tybed mai ystryw Jacob (neu'n hytrach ei fam) yn ffugio dwylo blewog fel rhai ei frawd Esau, i dwyllo Isaac ei dad, er mwyn *lladrata* genedigaeth-fraint ei frawd, a roes fod iddo? (Gw. Gen. 27).

Arall yw awgrym C. P. Cule (Cymraeg Idiomatig 27) "Efallai daw hyn o'r syniad fod blawd yn glynu wrth y blew" h.y. ('rwy'n casglu) ar ddwylo melinydd wrth "dolli" blawd.

773. LLOND FY NWYLO. Cymaint ag a allaf ddelio ag ef. Yn llythr. geill y geiriau gyfeirio at unrhyw beth y gall dwylo'u cynnwys neu eu cario. Yn ffig. cyfeiria at waith neu gyfrifoldeb.

Rhwng tendio ar ei thad a'i gŵr, magu tri o blant, a chadw ffarm a siop, mae ganddi *lond ei dwylo*.

774. RHOI GWAITH TRWY FY NWYLO. Gweithio'n gyflym ac effeithiol.

DWYWAITH

775. NID OES DIM DWYWAITH. Nid oes unrhyw amheuaeth.

Er nad yw Mathew a Marc arni hi [Taflen Muratori o lyfrau'r T.N.] fel y mae yn awr, *nid oes dim dwywaith* nad oedd y ddau yno yn yr Ysgrif Wreiddiol.

JPJ Iago xiii

Ymadrodd cyffelyb, yn y De'n bennaf, yw: Nid oes dim dau. (Gw. 699).

DYBLAU

776. CHWERTHIN YN FY NYBLAU. Chwerthin nes methu ymgynnal a gorfod plygu drosodd. S. cyfatebol *to be in stitches* (*with laughter*).

DYDD

777. CARIO'R DYDD. Ennill y frwydr; bod yn fuddugol.

Dacw gariad, dacw bechod,
  Heddiw ill dau ar ben y bryn;
Hwn sydd gryf, hwnacw'n gadarn,
  Pwy enilla'r ymgyrch hyn?
    Cariad, cariad
Wela' i'n perffaith *gario'r dydd*. WW.LlEM. 191.

778. COLLI'R DYDD. Colli'r frwydr, cael fy ngorchfygu.

Ohono Ef mae fy nigonedd;
  Ac ynddo trwy fyddinoedd af,
Hebddo, eiddil, gwan a dinerth,
  Colli'r dydd yn wir a wnaf.

AG. LlEM. 87.

Defnyddir colli'r dydd hefyd fel gair teg am farw e.e.

'Rwy'n ofni mai *colli'r dydd* y mae o, ac na wêl o mo'r bore.

779. DYDD DU YN WYNEB (RHYWUN). Ymadrodd o ddrwg ddymuniad neu felltith.

Dydd du yn ei wyneb a phob bradwr cas megis yntef [sef y Sais a wenwynodd Emrys Wledig]. TE. DPO. 120.

780. DYDD GOLAU. CEFN DYDD GOLAU. S. *broad daylight.*

Nosasai'n sydyn, fel y gwna yn y trofannau, ond yr oedd lampau'r llong ar y cei yn gwneuthur y lle fel *cefn dydd golau.* THP-W. Y. 37.

781. DYDD Y PETHAU BYCHAIN. Dechreuadau distadl mudiad neu fenter. S. *Small beginnings.* Daw'r ymadrodd o'r Beibl. Gw. Sech. 4. 10.

782. DYDD SUL Y PYS. Defnyddir yr ymadrodd mewn brawddeg fel

Ddaw o ddim, petaet ti'n disgwyl dan Sul y Pys.

h.y. byth. Mae gan y S. ymadrodd cyffelyb *The Greek Calends.* Y 'Calendae' oedd dyddiau cyntaf y misoedd yn y Calendr Rhufeinig. Nid oedd y fath bethau yng nghalendr y Groegiaid. Ar y 'Calendae' y telid llogau. Yr oedd dihareb Ladin: "ad Calendas Graecas solvere" =talu ar y Calendae Groegaidd h.y. peidio talu byth. Ond nid dychmygol yw Sul y Pys. Dywed Robert Richards (Cymru'r Oesau Canol. Tud. 250), "Yr Ail Sul cyn y Pasg oedd Dyw[=Dydd] Sul y Pys, pryd y bwyteid pys wedi eu mwydo dros y nos mewn gwin neu fedd." Ni welais eglurhad ar y modd y daethpwyd i'w ddefnyddio yn yr ystyr uchod.

783. (ER)S LLAWER DYDD yw'r ymadrodd a ddefnyddir yn y De am *ers stalwm* y Gogledd. S. *Long ago.*

784. UNDYDD UNNOS. Amser byr. Defnyddir yr ymadrodd hefyd i ddisgrifio rhywbeth byr iawn ei barhad.

Nid adeiladwyd Rhufain mewn *undydd unnos.*
. . . teimlais warth a gofid yr amgylchiad. Nid chwerwder *undydd unnos* ydoedd i gael ei iachâu drannoeth gan nwyfiant fy nghymdeithion chwareus. DO. RL. 133.

785. YN FY NYDD. Yn ystod fy oes, yn fy amser.

Mi rydw i wedi clwed a gweld llawer . . . yn y nudd.
WR. LlHFf. 9.

Geill YN FY NYDD hefyd olygu: pan oeddwn yn anterth (122) fy mywyd a'm galluoedd; yn fy mhreim.

O'i weld mor fusgrell heddiw, anodd credu ei fod *yn ei ddydd* yn bel-droediwr enwog.

'Roedd Alun Mabon *yn ei ddydd*
Yn fachgen cryf a hoyw. JCH. MFAM. 23.

DYDDIAU

786. DYDDIAU DUON BACH. Gair Arfon am y dyddiau o flaen ac ar ôl Dygwyl Domos (Rhag. 21) oherwydd eu byrred ac, fel arfer, eu tywylled hefyd.

787. DYDDIAU GORAU. Defnyddir mewn brawddegau fel: Mae'r car 'ma wedi gweld *ei ddyddiau gorau*=yr adeg pan oedd *ar ei orau*. S. *this car is past its best.*

788. DYDDIAU'R DDAEAR. Tra bydd y ddaear mewn bod, h.y. byth.

Wela'i mono fo'n ennill ei radd *ddyddiau'r ddaear*. 'Does ganddo mo'r gallu.

789. HEN DDYDDIAU. Cyfnod henaint.

Cofiaf fy nhaid unwaith yn ei *hen ddyddiau*, ac yntau'n bur fusgrell, yn gofyn i'r Arglwydd, ar ei weddi wrth gadw dyletswydd, (796) faddau iddo am genfigennu wrth yr adar bach. THP-W. Y. 8.

790. WEDI GWELD GWELL DYDDIAU neu DYDDIAU GWELL. Wedi mynd i gyflwr gwael. Enghraifft dda o *air teg* (S. Euphemism).

Gwelodd Ifans mai *jeep* oedd y cerbyd, ac yr oedd y gorchudd trosto *wedi gweld dyddiau gwell*. IFfE. TB. 12.

DYFN(DER)

791. ALLAN O'M DYFN neu O'M DYFNDER. Llythr. mewn dŵr rhy ddyfn imi fedru cael gwaelod heb suddo. S. *out of my depth.* Ffig. mewn sefyllfa tu hwnt i'm dealltwriaeth neu fy ngallu i'w thrafod.

Yr oedd J. yn bencampwr ar Fathemateg a Ffiseg ond pan ddoi yn fater o newid clwt y babi yr oedd *allan o'i ddyfn*.

Gw. hefyd (761).

DYFNDER

792. DYFNDER NOS. Pan fo'r nos ar ei thywyllaf. S. *dead of night*.

793. DYFNDER GAEAF. Pan fo'r gaeaf ar ei eithaf, y nosweithiau'n hir, y dyddiau'n fyr a'r tywydd yn erwin. Ymadrodd o'r un ystyr yw TRYMDER GAEAF.

DYFOD

794. DEUED A DDEL(O). Pa beth bynnag a ddigwyddo. Gw. enghr. o dan (745).

DYFROEDD

795. DYFROEDD DYFNION. Ffig. trallodion, helbulon, pryderon, gofidiau bywyd.

Trwy helaethu ei fusnes yn rhy feiddgar ac yn rhy gyflym aeth yn fuan i *ddyfroedd dyfnion* yn ariannol.
Gwareder fi oddiwrth fy nghaseion ac o'r *dyfroedd* dyfnion. Salm 69. 14.

Dywed SOED mai o'r Salm a'r adnod hon y daeth yr ymadrodd S. cyfatebol 'deep waters' mor gyfarwydd. Nid yw'n amhosibl na allai hynny fod yn wir am yr ymadrodd Cymraeg hefyd. Gw. (761) (791).

DYLETSWYDD

796. CADW DYLETSWYDD (DEULUAIDD). Cadw gwasanaeth crefyddol i'r teulu ar yr aelwyd. S. *hold family prayers.*

Cedwid "dletswydd" bob nos a bore yn Nhŷ ar y Graig, a chan fy mam os digwyddai i'm tad gael ei alw ymaith cyn i ni'r plant godi o'n gwlâu yn y gaeaf. JHJ. GG. 14.

DYN

797. YR HEN DDYN. (1) yr anian bechadurus mewn dyn; y 'pechod gwreiddiol' wedi ei bersonoli'. S. *the old Adam.*

Pan fo modurwr wedi dod yn fuddugoliaethus trwy'r troelliadau mynych yn y ffordd rhwng Corwen a Cherrig y Drudion, a gweled yno o'r diwedd (739) ribyn hir syth o ffordd dda o'i flaen, tuedd anorchfygol yr *'hen ddyn'* ynddo yw gosod ei droed yn rymus ar y pedal cyflymu— a dyna chwi ym Mhentrefoelas cyn ichwi gael eich anadl atoch. (942). RTJ. CFf. 9.

Tarddiad ysgrythurol sydd i'r ymadrodd hwn, fel i'r term gwrthwyneb 'y dyn newydd'=y dyn wedi ei adfer trwy ras Duw. Gw. Effes. 4. 22-24.

(2) Hollol wahanol o ran tarddiad ac ystyr yw'r ymadrodd, a geir yn fynych ar lafar yn Arfon, wrth gyfarch rhywun, 'Wel, *yr hen ddyn'.* S. *old fellow, old chap.* Nid oes i *hen* gyfeiriad at oed yma; mynegi math o

anwyldeb y mae. Gellir sôn am faban fel yr *hen* beth bach!

(3) Ceir trydydd defnydd i'r ymadrodd sef hen ddyn *yr atsain* mewn carreg ateb.

Yr unig beth a fedrai Tomos Bifan ei wneuthur . . . oedd rhegi Pitar Hughes nes byddai ei eiriau wrth glecian yn erbyn clogwyn y Frwynos yn deffro *'hen ddyn'* pob clogwyn arall trwy'r holl gwmwd. RDW. CT. 17.

DYSGL

798. DYSGL. Cadw (dal) y ddysgl yn wastad. Gw. (681).

. . . mae'n anodd iawn cadw'r ddesgil* yn wastad rhwng pobol [ebe'r gweinidog]. Mi fydda'i bron a rhoi'r gorau iddi weithiau. Mae'n capeli ni'n rhy ddemocrataidd. KR. TH. 46.

*desgil: ffurf lafar yn y Gogledd ar 'dysgl'.

EBWCH

799. YR EBWCH OLAF (DIWETHAF). Yr anadliad olaf, y chwythiad olaf. S. *last gasp.*

Fan egorwyd yr ogo daeth allan y fath ddamchwa echrys o fflamau gwaedlyd, a'r fath waedd a phetai fil o Ddreigiau'n rhoi *ebwch ola* wrth drengu. EW. BC. 112.

ECHEL

800. TAFLU (BWRW) (TYNNU) RHYWUN ODDI AR EI ECHEL. Ei ypsetio neu wneud iddo deimlo'n anghysurus, ei ddigio, ei wylltio, drysu rhediad ei feddwl neu ei ymresymiad.

Sonnir yn Rhys Lewis, am 'ddull gwreiddiol [Seth] o syllu'n ddidor i lygad y pregethwr. "A chofio y byddai Seth bob amser yn eistedd yn hollol ar gyfer y pregethwr, yr wyf yn synnu na fuasai wedi taflu ambell un *oddiar ei echel*." DO. RL. 87.

Tebyg mai'r cyfieithiad gorau i'r Saesneg o'r ymadrodd yn y frawddeg a ddyfynnwyd fyddai *"put him off his stride*. Echel=y bar neu'r pin y try olwyn arno. Os daw olwyn oddi ar ei hechel, buan y daw ei chylchdro i ben.

EDRYCH

801. EDRYCH AR (AT) EI GEWYLL EI HUN. Edrych

yn nes adref (sef ato'i hun) cyn beio eraill; edrych ar ôl ei fusnes ei hun.

Pam mae pobl drws nesa yn mynnu ymyrraeth hefo'n ffordd ni o fyw? Pam aflwydd nad edrychan' nhw at *eu cewyll eu hunain*?

O fyd y pysgotwr y daw'r ymadrodd. Y 'cewyll' yw'r trapiau o waith gwiail a ddefnyddir i ddal cimychiaid, etc.

802. EDRYCH AT (RYWBETH NEU RYWUN). Gofalu amdano, rhoi sylw iddo. S. *to look to.*

Yr wyf yn gorchymyn y llanc hwn i ti, ar i ti *edrych ato* yn ofalus a diwyd . . . TE. DPO. 353.

803. EDRYCH DAN EI SGAFELL. Edrych dan ei guwch; cuchio. S. *to scowl.*

804. EDRYCH YN LLYGAD Y GEINIOG. Bod yn gynnil iawn, bod yn fforddiol.

'Roedd hi'n fyd mor dlawd arnom fel teulu, 'roedd yn rhaid i mam *edrych* yn hir *yn llygad pob ceiniog* cyn ei gwario.

Nid oes, fel y gwelir yn yr enghr., o angenrheidrwydd unrhyw awgrym difrïol yn yr ymadrodd uchod, er y gallai fod mewn ambell gyswllt. Ar y llaw arall difrïol yn unig yw'r ystyr yn y dywediad 'Siôn lygad y geiniog' — enw arall ar gybydd crintach. Gw. (1118).

EI GILYDD

805. AT EI GILYDD. Ar y cyfan, a chymryd pob peth i ystyriaeth. S. *by and large, on the whole, all in all.*

Eithr, er anghytuno yma neu acw 'does neb na chydnebydd sadrwydd a diogelwch barn ein prif hanesydd, *at ei gilydd.*
RTJ. YDda. 142.

EILWAITH

806. YN AWR AC EILWAITH. Yn achlysurol, yn awr ac yn y man, yn gyfnodol. S. *now and then.*

ELI

807. ELI AR FRIW. Ffig. am unrhyw beth sy'n lleddfu gofid fel y mae eli a ddoder ar glwyf yn lliniaru'r boen.

> Yr oedd clywed rhywbeth oddi wrth Miss. Trefor . . . fel *eli ar friw* i Enoc. DO. EH. 280.

Ymadrodd o gyffelyb ystyr yw BALM I GLWYF(AU). (Gw. 1192, enghr.).

808. ELI CIL DWRN. Llwgrwobr. Cf. a gw. IRO LLAW ac IRO PALF (1031).

809. ELI'R GALON. Defnyddir yr ymadrodd am faco neu de, yn enwedig yr olaf; am y tybir eu bod yn *rhoi cysur* ac yn codi calon y sawl sy'n eu defnyddio fel y mae eli yn esmwytho briw.

810. ELI PENELIN. Ymadrodd hanner cellweirus a ddefnyddir yn ffigurol am waith corfforol caled, yn fwyaf arbennig y gwaith o sgwrio a sgrwbio i gadw tŷ yn lân. Yn niffyg 'eli', neu bolish at y gwaith o gaboli, yr unig beth amdani i gael sglein ar bethau, oedd defnyddio pwysau bôn braich.

> Wrth edrych ar y llawr yr oedd yno lanast anghyffredin. ond ped edrychech dipyn o gwmpas fe welech ôl *eli penelin* ar bopeth. KR. OGB. 21.

ELIN

811. FEL (MEGIS) ELIN AC ARDDWRN. Mewn perthynas agos iawn â'i gilydd. Defnyddir 'elin' nid yn unig am y 'penelin' ond hefyd am y darn o'r fraich sy rhwng y penelin a'r arddwrn. S. *forearm.*

> O'r cyfathrach hwnnw y tyfodd y fath gyfeillgarwch rhwng y Brithwyr a'r Gwyddelod fel y buont yn wastadol megis *elin ac arddwrn* fyth wedyn. TE. DPO. 74.

Gw. (515) a (673).

ELW

812. AR FY ELW. Yn eiddo i mi, yn perthyn imi.

> Hen lanc yn tynnu at ei ddeg a thrigain oed oedd Lewis Dafydd heb unrhyw berthynas ar ei helw. DRW. CT. 77.
>
> Mae gennyf gariad yn Llanuwchllyn
> Â dwy siaced a dau syrcyn,
> A dwy het ar ei *helw ei hun.*
> A dau wyneb dan bob un. HB. 146.

ESGID

813. Y LLE MAE'R ESGID YN GWASGU. Gwir achos yr hyn sydd o'i le.

Nid prinder cyflogau, tai a gwasanaethau cymdeithasol yw pryder dyfnaf dynion heddiw, ond yr ymdeimlad nad ydynt hwy eu hunain yn cyfrif dim. Dyna *lle mae'r esgid yn gwasgu.*

Mae'r *esgid fach yn gwasgu*
Mewn man nas gwyddoch chwi.

Hen Bennill.

814. YR ESGID YN GWASGU. Amgylchiadau yn anodd, bywyd yn galed.

Ar ôl dwy flynedd o gadw ysgol i ddyrnaid o ysgolheigion, a'r athrawes ddibrofiad yn heneiddio, a'r *esgid yn gwasgu'n* dyn, gwanychodd ei hiechyd a machludodd yr *High School.* RGB. LlD. 16.

ESGOR

815 ESGOR CLEFYD. Cael gwared ohono.

. . . fel athrawon yr oeddynt eto heb ymysgwyd oddiwrth y syniad mai'r ffordd i wneuthur Cymro yn ddysgedig a diwylliedig oedd ei wneuthur mor debyg ag oedd bosibl i Sais . . . Nid ydym wedi llwyr *esgor y clefyd* yma eto.

JPJ. Ysg. 50.

NODIAD: Mae'r syniad o 'fwrw' neu 'daflu ymaith' yng ngwreiddyn y gair 'esgor' (Gw. GPC). Ystyr fwyaf cyffredin y gair heddiw yw 'rhoi genedigaeth', A'r ystyr hon cf. yr ymadrodd '*bwrw* oen, llo, ebol'. Ag 'esgor clefyd' cf. y modd y soniwn am 'daflu annwyd i ffwrdd'—cael gwared ohono. 'Clefydon anesgorol' (EW. BC. 11.) yw clefyd na ellir eu bwrw ymaith.

ESTYN

816 ESTYN BAGIAU. Gorwedd mewn llawn hyd ar lawr.

Mi ddoeth [y sgwarnog] heibio i mi'n glos, a mi trewis ine hi y môn i chlust â bôn y chwip, nes doedd hi'n *ystyn i bagie'n* llech farw.*

*llech farw=yn farw fel llech. S. *stone dead.*
*bagie, yma=heglau.

EWIN

817 FY NENG EWIN. Fy nwy law, ac yn ffig. llafur caled fy nwylo.

Nid oedd gennyf ddim at fy nghynhaliaeth ond a enillwn gyda *fy neng ewin*. DO. S. 11.

Ys drwg y deng ewin na phortho un gylfin. D.

'Bod wrthi â deng ewin' = bod wrthi â'm holl egni.

818 RHYWBETH TAN FY EWIN (FY NGEWIN). Rhywbeth o werth i'w ddweud.

"Mae'n rhyfedd", ebe Dafydd wrtho'i hun, "fod y dyn yna yn cael ei ddrwg leicio gymaint gan y cyfeillion. Mi fydda i'n gallu gwneud yn burion efo fo . . . Mae ganddo *rywbeth dan ei ewin* bob amser". DO. EH. 148.

819 TAN EWIN. Mewn llaw, mewn meddiant, wrth gefn.

Y mae gennyf ychydig [h.y. o arian] *tan ewin*, gwir yw. LlGO. 121.

EWINEDD

820 TYNNU'R EWINEDD O'R BLEW. Ymbaratoi o ddifri i fynd at orchwyl.

Meddai gwraig tŷ yn fy nghlyw y dydd o'r blaen: Wnes i ddim yn y tŷ 'ma ddoe na heddiw. Rhaid i mi *dynnu'r gwinedd o'r blew fory*!

Pan fo cath yn diogi'n ysgafala y mae'n gweinio'i hewinedd, ond pan fo'n ymosod ar ei hysglyfaeth, neu'n amddiffyn ei hun, daw'r ewinedd allan.

FEL

821 FEL A'R FEL. Mewn dull arbennig, neu agwedd arbennig.

[oherwydd ei bod yn sgrifennu at gyfeilles] diau ei bod yn mynegi ei meddwl a'i phrofiad yn rhyddach, ac yn llai dan ryw fath o orfod mewnol bod *fel-a'r-fel*. THP-W. M. 53.

I FYNY

822. AR I FYNY. Mewn hwyliau da.

Gorffennodd Siams ymdrwsio, a safodd ar ganol y llofft yn blentyn yn ei ysbryd a'i ystum. "Rwyt ti *ar i fyny* 'rwan, ac yn barod i gychwyn", ebe Lewis Dafydd. RDW. CT. 83

FFAGLU

823. EI FFAGLU HI. Mynd yn gyflym.

. . . ffeindio pen rheilffordd y tren bach *a'i ffaglu hi* i lawr tua Llanberis. RW. W. 38.

FFAIR

824. FFAIR DAN GAP. Rhyw waith neu fusnes lle mae'r canlyniad yn fater o hap.

Etholid swyddogion i'r Ysgol Sul yn Methesda [capel yn Yr Wyddgrug]. Pwy rown ni? gofynnai aelodau'r dosbarth i'r athro. Atebodd Daniel [Owen]. Waeth i chwi pwy rowch chi. *Ffair tan gap* ydi hi. JIM. HDO. 25.

Ni welais eglurhad ar yr ymadrodd, ond yn SOED dan y gair *'handicap'* [=*hand in the cap*] ceir y nodyn canlynol: "Formerly the name of a sport, described under the name of Newe Faire in Piers Plowman, B.V. 328, where it appears that it was a custom to barter articles and to give 'boot' or odds, as settled by an umpire with the inferior article. All the parties including the umpire, deposited forfeit money in a cap. The name refers to the drawing out of full or empty hands, to see whether the article was accepted or not". Efallai mai'r un math o chwarae yw'r *"ffair dan gap"* y sonia DO amdani.
Sylwer ar y gair "barter" sy'n cyfateb yn union i'r gair 'ffair'. (Ffeirio=cyfnewid).

FFASIWN

825. HEN FFASIWN. Heblaw'r ystyr gyffredin=yn dilyn defod neu arfer cyfnod a basiodd mewn gwisg, syniadau etc. golyga hefyd

(1) o'i ddefnyddio am blentyn: henaidd ei ddull. S. *precocious.*

Er dirfawr siomedigaeth i Mrs. Amos darfu i'r bedydd, neu rywbeth arall, ddwyn oddi amgylch gyfnewidiad rhyfedd yn ystad iechyd Enoc . . . Dechreuodd yn uniongyrchol edrych o'i gwmpas yn ddigon *hen ffasiwn.* DO. EH. 20.

(2) o'i ddefnyddio am rywun mewn oed: henffel, cyfrwys.

Nid oes dim dwywaith (775) na thwyllodd ei feistri droeon, ond bu'n ddigon *hen ffasiwn* bob tro i osgoi cael ei ddal.

FFEI

826. FFEI OHONOF (OHONOT, etc.). Cywilydd imi (iti, etc.)! Ebychair. O'r S. *fie*.

> *Ffei o* ieuenctid am ffo;
> Ni ffy henaint: *ffei 'hono*! Sion Tudur.
>
> *Ffei o* ddyn na ddianc unwaith
> O safn y ci a'i brathodd ganwaith;
> *Ffei bob peth* sy'n dwyno'r wyneb,
> *Ffei* lawenydd mewn ffolineb.
>
> HB. 33.

FFIDIL

827. RHOI'R FFID(I)L YN Y TO. Rhoi'r ymdrech i fyny. Rhoi'r gorau iddi.

> A Daniel [Owen] yn gystuddiol am rai wythnosau . . .'penodwyd gweinidog a oedd yn llenor o gryn fri i lanw ei le [fel athro]. Diflannodd ei ddisgyblion fel eira ar ddydd deheuwynt, a buan y *rhoes Tryfan ei ffidil yn y to*.
>
> JJM. HDO. 13.

Yn y to=? yn y nenfwd, y lle gwag o dan do'r tŷ lle y byddid yn rhoi i'w cadw bethau na byddai angen bellach amdanynt. Neu ar un o ddistiau'r nenfwd. Hen arfer gyfarwydd fyddai hongian ar y rheini, lle y byddent o'r ffordd, bethau fel gynnau, bwndeli o lysiau wedi eu sychu, etc.

FFIN

828. CROESI'R FFIN. Marw.

> Y mae'r bagad dynion o dalent ac athrylith a gweledigaeth y bûm i'n sôn amdanynt yn y cronicl hwn oll wedi *croesi'r ffin*. THP-W. M. 64.

'Y ffin'=y ffin rhwng y byd hwn a'r byd "a ddaw".

FFON

829. Y PEN PRAFFA(F) I'R FFON. Y fantais mewn ymrafael. Yr ochr gryfaf mewn unrhyw sefyllfa.

> Tra dalia' i'r pwrs gen i mae *pen praffa'r ffon*, a waeth iti wneud yr hyn ydw i'n ei ofyn.

Ffurf arall ar yr ymadrodd yw PEN FFYRFA'R FFON. 'FFYRFFA' yr yngenir yr ansoddair ym Mro Hiraethog.

FFORDD

830. BOD AR FFORDD RHYWUN. Bod yn rhwystr i rywun fynd ymlaen. Dyma dair enghr. o'r ymadrodd yn cael ei ddefnyddio mewn tair ffordd wahanol.

1. Yn llythr. Ni fedrwn ddod allan o'r maes parcio. Yr oedd clamp o lorri *ar fy ffordd.*

2. Symud, blentyn, 'rwyt ti *ar y ffordd.* [er efallai mai ar ganol y gegin y mae].

3. Ffig. Os wyt ti'n meddwl y talai iti newid gwaith wna i ddim bod *ar dy ffordd* di.

831. GWNEUD RHYWBETH YN FFORDD (RHYWUN). Ei helpu, gwneud rhywbeth sy'n gymorth iddo.

> Os medraf *wneud rhywbeth yn eich ffordd* i'ch helpu i gael tŷ, mi wnaf.

832. FFORDD FRENHINOL. Ffordd hawdd ac union. Câi'r ffyrdd brenhinol yr enw o fod yn rhwyddach ac unionach na'r cyffredin.

> Os mynnwch eich annynoli'ch hun, penderfynwch fyned yn gyfoethog. Dyna'r *ffordd frenhinol* i grebachu'r enaid. EapI. E(1) 45.

833. FFORDD YR HOLL DDAEAR. Marw. Y ffordd y mae'n rhaid i bawb ei cherdded. Yma, yr holl ddaear =holl bobl y ddaear. Ymadrodd ysgrythurol yw yn ei darddiad. CSA *The way of all flesh.* NEB a JB. *The way of all the earth.*

> Yna dyddiau Dafydd a nesasant i farw ac efe a orchmynnodd i Solomon ei fab gan ddywedyd, Myfi wyf yn myned *ffordd yr holl ddaear;* am hynny ymnertha, a bydd ŵr. 1 Bren. 2. 1, 2.

Gwamal yw'r defnydd ohono yn yr enghr. a ganlyn:

> . . . dychwelodd Williams fy nghyfarchion mewn llais dwys difrifol. Ofnais y gwaethaf: y misus druan oedd wedi *mynd i ffordd yr holl ddaear.* WJGr. SHF.

834. RHOI (RHYWUN) AR BEN Y FFORDD. Dangos y ffordd iddo. Felly, yn ffig. rhoi cyfarwyddyd iddo, ei hy*fforddi.*

> [JJE] . . . a'm *rhoes ar ben y ffordd* i ddod o hyd i lu o bethau diddorol a gwerth eu gwybod. JHJ. M. 30.
>
> Hyfforddia blentyn ym *mhen ei ffordd* a phan heneiddio nid ymedy â hi. Diar. 22. 6.

835. TALU'R FFORDD. Byw heb fynd i ddyled.

Yr oedd [fy nain] yn gynnil ryfeddol, yr oedd yn rhaid i bawb bron fod yn yr oes honno os oeddent am *dalu eu ffordd.*
KR. LW. 78.

Ai ymadrodd yw hwn o gyfnod y ffordd dyrpeg, pan oedd raid talu'r doll wrth dollbyrth yma ac acw am gael defnyddio'r ffordd? S. *Pay his way.*

836. YR UN FFORDD Â (RHYWBETH ARALL). Ynghyd â hwnnw. Fel rhan o'r un oruchwyliaeth.

Hen lanc oedd Tomos Bifan a chedwid ei dŷ ef, *yr un ffordd* â'r beudy â'r cwt moch, gan y gwas bach.
RDW. CT. 11.

'Rwy'n mynd â'm llythyrau i'r post. Mi af â'ch rhai chithau *yr un ffordd.*

Cf. dan *un.* Gw. (685).

FFROEN

837. FFROENUCHEL. Talog, trahaus. S. *disdainful, haughty.*

. . . nid oes ond pobl ffol-falch *ffroenuchel* chwannog . . . yn ymdynnu am fyned yn agos at frenhinoedd yn yr oes yma nac mewn un oes a aeth heibio. JJ. (G), STG. 9.

FFRWST

838. AR FFRWST. Ar frys mawr.

Brenhinoedd byddinog a ffroesant *ar ffrwst.*
Salm 68. 12.

839. MEWN FFRWST. Mewn brys byrbwyll.

Mi a ddywedais yn *fy ffrwst,* Pob dyn sydd gelwyddog.
Salm 116. 11.

Mae yn dda gen i erbyn hyn, er imi neud hynny *mewn tipyn o ffrwst,* fy mod wedi galw hefo Abel Hughes i ddeud yr hanes.
DO. RL. 64.

FFRWYN

840. A'R FFRWYN AR FY NGWAR. Ffig. Heb atalfa. Yn rhydd, yn ôl f'ewyllys neu fy mympwy.

Yr oedd yn hawdd iawn i arddull Morgan Llwyd redeg yn llyfn a'i *ffrwyn ar ei gwar* a rhoi boddhad mawr i'w chrewr wrth iddo droi'r geiriau rhyfeddol ar ei dafod.
KR. TH. 68.

Y darlun a awgrymir yn yr ymadrodd yw march, a'i farchog yn lle dal y ffrwyn yn dynn i'w reoli'n gaeth, yn gadael iddi ddisgyn yn llac ar ei war. Caiff yntau, felly, fynd i'w ffordd wrth ei fympwy.

841. RHOI FFRWYN AR . . . Rheoli. Cymedroli. Cadw dan reolaeth.

['Roedd] Doli'n dweud na fedrai hyd yn oed cynhebrwng ddim *rhoi ffrwyn* ar ffwdan Joanna. KR. SG. 16.

KR. SG. 16.

Gw. (840).

FFWR-BWT

842. FFWR-BWT. Sydyn. Swta. Di-rybudd.

Yn y dyddiaduron am y ddwy neu dair blynedd cyntaf y mae'r cofnodion dyddiol yn fyr ac yn *ffwr-bwt* iawn.
THP-W. P. 28.

Hyn [teitl a thema'r stori] efallai, a barodd imi roddi fy ffidil yn y to (827) fel storïwr honiadol mor *ffwr-bwt* (fel y dwedir yn Llŷn).
THP-W. LL. 49.

Ni chyfyngir defnydd y gair i Lŷn. Mae'n weddol gyffredinol trwy Wynedd gyfan. Nid gair Cymraeg mono'n wreiddiol. Daeth o'r Saesneg '*full-butt*' (=trawiad sydyn egr.) a newidiwyd yr 'l' i 'r'. Cf. Chwefro*l*=Chwefro*r*. Ceir y ffurf *fforbwt* arno mewn rhai ardaloedd.

FFWRDD

843. FFWRDD Â HI. Yn rhwydd ddi-ymdrech, gan gymryd pethau fel y dônt.

Pam na chaf innau ganu
Penillion bach ysgafn a ffri,
Yn sionc ac yn hoyw fel y beirdd
Sy'n tiwnio, a *ffwrdd â hi*?
THP-W. Ll. 94.

GAFAEL

Mae amryw briod-ddulliau yn ymwneud â'r gair hwn. Rhestrir rhai ohonynt:—

844. *Bob gafael.* Bob tro. Ai troad ymadrodd o fyd ymafael codwm?

845. *Bod yng ngafael* y gyfraith. Wedi cael gwŷs i ateb am dorcyfraith.

846. *Cael gafael rydd.* Bod heb ddim yn galw arno.

847. *Cymryd ail afael.* Yr wyf wedi *cymryd ail-afael* yn fy Ngramadeg Cymraeg. LlGO 2.

848. *Ches i ddim gafael* ar y bregeth. Dim gwir flas a diddordeb ynddi; nid oedd ynddi ddim i gydio yn y gwrandawr.

849. *Dyma frethyn a gafael* ynddo. Mae ansawdd da ynddo wrth ei deimlo.

850. *Gafael yn y gwaith.* Mynd ati.

851. *Mae'r gwynt 'ma'n gafael.* Mae'n brathu, mae'n finiog.

852. *Mynd i'r afael â (rhywbeth).* Ymosod arno (ffig.). Rhaid imi fynd i'r afael (e.e.) â'r broblem yma, neu â'r llyfr yma.

853. *Rhoi'r peiriant yn ei afael.* Ei roi mewn gêr.

GAFR

854. FEL GAFR AR D'RANAU. Yn nerfus a chyffrous.

> Diolch am y pellter . . . o'r pentre canys fe'n harbedai rhag bod dan lygad pawb, a chaffem disian neu besychu heb fod neb yn edrych *fel gafr ar d'ranau.* JHJ. M. 18.

855. GAFR A'M SGUBO. Defnyddir fel llw yng Ngwynedd. Ffurfiau eraill yw: gafr a'm coto, gafr a'm cipio.

GAIR

856. CAEL Y GAIR. Defnyddir yr ymadrodd mewn cysylltiadau fel: Mae hwn-a-hwn yn *cael y gair* o fod fel-ar-fel, h.y. fe ddywedir yn gyffredin ei fod felly.

> Nid oes nemor o gamp i ddyn arafaidd *gael y gair* o fod yn ddyn call. JPJ. Ysg. 14.

A'r un ystyr defnyddir hefyd CAEL YR ENW. Gellid e.e. rhoi 'enw' yn lle gair yn yr enghr. a ddyfynnwyd. Cf. *Y mae gennyt enw* dy fod yn fyw, a marw ydwyt. Dat. 3. 1.

857. DIM GAIR I'W GAEL AM GEINIOG. Ymadrodd a ddefnyddir am rywun mor brysur neu wedi ymgolli mor llwyr mewn rhywbeth, nes ei fod yn pallu sgwrsio nac ateb cwestiwn.

> Mae Huw â'i drwyn yn ei lyfr, Gwen yn gwylio'r teledu, a Nia efo'i phos jig-so, *'does dim gair i'w gael am geiniog* gan yr un ohonyn 'hw.

Am geiniog=er talu=er pob ymdrech. cf. 'am bris yn y byd' a ddefnyddir yn gyffelyb. Cf. hefyd y gair S. *a penny for your thoughts*. Clywir hefyd y ffurf, 'Dim gair i'w gael am arian'.

858. GAIR DA. Canmoliaeth. Clod.

> oblegid trwyddi hi [: ffydd] y cafodd yr henuriaid *air da.*
> Heb. 11.2.

CSA *good report.*

> Mae *gair da* i'r gwesty am fwyd rhagorol.

Ceir hefyd yn y ffurf: GEIRDA.

> Geirda rôi i gywirdeb.
> (John Thomas, Pentrefoelas am Dwm o'r Nant).

859. GAIR DU. Coegni. Gwawd. Melltith.

> Oni chyfyd y rhai hyn oll yn ei erbyn ddihareb, *a gair du . . .?* Hab. 2.6.

Fel term technegol mewn beirniadaeth lenyddol GAIR DU=S. *sarcasm*. Gw. JMJ. CD 62.
Gw. dan 'RHAD ARNO' (1303).

860. GAIR TEG. Term yw hwn a ddefnyddir am y troad ymadrodd a elwir yn S. *euphemism*. Medd J. Morris-Jones yn *Cerdd Dafod*, "Fe roir enw mwy dymunol weithiau ar beth anhyfryd er mwyn rhoi gwedd fwy hygar arno, neu rhag briwio teimladau â'r gair plaen. Galwai'r Groegiaid y duwiesau llidiog yn *Eumenides*, sef 'y rhai hynaws' (da eu hewyllys)' rhag eu digio drwy eu galw ar eu henwau eu hunain, canys — *Gair teg* a wna gariad hir.
Fe ddefnyddiwyd gair teg wrth enwi lleoedd cyn hyn, rhag bod coel mewn enw fel pan newidiwyd enw'r *Cape of Storms* i'r *Cape of Good Hope*. Y mae Rhagrith medd, Ellis Wynne:—

> mor gelfydd yn cuddio pob *camwedd* tan enw a rhith rhyw rinwedd, oni wnaeth hi i bawb agos golli eu 'dnabod arnynt eu hunain. Cybydd-dod a eilw hi *cynilwch;* ac yn ei hiaith hi *llawenydd diniwed* yw oferwch; *boneddigeiddrwydd* yw balchder . . . *Cydymaith* da yw'r meddwyn."
> JM. M-J. CD. 62.

861. GAIR YNG NGAIR. GAIR YNGAIR. Gair am air, yn union fel y dywedwyd neu y sgrifennwyd. Verbatim.

A'r bobl a'i hatebasant ef *air yng ngair* fel o'r blaen. 1 Sam. 17. 30.

. . . Oni chanlynais fy awdur *air yngair* na feddwl wneuthur ohonof ar fai, canys weithiau (yr wyf yn cyfaddef) mi a rois lai, weithiau eraill mi a rois fwy nag sydd yn y llyfr Saesonaeg . . .HL. PMA. xxiii.

862. (G)AIR YN AIR=GAIR YNG NGAIR.

Mi dderbynis i glamp o lythur oddwrth Mistar . . . a dyma gopi ohono fo i chitha, *air yn air* a lluthyren am luthyren, wel [=fel] y ces ine fo. WR. LlHFf. 23.

863. RHOI FY NGAIR. Rhoi ymrwymiad pendant. Rhoi addewid.

864. SEFYLL AT FY NGAIR. Cadarnhau yr hyn a ddywedais o'r blaen. Cadw fy addewid.

865. TORRI GAIR. Mae dwy ystyr i'r ymadrodd hwn. (1) yngan gair. Siarad.

Nid yw wedi *torri gair* â neb ers dyddiau (h.y. wedi siarad â neb).

Dywedir am blentyn yn dechrau siarad.

Mae'n dechrau *torri geiriau* 'rwan.

(2) Peidio â chadw addewid. Y gwrthwyneb i (31).

Yr oedd wedi addo dod i annerch y gynhadledd ond *torri ei air* wnaeth-o.

866. WAETH UN GAIR NA CHANT. Mae'r peth yn eglur; nid oes angen chwanegu geiriau na dadlau yn ei gylch.

Wauth un gair na chant, mau eisio dwigiad yn y palment [=senedd]. WR. LlHFf. 35.

867. YN UNAIR. Yn gytûn yn yr hyn a ddywedir. Yn dweud yr un peth. Gw. (1472).

A'r saint cytun *yn unair*
Dywedant, gwiriant y gair. BGO. 39.

868. Y GAIR GARWA(F) (Y)MLAENA(F). Ymadrodd a ddefnyddir wrth sôn am rywun y mae ei ddull swta (hyd yn oed sarrug) o siarad yn rhoi camargraff am ei natur wirioneddol. Mae'n fwynach a charedicach nag y mae'n swnio.

Peidiwch â chymryd eich twyllo gan ei eiriau pigog o. *Y gair garwa 'mlaena* ydi hi efo fo'n wastad. Ond fu neb parotach ei gymwynas.

GARW

869. TORRI'R GARW. Gwneud peth y tro cyntaf ac felly peri ei fod yn haws i'w wneud o hynny allan.

> Ers hanner canrif, wedi i'r *Llenor dorri'r garw* mae mwy o drafod llenyddiaeth . . . mewn cylchgrawn a choleg a dosbarth allanol nag yn yr Eisteddfod. ALlW. NNH.

Fe'i defnyddir am gychwyn sgwrs â rhywun dieithr:

> Eisteddem wrth yr un bwrdd, yn ddieithriad hollol i'n gilydd, fel mudion. Toc mentrodd un ddweud brawddeg ac wedi *torri'r garw* ni fu pall wedyn ar y sgwrs;

ac yn arbennig am baratoi'r ffordd i gyflwyno rhyw newyddion drwg neu annerbyniol

> Nid oedd waeth iddi heb na rhagrithio, byddai'n rhaid iddi sôn am Fob Ifans wrth Nel rywdro ac efallai y byddai gwisgo sgert las yn help i *dorri'r garw* a dechrau sgwrs am y peth. KR. OGB. 106.
>
> (Gwraig weddw'n meddwl am hysbysu chwaer ei gŵr cyntaf ei bwriad i ailbriodi).

Ymadrodd o fyd yr amaethwr yw TORRI'R GARW. Wrth lyfnu tir âr, fe â'r llyfnwr â'r og un ffordd i ddechrau, gan weithio *ar i lawr* os bydd rhywfaint o ledd yn y tir; wedyn â dros yr un darn yr eildro cyn symud at y darn nesaf. Yr enw ar yr hyn a wneir y llyfniad *cyntaf* bob tro yw 'torri'r garw'.

870. UN GARW. Un medrus. galluog, craff, bachog, cyflym i weld cyfle. Defnyddir yr ymadrodd mewn dwy ffordd. 1. yn cael ei ddilyn gan yr arddodiad 'am'+enw (neu ferfenw) a'r enw'n cyfleu'r 'maes' neu'r cyfeiriad y mae'r sawl y sonnir amdano yn fedrus etc., ynddo. e.g. Un garw am waith; un garw am ferched; un garw am fargen; un garw am siarad; un garw am hel diod, etc.

> Tra'r oedd Hugh Bryan yn mynd ar i waered [yn ei fasnach] yr oedd Enoc Huws yn gwthio ymlaen ac eisoes wedi cael y gair (856) o fod yn *un garw am fusnes*.
> DO. EH. 24.

2. ar ei ben ei hun, heb ychwanegiad. Pan ddefnyddir ef felly, rhoddir iddo un o ddwy ystyr, tra gwahanol i'w gilydd.

(a) galluog (mewn ystyr gyffredinol):

'Does gan y mab sy gartref ddim llawer yn ei ben. Ond am y llall sy'n y coleg, mae o yn *un garw* iawn. S. ***clever, able.***

> Ni ddarllenais i mo gyfieithiad y diweddar James Harris o *Rhys Lewis* . . . canys clywais fy hen feistr — Y

Llyfrbryf — yn nodi hwn fel enghraifft o'i wallau: troi *un garw* ydi'r bachgen ene yn "He's a rough 'un, that boy'. JHJ. GG. 120.

(b) garw am y byd, neu am arian — yn gybyddlyd felly.

Un *garw* ydi'r hen Williams. Mae cael swllt o'i groen fel cael gwaed o garreg.

Sut y magodd 'garw' yr ystyron arbennig yma o *'clever'* a *'miserly'*? Rhai o'i ystyron sylfaenol (gw. GPC) yw anwastad, bras, cwrs, blewog. S. *rough.* Mae deunydd 'rough' yn dueddol i "fachu" neu "afael" mewn pethau. Nodwedd ar ddyn galluog yw bod ei feddwl yn *"afaelgar"*, neu fel y dywed y S. he's quick to *grasp* a thing. Rhywsut fel yna y daeth 'garw' i olygu *clever.* Ar hyd yr un llinellau y daeth iddo'i ystyr annymunol. Onid un "bachog", S. *grasp*ing, yw'r cybydd yntau?

GEIRIAU

871. CAEL GEIRIAU Â (EFO) RHYWUN. Ffraeo, cweryla ag ef.

'Rydwi wedi *cael tipyn o eiriau* efo Ernest y Plas ynghylch y ceffyl, achos fo fu'r achos o'r ansiawns, mi gymra fy llw. DO. GT. 96.

Sylwer ar y gwahaniaeth ystyr rhwng yr uchod a 'cael *gair* â rhywun'=ymddiddan â rhywun, yn fynych i bwrpas penodol.

GÊN

872. DYLYFU GÊN. Agor ceg o flinder, diogi neu syrffed. S. *yawn.*

Nid gan freuddwydio na *dylyfu gên* y gafaelai [Thomas Roberts] mewn llyfr, ond yn effro a chyda difrifwch *angerddol.* JHJ. M. 190.

873. HEB WAETHA' FY NGÊN. Er fy ngwaethaf.

. . . . a chyn ei fynd nepell llusgodd llaw anweledig y Cadno [:Lucifer] yn ei ôl *heb waetha'i* ên gerfydd ei gadwyn. EW. BC. 109-10.

GENI

874. GWYBOD FY NGENI. Gwybod mewn difrif am galedi a phroblemau bywyd.

Nis gwybum *i mo'm geni* . . . nes dyfod i fysg y Saeson drelion yma. LlGO. 20.

Beth petae'r bobl sy'n cwyno am amodau byw heddiw yn gorfod wynebu bywyd eu tadau, a'u teidiau? *Wyddan' nhw mo'u geni.*

GEWYN

875. RHOI POB GEWYN AR WAITH. Ffig. ymdrechu hyd eithaf gallu.

> Er i Sem Llwyd "balu celwydd" (485) gymaint ag a allai am ragolygon Gwaith Coed Madog ac i'r Capten *roi pob gewyn ar waith* i geisio cael gan gymdogion ariannog gymeryd *shares* yn y gwaith ni choronwyd eu hymdrechion â llwyddiant. DO. EH. 307.

Y gewynnau yw'r llinynnau sy'n cydio cyhyrau'r corff wrth yr esgyrn. Y mae'r naill a'r llall yn gwbl angenrheidiol i symudiadau'r corff.

GODRO

876. BREFU 'CHYDIG A GODRO'N DDA. Ymadrodd ffraeth a ddyfynnir yn GPC ac a ddefnyddir am lywydd eisteddfod, cyngerdd, etc. os bydd yn gynnil wrth draethu ond yn hael wrth "gyfrannu i'r drysorfa"!

877. GODRO MWY NAG UN FUWCH. Ffig. Bod â mwy nag un ffynhonnell o incwm.

> Yr oedd [Daniel Owen] yn awr, ac ef yn *godro dwy fuwch,* y teilwra a'r pregethu, yn glyd ei amgylchiadau bydol. JJM. HDO. 9.

GOFYN

878. MYND (DYFOD) AR OFYN RHYWUN. Mynd (dyfod) i geisio ganddo, i ddeisyfu ffafr ganddo.

> Ni raid i chwi *fyned ar ofyn* neb am y pethau mawr. Y mae gwobrau uchel duwioldeb yn gyraeddadwy i ddyn ar ei ben ei hun. JPJ. GD. 47.

879. Y MAE GOFYN . . . (a berfenw'n dilyn). Y mae'n angenrheidiol.

> Mae Taid yn deud bod *gofyn* ichi gadw'r rhain [:sypyn o wiail helyg at drwsio cewyll ceimychiaid] yng nghysgod haul (1120) rhag iddyn nhw grasu. JGW, MM. 115.

Yn negyddol. NID OES OFYN . . .

> 'Does dim gofyn ymddiheuro. S. *There is no need, there is no call, for apology.*

880. Y MAE GOFYN AM . . . (rhyw swydd neu wasanaeth neu'r cyffelyb). S. *there is a demand for . . .*

> 'Does dim *gofyn* am waith gof yn yr ardal yma erbyn hyn.

881. YN ÔL Y GOFYN. I ateb i'r angen. Wrth fel y bydd y galw.

Fe ddarperir ffurflenni Cymraeg *yn ôl y gofyn.*

GOLCHI

882. GOLCHI FY NWYLO (ODDI WRTH RYWBETH). Gwrthod gwneud dim ag ef ymhellach. Ymwadu â phob cyfrifoldeb amdano. Cyfeiria'r geiriau at waith Peilat yn golchi ei ddwylo yn ystod y praw ar Iesu Grist.

A Peilat, pan welodd nad oedd dim yn tycio, ond yn hytrach bod cynnwrf, a gymerth ddwfr, ac a *olchodd ei ddwylo* gerbron y bobl gan ddywedyd. Dieuog ydwyf fi oddi wrth waed y cyfiawn hwn; edrychwn chwi..

Math. 27. 24.

GOLWG

883. AR UN OLWG. AR RYW OLWG. O edrych ar y peth o safbwynt arbennig.

. . . Fe barodd ei enciliad cynnar i rai synio amdano fel rhyw fath o rith, ac yr oedd hynny'n ddigon naturiol *ar ryw olwg.* THP-W. M. 67.

884. CAEL GOLWG AR RYWUN neu (RYWBETH). S. *get a view of, have a look at.*

Wedi brecwast aethpwyd i fyny i *gael golwg* ar y lle oddi-ar y bwrdd. (sef bwrdd y llong). THP-W. Y. 30.

Mae mymryn o wahaniaeth yn yr ystyr mewn brawddeg fel, "Welais i ddim golwg ohono." S. *I did not catch a glimpse (sight) of him.*

885. I BOB GOLWG. Cyn belled ag y gellir barnu oddi wrth ymddangosiad.

Wyt ti'n cofio Jac y Saer, un o hogiau'r dre? Byddai Jac yn cerdded ar ôl ei waith o le i le ac yn dduwiol iawn *i bob golwg.*

RGB. LlD. 61.

GORCHEST

886. DANGOS FY NGORCHEST. Eglurir ystyr yr ymadrodd yn yr enghrau. hyn:

"Dangos 'i orchest" . . . ymadrodd Cymraeg rhywiog am rywun yn ymarddangos fel petai'n gampwr ar rywbeth.

THP-W. M. 81.

Daeth fy nain allan a chymerodd ei phlant ei hun adref a dywedodd, 'Dowch i'r tŷ, ne mi laddith hi i hun wrth *ddangos i gorchast* [am eneth oedd yn dawnsio ar ben to tŷ].

KR. LW. 99.

Yr ymadrodd S. yw *to show off.*

GORDD

887. O DAN YR ORDD. O dan gerydd a beirniadaeth.

Welais i neb tebyg iddo am ffeindio beiau a beirniadu pobl. 'Does na neb yn y pentre nad yw *dan yr ordd* ganddo.

Gordd=morthwyl trwm o bren neu haearn. Hawdd deall sut y daeth erfyn a ddefnyddir i *guro* yn arwydd-lun o feirniadaeth etc. Mewn llyfr Americanaidd (A Desk Book of Idioms and Idiomatic Phrases, Vizetelly and De Becker) rhestrir S. *'to hammer=to find fault with, decry, scold.* Yn Lloegr, fodd bynnag, *'to hammer'*=cyhoeddi rhywun yn fethdalwr ar y *Stock Exchange.* Noder y gwahaniaeth ystyr rhwng 'dan yr ordd' a 'dan y morthwyl'=ar werth mewn ocsiwn, cyfeiriad at forthwyl yr arwerthwr.

GORFFWYS

888. GORFFWYS AR FY RHWYFAU. Bodloni ar yr hyn a gyflawnais eisoes, heb ymdrechu ymhellach.

Gwnaeth yn dda yn ei astudiaethau yn y flwyddyn gyntaf. Wedyn aeth i *orffwys ar ei rwyfau,* ac ar ddiwedd ei gwrs methodd ym mhob pwnc.

Trosiad o fyd rhwyfo sydd yn yr ymadrodd — y rhwyfwr wedi bod yn rhwyfo'n galed am sbel, yn peidio ac yn gadael i'w ddwylo "orffwys" yn llac ar y rhwyfau.

GOSTEG

889. AR OSTEG. Wedi cyhoeddi gosteg=wedi galw am dawelwch a'i gael=ar goedd, yn gyhoeddus, yn agored.

[Yr hen Gristnogion gynt] . . . a sgrifenasant lyfrau a llythyrau ymbil gan ufudd atolwg i'r Ymerodrau ac i'r Twysogion ar gael onynt eu hymddiffyn eu hunain a'u cymdeithion yng ngolwg ac *ar osteg* y byd. MK. DFf. 12.

Proffesu *ar osteg* athrawiaeth Iesu Grist gan gyfaddef ar gyhoedd beth bynnag a ddatguddiodd neu a orchmynnodd ef. EW. RBS. 171.

Os gellid ei gael [:Syr J. Morris-Jones] i ddarllen prydyddiaeth *ar osteg* . . . neu i sôn am bwynt o ramadeg neu gystrawen, âi'r amser heibio heb yn wybod i ddyn.
TGJ. Cym. 94.

Yr oedd AR OSTEG yn ymadrodd technegol yn yr hen gyfreithiau Cymraeg a'i ystyr oedd 'wedi galw am ddistawrwydd' h.y. yn y neuadd neu'r llys. Enw'r swyddog rheolaidd a archai "osteg" oedd y Gostegwr.

GOSTWNG

890. GOSTWNG GARR(AU). Ymgrymu, gwneud cyrtsi. Yn llythr. gostwng cluniau (gar=coes, clun).

"Bore da", ebe fy mam [wrth Mr. Brown y Person], yn gwta ddigon, *heb ostwng dim ar ei garrau,* na gwneud un arwydd o warogaeth. DO. RL. 154.

Rhydd GPC enghr. o lafar y gogledd:

Un gwasedd iawn ydi o yn *gostwn (yn) 'i arre i bob* rhyw gorgi bach o Sais.

GRAEN

891. YN GROES I'R GRAEN. YN ERBYN Y GRAEN. Ffig. yn erbyn tueddfryd naturiol (rhywun). Yn groes i ewyllys (rhywun).

Yr oedd cyfrannu arian at unrhyw achos *yn groes* iawn *i'r graen* i un o'i natur grintachlyd.

Am fod y wraig yn swnian, ac yn gwbl *groes i'r graen,* cytunais i fynd i'r Cyngerdd.

Nid oes raid bod yn llawer o saer i wybod nad yn rhwydd y trinir pren yn groes i'r graen.

GRYM

892. RHOI MEWN GRYM. Rhoi mewn gweithrediad ymarferol.

"Ah," meddai Wil, "mi fasa hi [coes bren Robyn y Sowldiwr] yn cynneu yn braf" . . . Druan oedd Wil! ni chafodd byth *roddi ei* ddymuniad *mewn grym.*
DO. RL. 52.

GWADN

893. GWADN ADEILAD. Y sylfaen.

Yr achos pam na saif y gwaith yw am fod llynclyn *dan wadn yr adeilad.* TE. DPO. 113.

E ddarfu gosod yr Eglwys ar *wadnau* a gwaelodfeini'r Apostolion a'r Proffwydi; 'i chynnal ynghŷd y mae'r Conglfaen unig, yr hwn yw Iesu Grist. MK. DFf. 186.

Fel y saif dyn ar wadn ei droed, felly y saif adeilad ar ei sylfaen.

894. LLUNIO'R WADN FEL Y BO'R TROED. Trefnu'r gwario i gyfateb i'r adnoddau sydd ar gael; byw o fewn eich moddion; ymaddasu i'r amgylchiadau.

Yr oedd . . . cyflogau [mwynwyr Pwll y Gwynt], ŵyr dyn,

wedi bod yn druenus o fychain, prin yn bedwar swllt ar ddeg yr wythnos . . . Wrth *lunio'r gwadn fel bo'r troed* yr oeddynt hwythau wedi gallu byw ar hynny. DO. EH. 106.

Yn y dyddiau gynt mesurai'r crydd droed ei gwsmer a lluniai'r esgid i gyfateb. Bellach rhaid i'r cwsmer ffitio'i droed i'r esgid sydd ar gael.

Wrth sôn am ymadrodd cyfystyr yn S. (*cut your coat according to your cloth*) dyfynna Brewer y dywediad Lladin, *Si non possis quod velis, velis id quod possis.* (Oni elli a ddymunech, dymuna'r hyn a allech).

895. SEFYLL AR FY NGWADNAU FY HUN. Dibynnu arnaf fy hunan. Gweithredu ar fy nghyfrifoldeb fy hun. Bod yn annibynnol ar bobl eraill.

"Gyda'r *Hunangofiant,* Rhys Lewis ei hun oedd yn gyfrifol am deilyngdod y gwaith . . . Ond wrth ddwyn yr hanes hwn [: Enoc Huws] drwy y wasg . . . rhaid imi *sefyll ar fy ngwadnau fy hun'.* DO. EH. 7.

GWAED

896. GWAED COCH CYFAN. Mae 'gwaed' yma'n sefyll am waedoliaeth neu linach. Un 'o waed coch cyfan' yw un y mae ei linach heb gymysgu ag unrhyw un arall. Nid oedd Emrys ap Iwan yn un felly (gan ei fod o waed Ffrengig ar ochr ei fam) a defnyddia'r ffaith honno i godi cywilydd ar ei gyd-genedl. Ebr ef:

Pe buaswn yn Gymro o *waed coch cyfan* fel un ohonoch chwi, hwyrach y gallaswn gyd-ddwyn â'ch gwaseidd-dra. EapI. E. (1) 61.

Nid coch, ond glas, yw gwaed pur yn Lloegr er mai cyfieithiad, meddir, yw'r *"blue blood"* Seisnig o'r ddeu-air Sbaeneg "sangre azul" — peth yr ymffrostiai rhyw deuluoedd o feilchion Sbaen ynddo. Mae'n debyg mai glesni gwythienni, yn enwedig mewn pobl bryd golau, a roes fod i'r syniad o "waed glas". Gw. yr erthygl nesaf.

897. (O) HANNER GWAED. Croes i 'waed coch cyfan — am fod un o'r rhieni heb fod o'r "wir" waedoliaeth.

Y mae gennym yma ryw ddau 'scwier *o hanner gwaed* (chwedl (670) y Bardd Cwsg). LlGO. 30.

898. MEWN GWAED OER. (1) (Ystyr dda). Yn bwyllog a diragfarn.

Ni phenderfynwyd [canon y T.N.] heb lawer o chwilio; ac

nid oedd y cwestiwn yn gwestiwn plaid, fel y gallwyd sefyll uwch ei ben *mewn gwaed oer*. JPJ. Iago xi.

(2) (Ystyr ddrwg). Defnyddir y geiriau mewn cysylltiad â gweithred annheilwng a wneir yn fwriadol, yn hytrach nag yng ngwres a nwyd y funud (pe felly buasai'n haws ei maddau).

Cyhudda'r Wrthblaid y Llywodraeth o fynd ati *mewn gwaed oer* ac fel rhan o'u polisi i greu diffyg gwaith.

Credid un adeg bod gwres y gwaed yn rheoli tymherau dyn.

899. GWAED YR AEL. Defnyddir yr ymadrodd hwn ar lafar yn gyffredin mewn brawddegau fel Mae'r ddau wedi bod yn ymladd nes eu bod nhw'n *waed yr ael.* — h.y. yn waed i gyd. S. *covered with blood.* Nid ymddengys fod a wnelo'r ymadrodd â'r gair 'ael' (*ael* y llygad) er mor naturiol fyddai "yn waed i'r ael". Ei darddiad yw'r hen air "gwaedryar" (gwaedlyd). (Sonia Gwalchmai, un o'r Gogynfeirdd, am frwydr yn nhueddau Môn: 'A Menai heb drai o drallanw *gwaedryar*'). Trwy gyfnewid 'r' ac 'l' (cf. Chwefror, Chwefrol) aeth hwnnw'n 'gwaedryal', a hwnnw wedyn yn 'gwaed yr ael'.

Codai rhyw hen gynnen ambell waith, a byddai ffrae ac ymladd, a'r sôn i'w glywed drannoeth bod hogiau'r lle a'r lle wedi "ei chael hi nes oeddan nhw'n *waed'r ael*" gan hogiau plwyf arall. TGJ. Bri. 28.

900. YN FY NGWAED. Yn duedd naturiol ynof. Yn rhan hanfodol o'm cyfansoddiad.

Mae Mot fy nghi a minnau
  Y Cymry gorau gaed:
Ein dau o hen wehelyth
  Ac arail* *yn ein gwaed.*

E. Wyn. CA. 17.

*arail=bugeilio.

GWAITH

901. DODI (GOSOD) (RHOI) RHYWUN AR WAITH. Peri ei fod yn gwneud rhywbeth neu'i gilydd.

Y mae'n gyffelyb* bod Ieuan Brydydd Hir ac eraill wedi eu *rhoi ar waith* ar yr un achos [sef cyfansoddi cywydd i Dywysog Cymru]. LlGO 34.

*Cyffelyb=tebyg.

902. GWAITH CAIB A RHAW (1). Gwaith corfforol, o'i gyferbynnu â gwaith meddyliol. Trwy'r troad ymadrodd

a elwir Trawsenwad (S. *metonymy*. Gw. JMJ CD 53) defnyddir yr arfau'n sumbolau o'r trymwaith a wneir â hwy. Yn y cwpled a ganlyn o waith Ieuan Deulwyn saif *caib a rhaw* am fath arbennig o drymwaith corfforol, sef torri bedd.

Mae rhyw amwynt* i'm rhwymaw
Ac e bair hyn *gaib a rhaw*.

*amwynt=afiechyd, anffawd.

(2) Gan mai *caib a rhaw* (cyn dyddiau'r teirw dur) a ddefnyddid i glirio lle ar gyfer gwaith pellach (e.e. adeiladu) daeth y term 'gwaith caib a rhaw' ar arfer fel cyfystyr ag unrhyw lafur rhagbaratöol, ac nid llafur corfforol yn unig, nac yn bennaf.

Cyn y gellid dechrau llunio'r geiriadur yr oedd llawer o *waith caib a rhaw*, casglu, rhestru, trefnu a dosbarthu defnyddiau etc — yn angenrheidiol.

Cf. fel y defnyddir y gair S. *spadework* yn yr un modd.

903. MYND I'R GWAITH AUR. Ymadrodd ffraeth a glywais beth amser yn ôl am fynd i Swyddfa leol y Weinyddiaeth Diogelwch Cymdeithasol i gasglu'r 'dôl'.

904. YN FY NGWAITH. Heblaw ystyr arferol amlwg y geiriau, fe'u defnyddir hefyd i olygu yn *barhaus, yn ddiddiwedd.*

yr ydw i *yn fy ngwaith* yn hel defaid Wiliam Morgan o'r ardd yma.

neu

Yr oedd Elin *yn ei gwaith* drwy'r dydd yn clirio'r llanast ar ôl y plant.

Yr awgrym yn y geiriau yw 'fel petai yn brif, neu'r unig, waith gennyf.'

GWALLT

905. A'M GWALLT YN FY NANNEDD. A golwg aflêr, a'r gwallt yn disgyn yn chwalfa ddi-drefn o gwmpas yr wyneb. Y darlun a gyfleir gan y gair S. *unkempt*. Am ferch y defnyddir yr ymadrodd fel arfer, er nad oes reswm, wedi dyfod y ffasiwn i ddynion wisgo gwalltiau llaesion, pam na ellid ei ddefnyddio bellach am y ddeuryw fel ei gilydd. Ffurf arall a glywir ar y dywediad yw, 'A'M GWALLT AM BEN FY NANNEDD'.

GWAR

906. BOD AR WAR RHYWUN. Bod ar ei ôl yn barhaus, heb roi llonydd iddo.

Os na fydda'i *ar war* y bachgen yma bob munud, diogi wnaiff o.

907. GWNEUD GWAR. (1) Llythr. Crymu gwar ar gyfer cosfa. (2) Ffig. ymbaratoi i dderbyn cerydd neu brofiad annymunol arall.

(1) Gwelwn y bachgen yn *gwneud gwar* barotoawl tra yr elai yr hen Sowldiwr o gwmpas yr ysgol, gan ffonio pawb yn greulawn a diwahaniaeth. DO. RL. 45.

(2) 'Roedd Gwen Ifan a'r plant a'r gweision cyflog . . . yn *gwneud gwar* i dderbyn y ddyrnod ac yn paratoi eu meddyliau i ffarwelio â Bryn Marian. RDW. CT. 78.

GWASGU

908. GWASGU AR RYWUN i wneud rhywbeth. Dwyn perswâd cryf arno i'w wneud.

Mae pawb yn *gwasgu arno* i barhau yn ei swydd fel trysorydd.

909. GWASGU AR . . . (gan nodi oedran). Nesu'n glos at yr oedran hwnnw.

Mae hi'n *gwasgu ar* ei phedwar ugain a deg.

910. GWASGU AR WYNT RHYWUN. Yn llythr. peri diffyg anadl arno, ei gwneud yn anodd iddo anadlu. Yn ffig. pwyso arno i'w berswadio i weithredu mewn ffordd arbennig. S. *bring pressure to bear.*

Yr unig ffordd i sicrhau Ysgol Gymraeg yn y cylch yw parhau i *wasgu ar wynt* y Pwyllgor Addysg.

911. GWASGU PENNAU YNGHYD. Cyd-ymgynghori a chyd-gynllunio. S. *put* [*their*] *heads together.*

Yr awron fe roes [Belial] y tri* i *wasgu eu pennau 'nghyd* pa fodd nesa y gallent ddifa y stryd groes acw, sef Dinas Imaniwel. EW. BC. 17.

*sef y Pab, y Twrc a Lewis XIV o Ffrainc.

GWEGIL

912. TROI GWEGIL. Troi cefn; ymwadu â rhywbeth.

Canys hwy a *droesant* ataf fi *wegil* ac nid wyneb. Jer. 2. 27.

Credai fod yr hen ferch wedi *troi gwegil* ar hudoliaethau serch. RDW. CT. 137.

GWEILL

913. AR Y GWEILL. Gweill (gweyll) yw'r nodwyddau y bydd rhywun yn gweu â hwy. 'Rhoi rhywbeth ar y gweill' (hosan yn arbennig, yn y cyfnod y lluniwyd yr ymadrodd) yw dechrau ei weu, ac ar y gweill y bydd nes cwblheir. Yn ffig. pan ddywedir fod rhywbeth 'ar y gweill' golygir ei fod yn cael ei wneud ond heb ei orffen.

> Byddai hanner dwsin neu ragor o bregethau ganddo [: Puleston Jones] yn aml *ar y gweill* ar yr un pryd.
> RWJ. JPJ. 126.

Am gyfansoddiadau llenyddol (neu araith, pregeth neu'r cyffelyb) y defnyddir y troad fynychaf, mae'n debyg. Sonnir am 'nofel, awdl, traethawd' *ar y gweill*. Ond nis cyfyngir i hynny o bell ffordd, e.e.

> Mae gennyf drip *ar y gweill* ac mi af am dro
> Eto i Banama a New Mexico. THP-W. DG. 90.

GWELED

914. OS GWELWCH YN DDA. Yn y defnydd arferol ohono wrth gwrs, ymadrodd o gwrteisi a ddefnyddiwn wrth wneud cais ydyw hwn. Ond fe'i defnyddir hefyd i fynegi rhyw fath o syndod digrifol neu, weithiau mewn coegni, fel ag i fwrw gwawd ar y syniad a gyfleir gan y geiriau y mae'n gysylltiedig â hwy.

> Gwelais un [blaenor] yn dyfod ato unwaith, ac yntau ym mysg rhyw dri neu bedwar o honom [ei gyd-fyfyrwyr], a gofyn iddo—"Owen Edwards, rowch chi gyhoeddiad yng Nghwm Tir Mynech?" Tynnodd Owen ei lyfr allan; ac ar hynny ailfeddyliodd y Blaenor. "Arhoswch" meddai, "mi ga' i'ch gweld chi eto. Os gofynna'i i chi 'rwan, mi fydd raid i mi ofyn i'r rhein i gyd": a ninnau, *os gwelwch chi'n dda,* 'n clywed y cwbl! Dyma'r sut bregethwr oedd Owen Edwards.
> JPJ. Ysg. 37.

> Nid llyn plaen gwladaidd yw hwn [Llyn Cwellyn] . . . Y mae yno ffermdai yn y cyffiniau ond nid yw ef yn gwneud llawer o siapri o'r rheini . . . Digon yw'r gwesty a'r plasty i'w ysbryd cysetlyd ef. Nid wyf yn meddwl ei fod yn ymfalchio llawer yn y stesion sydd ar ei lan ychwaith — *Quellyn Lake, os gwelwch yn dda,* gyda *Qu.*
> THP-W. OPG. 80

GWELL

915. Defnyddir 'GWELL' yn yr ystyr o 'fwy' neu 'chwaneg' gydag ymadroddion mesur (rhif amser, hyd, pwysau).

> Mi dderbyniais yn ddiweddar Destament Arabaeg o Allt Fadog, a yrasai Mr. R. Morris i mi er ys *gwell* na blwyddyn. LlGO. 84.
> 'Mae hi'n ffarm o gan acer neu *well*

Gw. enghr. arall (1392).

916. O FLAEN FY NGWELL. O flaen llys barn neu'r cyffelyb.

Bydase ti o *flaen dy well* yn y chwarter sesiwn, mi fase yn burion i ti sôn am dy rinweddau. Ond . . .o flaen dy Farnwr gore po leiaf y soni di amdanyn 'nhw.
D. RL. 78.

"Gwell" yn yr ystyr gymdeithasol a olygir. Daeth y term i lawr o'r dyddiau pan etholid ustusiaid ar gyfrif eu "safle". Bellach, oni bai ei ddefnyddio mewn coegni, aeth yn ystrydeb bron=mynd i'r cwrt.

GWELLT

917. BWYTA GWELLT FY NGWELY. BYW AR WELLT FY NGWELY. Edrych yn wael a thenau ac ar lwgu.

Cefais brofiad degau o flynyddoedd o gysodi mewn ystafelloedd deifiol o boeth a mwll, neu ynteu yn yr eithaf arall . . . pa ryfedd . . . bod fy ngwedd mor llwyd a llipa nes y taerai pobl y wlad, pan awn adre am dro, y rhaid fy mod "yn *bwyta gwellt fy ngwely.*" JHJ. M. 159.

Pan fyddai ffermwr yn rhy esgeulus neu rhy grintachlyd i roi porthiant priodol i anifail a gedwid i mewn, byddai raid i'r creadur, rhag llwgu, fwyta'r gwellt aflan a daenid hyd lawr ei gut. Ni ellid disgwyl llawer o raen ar anifail felly. Yn yr hen amser, wrth gwrs, ar wellt y cysgai pobl hefyd; ac efallai mai cyfeiriad at hynny sydd yma — dyn â'i fyd mor enbyd o fain nad oes ganddo ddim i'w fwyta ond y gwely otano!

GWENDID

918. GWENDID Y LLEUAD. Pan fo'r lleuad i'w gweld yn lleihau wedi'r llawn. S. *wane of the moon.*

Mae'n ymddangos [meddai Jones y Plismon wrth Marged, *housekeeper* Enoc Huws] eich bod ar adegau neilltuol — megis pan fydd y *lleuad yn ei gwendid* — yn gadael i'r ysbryd drwg eich meddiannu. DO. EH. 194.

GWLAD

919. AR DRAWS GWLAD. Gw. (148).

920. AR GOEDD GWLAD. Lle bo pawb yn clywed a gwybod. Gw. (139). 'Gwlad' yma=y boblogaeth yn gyffredinol. Cf. 'barn y wlad', 'llais gwlad' etc.

GŴR

921. GŴR Â CHLEDDAU. Defnyddir y geiriau gyda'r gair "ofni".

Ofnid ef fel *gŵr â chleddau.*

Mae pwynt y gymhariaeth yn eglur.

GWRAIDD

922. HYD Y GWRAIDD. Yn llwyr a chyfangwbl.

Cymro oedd Syr Edward [Annwyl] *hyd y gwraidd.*
TGJ. Cym. 11.

923. WRTH WRAIDD RHYWBETH. Yn peri'r peth, yn rhoi bod iddo.

Yr ofn hwn sydd *wrth wraidd* holl wendid dynoliaeth.
THP-W. Y. 13.

924. WRTH WRAIDD Y DRWG. Yn gyfrifol amdano.

Yr oedd yn ddigon golau . . . i mi weld Twm yn cario tair neu bedair o *'footstools'* oedd yn y fan lle syrthiasai Mr. Jones, gan eu taflu i ryw seti oedd yn ymyl . . . a deellais mai Twm oedd *wrth wraidd y drwg*. DO. GT. 30.

GWREGYSU

925. GWRESYGU LWYNAU. Ffig. Ymbaratoi i wneud rhywbeth o ddifrif. Dyma un arall o'r ymadroddion Beiblaidd a fabwysiadwyd i'r Gymraeg. Gwisgai'r Iddewon ddillad llaes a llac a byddai'n rhaid iddynt eu rhwymo i fyny â gwregys o gylch eu canol cyn cychwyn ar waith neu ar daith. Heblaw digon o enghrau. ysgrythurol o'r ymadrodd yn ei ystyr lythrennol, ceir enghrau. hefyd o'i ddefnyddio'n drosiadol. Yr enwocaf efallai yw I Pedr 1. 13, lle'r anogir y disgyblion Cristnogol i "*wregysu lwynau* eich meddwl". Ni thâl meddwl llac a gwasgarog mo'r tro. Gw. hefyd Job 38. 3.

GWREIDDYN

926. GWREIDDYN Y MATER. Egwyddor grefyddol sownd; y *gwir beth* mewn crefydd.

Fyddi di'n meddwl weithiau, Ned, pwy greodd yr holl anifeiliaid yma? Dywedodd [Ned] fel petai yn yr ysgol ger bron yr athro, ''God'', a chynhanodd y gair yn union fel y gwnaem gynt, gan wneuthur ein genau yn grwn i estyn y llafariad. Gwyddem ein bod yn rhegi wrth ddweud y gair yn gwta, ac yr oedd yn arwydd bod *gwreiddyn y mater* o hyd yn Ned ei fod yn hwyhau'r ''o'' yn y canol.
RGB. LlD. 30.

gair yn gwta, ac yr oedd yn arwydd bod *gwreiddyn y mater* o hyd yn Ned ei fod yn hwyhau'r "o" yn y canol. RGB. LlD. 30.

Un o hoff ymadroddion yr hen Biwritaniaid oedd hwn ac o'r Beibl y cawsant ef. Gw. Job 19. 28. Nid oes iddo'r ystyr biwritanaidd yn y dyfyniad nesaf, lle golyga *y pwynt pwysig, y peth hanfodol.*

. . . galwyd y cwnstabl. Gwrandawodd hwnnw ar stori ryfedd am ddwyn mantell, ond yn lle mynd at *wreiddyn y mater* dechreuodd groesholi'r clerc yn chwyrn . . . a oedd wedi bod mewn cwmni annymunol neu'n hel merched. (961). TH-W. SR. 30.

GWRES

927. CAEL FY NGWRES. Ymdwymo; cadw rhag oerni trwy ymsymud e.e. mewn gwaith neu wrth ymguro.

Cofiaf fynd yno [gwaelod "Cae Ceirch Bach"] fy hun ryw brynhawn i geisio *cael fy ngwres* drwy ymguro (curo'r breichiau y naill dros fôn ysgwydd y llall) a cheibio bob yn ail nes doi'r gwaed cynnes i flaenau'r bysedd merwin.
TGJ. Bri. 14.

GWRYCHYN

928. CODI GWRYCHYN (rhywun). Ei gythruddo, peri iddo wylltio neu gynddeiriogi.

Diau fod llawer o ymwelwyr crwydr yn distrywio ffensi ac yn gadael llidiardau heb eu cau a llu o droseddau tebyg sy'n ddigon i *godi gwrychyn* pob ffarmwr. THP-W. P. 88.

'Gwrychyn' yw'r blew ar gefn cath (ac ambell anifail arall) a fydd yn codi pan fo wedi cynhyrfu neu wylltio.

GWTH

929. GWTH O OEDRAN. Henaint mawr.

Ac nid oedd plentyn iddynt am fod Elisabeth yn amhlantandwy, ac yr oeddynt wedi myned ill dau mewn gwth o oedran. Luc 1. 7.

GWYCH

930. BYDDWCH WYCH. Cyfarchiad wrth ffarwelio.

GWYLIADWRIAETH

931. GWYLIADWRIAETHAU'R NOS. Oriau'r nos, yn enwedig pan dreulier hwy'n ddi-gwsg.

Myfyriaf amdanat yng *ngwyliadwriaethau'r nos.* Salm 63. 6.

Ni ellir dweud mai difyrrwch pennaf Lewys Dafydd yng *ngwyliadwriaethau y* nos oedd gwrando Siams yn chwyrnu yn y gwely arall. RDW. CT. 91.

O'r Beibl, mae'n siŵr, y daeth yr ymadrodd yn y lle cyntaf. Arfer gynt oedd gosod gwylwyr i warchod trefi rhag gelynion yn y nos. Rhennid y nos gan yr Hebreaid yn dair gwyliadwriaeth, gan y Groegiaid a'r Rhufeiniaid yn bedair.

GWYNT

932. CAEL GWYNT DAN FY ADAIN. Gw. dan 'adain' (17). Dyma enghr. ychwanegol:

Gan nad ysgrifennai [Puleston] yr un gair o'i bregeth anghofiai weithiau yn y pulpud a phan ddigwyddai hynny arafai . . . a dywedai'n dawel. "Wel dyna hi wedi mynd". Ar ôl munud distaw ymhoywai wedyn . . . "Dyna hi wedi dwad," meddai, ac oddi yno i'r diwedd *cai wynt o dan ei adain.* RWJ. JPJ. 126.

933. CAEL GWYNT AR rywbeth. Ffig. Cael gafael ar ryw awgrym fod rhywbeth yn digwydd neu ar fin digwydd. Cyfeiria'r ymadrodd at allu rhai anifeiliaid i wybod lle mae gelyn neu ysglyfaeth wrth eu haroglau a gludir ar y gwynt.

Yr oedd yn amser prysur iawn ar draed a thafod Robin y Glep, yn neilltuol wedi *cael gwynt* ar y ffrwgwd yn yr Hafod Ganol . . . WR. HBHD. 171.

934. ER GWAETHA'R GWYNT. Er gwaethaf pawb a phopeth.

Os rhoir [y darn o deisen priodas] dan y gobennydd, a breuddwydio [o'r priodfab] pwy bynnag a welir ped fai Arglwydd Bwclai, hwnnw a gai *er gwaetha'r gwynt.* LlGO.

935. GWELD Y FFORDD Y MAE'R GWYNT YN CHWYTHU. Gweld y ffordd y mae pethau yn tueddu; gweld beth yw barn neu dueddfryd pobl mewn sefyllfa arbennig, a ydynt yn ffafriol neu anffafriol i fwriad neu gynllun. Delwedd o fyd hwylio sydd yn yr ymadrodd; mae gwybod cyfeiriad y gwynt yn hanfodol i lwydd neu aflwydd y llongwr hwyliau.

936. GWYNT TEG O ÔL (rhywun). Yn wreiddiol: lwc dda iddo, llwyddiant iddo. Yn nyddiau'r llongau hwylio dibynnai'r llong ar wynt teg (gwynt o'i phlaid) i fedru mynd ar ei thaith. Heddiw, fodd bynnag, anaml y mae'r geiriau hyn yn mynegi dymuniad da. Yn hytrach i'r gwrthwyneb: fe'u defnyddir yn eironig i gyfateb i'r S. *"Good riddance!"* Po decaf y byddai'r gwynt, cyflymaf y pellhai'r llong. Felly dywedir am rywun neu rywbeth y mae'n dda cael ymadael ag ef: *"Gwynt teg o'i ôl"*.

937. MYND Â'R GWYNT O HWYLIAU RHYWUN. Cael mantais arno mewn modd annisgwyl nes peri na all fynd ymlaen fel y bwriadai.

> . . . y diweddar Barch. Wm. Jones, David Street, yn holi y rhai mewn oed ar bregeth Pedr . . . "Beth yn y bregeth hon a'i gwna'n batrwm i bob pregethwr ym mhob oes a gwlad?"
> "Wel, mae hi'n bregeth fer iawn," ebe rhyw hynafgwr direidus nes *mynd â'r gwynt o hwyliau'r holwr*.
> JHJ. M. 196.

Cyfeirir at long (hwyliau) yn mynd rhwng llong arall a'r gwynt ac felly'n atal ei chwrs.

938. MYND I GANLYN Y GWYNT. Mynd i golli. Diflannu o gof ac o fod.

> Yr oedd heno yn bwysig ryfeddol i ni, bryfed bach, yn mesur a phwyso ein gilydd fel pe baem dduwiau, ac yfory fe fydd yr holl sgwrsio wedi *mynd i ganlyn y gwynt*.
> KR. SG. 21.

939. RHYWBETH YN Y GWYNT. (1) Arwyddion fod rhyw beth yn bod neu ar ddigwydd — hyd yn oed os na wyddom yn bendant pa beth.

> Canfu [Huw] Robin yn dyfod a deallodd yn union ei fod ar ei uchelfannau (1129). "Holo! be sy *yn y gwynt* heddiw, Robin?" gofynnai Huw. WR. HBHD. 150.

940. RHYWBETH YN Y GWYNT. (2) Defnyddir y geiriau hyn hefyd gydag arwyddocâd gwahanol i'r un yn yr erthygl flaenorol. Pan sonnir am ryw fwriad neu gynllun amhendant nad oes ond siarad cyffredinol amdano hyd yn hyn, fe ddywedir, "rhywbeth yn y gwynt ydi o ar hyn o bryd." Cf. Dywediad o gyffelyb ystyr "Mae'r cwbl yn yr awyr ar y foment". Yr un awgrym sydd yn y ddau ymadrodd — bod y bwriad neu'r cynllun mor ansylweddol â'r gwynt neu'r awyr ac ymhell o fod yn "gadarn ar y ddaear".

GWYNT (=ANADL)

941. AR UN GWYNT. Heb dynnu anadl ond unwaith.

Mi a roddaf iddi'n gynhysgaeth gymaint o ddefaid a gwartheg a geifr a meirch ag a all hi ei gyfrif o bob rhyw ohonynt ar un gwynt. JMJ. ChCh. 102.

942. CAEL (CYMRYD) FY NGWYNT ATAF. Cymryd anadl.

"O ddaear, ddaear, ddaear . . . " Fel yna, *heb gymryd ei wynt ato*, y galarnadodd y Proffwyd Jeremeia ei gyfarch cwynfannus gynt. THP-W. P. 87.

At Jer. 22. 29 y mae'r cyfeiriad.
Cyffelyb yw CAEL (CYMRYD) FY ANADL ATAF. Am enghr. gw. (797).

943. PWYSO AR WYNT (RHYWUN). Ymosod arno'n daer a pharhaus.

Er dy eni [Cyfarch Carnhuanawc, a aned yn Sir Fynwy y mae'r awdur] mewn rhan o'r wlad lle'r oedd yr iaith yn dihoeni a rhyw lurgun o Saesneg yn *pwyso ar ei gwynt*, ymleddaist drosti fel llew. Gw. (910). JHJ. M. 131.

GYDDFAU

944. YNG NGYDDFAU'I GILYDD. Yn ymladd.

Y peth nesaf a welodd Ifans oedd rhyw ddau ddwsin o'r Affricanwyr *yng ngyddfau'i gilydd*. IFfE. TB. 40.

GYRRU

945. GYRRU AR RYWUN. Erlyn rhywun am ddyled neu'r cyffelyb.

Mae Mr. Morgan y *Swan* yn *gyrru arnom* ni am swm mawr o arian. RDW. CT. 87.

Yr oedd i "gyrru ar" ystyr gyfreithiol gynt. Ei ystyr oedd 'cyhuddo'. "Gyrru lladrad ar rywun" oedd ei gyhuddo o ladrad. Meddai hen ddihareb, Pan fynno dyn ladd ci, cynddaredd a yrr arno, h.y. y mae'n ei gyhuddo o fod yn gynddeiriog.

HAEARN

946. BOD AR GANOL YR HAEARN. Bod yn gwbl gywir o ran barn neu ymresymiad; hefyd cadw'n ddiwyro mewn trafodaeth at y pwnc dan sylw.

'Roeddwn i'n teimlo bod y siaradwr ar *ganol yr haearn* ar hyd y ffordd.

Gair y chwarelwyr yw hwn. Yr "haearn" y cyfeirir ato yw'r cledrau y rhedai'r wagenni arnynt. Heb i'r olwyn fod yn deg ar y gledr byddai perygl i'r wagen daflu.

HAGR

947. TRWY DEG NEU HAGR. S. *by fair means or foul.*

. . . nid oes na had na gwraidd i'w gael *trwy deg* na *hagr* gan waethed fu'r hin i'w cynhaeafa. LlGO. 124.

HALD

948. AR (FY) HALD. Ar fy hynt.

. . . daeth clobyn o gacynen fain ei cholyn *ar ei hald* i ganol ei safn. JHJ. GG. 33.

Tuth ceffyl, medd geiriadur Richards, yw ystyr "hald".

HALEN

949. HALEN Y DDAEAR. Ymadrodd — un arall o'r llu a fenthyciwyd o'r Ysgrythur — yn dynodi pobl ragorol eu cymeriadau a'u dylanwad. (Gw. Math. 5. 13).

950. YN WERTH FY HALEN. Yn werth yr hyn a delir imi'n gyflog. Byddai'r hen Rufeiniaid yn rhannu dognau o halen ac angenrheidiau eraill i'w milwyr a'r enw a roddid ar y nwyddau hynny gyda'i gilydd oedd *Sal,* y gair Lladin am halen. Ymhen amser yn lle rhoddi'r nwyddau i'r milwyr dechreuwyd rhoi arian iddynt i'w prynu. Yr enw ar yr arian hwnnw oedd *sal*arium (y gair y daeth y S. *salary* ohono). Felly 'bod yn werth fy halen' yw haeddu fy nghyflog. Y ffurf negyddol DDIM YN WERTH FY HALEN, fodd bynnag, a ddefnyddir amlaf o lawer, ac o'i fynych ddefnyddio i ddisgrifio rhywun di-afael, aneffeithiol a sâl ei waith daeth yr ymadrodd yn gyfystyr â "da-i-ddim". Y cam nesaf oedd ei gymhwyso at bethau yn gystal â phersonau, a gallwn ddweud e.e. am gyllell ddi-fin a di-fudd, "Dydi'r gyllell yma ddim gwerth ei halen" heb i'r syniad o gyflog groesi'n meddyliau.

HANNER

951. HANNER PAN. Hanner call. Heb fod, a defnyddio priod-ddull arall o'r un ystyr, *yn llawn llathen.* Gw. (1049).

Pan: o'r gair 'pannu' (y gwaith a wneir mewn *pandy*), sef y proses o guro brethyn nes ei gael o'r ansawdd briodol. HANNER PAN, felly (neu hanerpan, fel yr yngenir weithiau)=heb orffen ei bannu. Defnyddir 'wedi ei hanner-grasu' (o fyd y pobydd) gydag ystyr gyffelyb.

HAUL

952. HAUL AR FRYN. Cyflwr dedwyddach. Llythr. yw'r defnydd o'r ymadrodd yn yr hen bennill.

> Er maint sydd yn y cwmwl tew
> O law a rhew a rhyndod,
> Fe ddaw eto *haul ar fryn,*
> Nid ydyw hyn ond cawod. HB. 78.

Ond fe'i defnyddir yn llawer amlach yn ffig.

> Pan drawyd ei wraig yn ddifrifol wael bu Dafydd bron a thorri ei galon. Ond cafodd hi adferiad gwyrthiol a daeth *haul ar fryn* unwaith eto.

953. HAUL YN TARO. Effaith gwres uniongyrchiol yr haul ar ei boethaf. S. *sunstroke.*

> Gwn yn burion nad effaith *haul yn taro* ydyw [:yr Ias] oherwydd profais hi ddwywaith lle nad oedd modd i hynny fod yn achlysur iddi. THP-W. Y. 28.

HAWS

954. BOD YN HAWS. Bod ar fantais neu ennill.

> Mae gynthon ni rwbath ffitiach a mwy pryffidiol i'w neud na lladd ar Codben [=Cobden] a glaru rol y Corn Low. [=Cyfraith Treth yr Yd. Diddymwyd 1846]; fuddwn ni buth ddim nes y mae hi druan chwedi mynd o'r golwg ac ni chwyd hi buth buthoedd . . . ac ono *be fuddwn ni haws* â chrïo a nadu ar i hôl hi.
> WR. LlHFf. 9.

Gwelir bod idiom arall yn y dyfyniad, sef *bod yn nes,* yn gyfystyr â *bod yn haws.* Gw. (1185).

HEIBIO

955. TROI HEIBIO. Rhoi gorau i ddefnyddio (rhywbeth). DILLAD WEDI EU TROI HEIBIO=S. *cast off clothing.*

> Beth a welodd y rhamantwr celwydd-golau hwnnw ym mhen draw'r byd? Dim ond gwal o Feiblau'r colledigion a chopa o hetiau silc iddi, a lleuadau wedi eu *troi heibio* yn gorffwys ar y wal fel bara ceirch. THP-W. M. 63.

956. WRTH FYND HEIBIO. Defnyddir wrth ddwyn i mewn i drafodaeth ar lafar neu mewn ysgrifen sylw heb fod yn union berthnasol i'r pwnc dan sylw.

Ac *wrth fynd heibio*, a gaf i ddweud na bydd unrhyw ffenestr siop yn fwy atyniadol i mi na'r un lle y gwelir offer a thŵls o bob math. THP-W. M. 35.

HEL

957. HEL (neu HELA) CLECS. Ymadrodd y De am hel straeon. S. *talebearing*.

958. HEL DAIL. Ffig. Osgoi siarad yn blaen.

Er mai cwbwl groes i natur
Yw fy llwybyr yn y byd . . .

Trist ac anochel o gyfaddefiad. Ond y mae'r cyfan oll yma, yn syml — sylwedd yr Efengyl; ac yr oedd hi [Ann Griffiths] wedi cael gafael arno, "Llwybr cwbwl groes i natur". Beth arall ydyw, petaem ni'n peidio â *hel dail*? THP-W. M. 56.

Pa ysgrythurgi os-gwn-i a fu'n *hel dail*,
Wrth alw'r peth yn addewid, ac ar ba sail?
THP-W. DG. 92.

959. HEL DYNION. Defnyddir am ferch, yn enwedig merch briod, sydd wrth ei harfer yn "mynd ar ôl" dynion. Cofier mai 'hela' oedd 'hel' ar y cychwyn a cf. y term S. *manhunter* yn yr un cysylltiadau.

Yr oedd Geraint efo rhyw eneth, merch i ryw ddynes yn y dref yr oedd ei gŵr wedi ei gadael am ei bod yn *hel dynion*. KR. TH. 51.

Gw. (961).

960. HEL FY NHAMAID. Casglu fy mwyd. Ennill fy mywoliaeth.

Ni fynni lety fel dy chwaer
Sy'n *hel ei thamaid* ar y stryd.
(Yr Ysguthan) RWP. HCE. 16.

Twyllwr wyf innau. Pwy sydd nad yw,
Wrth *hel ei damaid* a rhygnu byw?
THP-W. DG. 6.

961. HEL MERCHED. Ymadrodd cyffelyb ei ystyr i (959) ond am ddyn. Gw. (926, enghr.).

962. HEL MEDDYLIAU. Myfyrio'n bruddglwyfus ac afiach. S. *to brood*.

Nid gwiw i mi eistedd i lawr, rhag ofn i mi fynd i ddechrau *hel meddyliau*.

963. HEL TAI. Mynd i golma o dŷ i dŷ.

HELYNT

964. BETH YW'R HELYNT? Beth sy'n galw am yr holl ffwdan? S. *why all the fuss?*

> Os dyna [cymysgedd o eirweddau athrawiaethol, ymadroddion a ffigurau'r ysgrythur] sydd i'w ganfod yn llythyrau Ann Griffiths . . . yna *beth yw'r helynt?* THP-W. M. 51.

Helynt=hynt, cwrs, cyflwr (cf. Fel y gwypoch chwithau fy *helynt*. Eff. 6. 21). Magodd yr ystyr o hynt drafferthus, cyflwr helbulus. Cf. 'byd' (343).

965. I BEN FY HELYNT. [Mynd] i'm ffordd fy hun ac at fy nyletswyddau a'm diddordebau fy hun.

> . . . clowyd y cyfarfod â Hen Wlad fy Nhadau . . . Pawb bellach yn rhydd *i fynd i ben ei helynt.* JHJ. M. 122.

966. MYND I HELYNT. Mynd i drwbl neu helbul. Am enghr. gw. (704).

967. YM MHEN FY HELYNT. Ynghanol fy helbul.

> Pan oeddwn *ymhen fy helynt* yn papuro'r llofftydd dyma fy chwaer a'i gŵr a thri o blant yn landio acw.

HELI

968. BWRW HELI I'R MÔR. Llythr. mynd â rhywbeth i fan lle y mae mwy na digon ohono eisoes. Yn ffig. Gwneud rhywbeth ynfyd o ddianghenraid. Cf. iro blonegen (233). Ceir yr un syniad wedi ei fynegi mewn gwahanol ffyrdd mewn gwahanol ieithoedd.
Carry coals to Newcastle, ebe'r Sais. [Mae hynny'n beth sy'n digwydd bellach, mi glywais!] Ebe'r Ffrancwr, *Porter de l'eau a la riviére* (Cludo dŵr i'r afon). Yn Lladin y dywediad oedd, *Alcinoo poma dare.* (Rhoddi afalau i Alcinöus). Yn chwedloniaeth Groeg, brenin y Phaeaciaid, trigolion ynys Scheria, oedd Alcinous. Yr oedd yn berchen gerddi a gwinllannoedd gwyrthiol lle tyfai ffrwythau toreithiog o bob math, a hynny ar hyd y flwyddyn.

HEN

969. WEDI HEN . . . Sylwer ar y defnydd o'r gystrawen 'wedi hen'+berfenw' yn y frawddeg hon:

> . . . . rywle ar y canol aeth yr ysgrif [o'r bregeth] oddi arno i waelod y pulpud . . . Nis gwn ai y pryd hwnnw y collodd ei ffydd mewn pregeth bapur; yr *oedd wedi hen golli* ffydd ynddi cyn i mi ei adnabod ef. JPJ. Ysg. 14.

Wedi hen golli ffydd=wedi colli ffydd ers talm. Mae'r priod-ddull yn un cyfarwydd iawn a chlywir yn fynych ymadroddion fel:—

> wedi hen flino ar ei le
> wedi hen gynefino â chael ei feirniadu
> wedi hen anobeithio am wella
> wedi hen oeri
> wedi hen gartrefu
> wedi hen syrffedu (ar rywbeth neu gilydd)
> wedi hen fferru'n sefyll yn yr eira
> wedi eu hen gasglu at eu tadau. RDW. CT. 34.

> Yr oedd yno ffrwd . . . ond yr oedd honno ar y pryd *wedi hen* sychu. TGJ. Bri. 13.

NODIAD: Byddai'r gair cyferbyniol *newydd* yn cael ei ddefnyddio'n union yr un modd gynt e.e.:

> Yr oedd Macsen wledig . . . *wedi newydd syrthio allan* â'r ddau ymherawdr. TE. DPO. 67.

'a'r gwylwyr wedi eu newydd osod' (Barn. 7. 19). Teimlir bellach mai braidd yn bedantig yw defnyddio'r priod-ddull yn y ffurf hon. Heddiw fe ddywedir *'gwylwyr newydd eu gosod'*.

970. YN HEN BRYD. Yn hwyr glas. S. *high time*.

> Aeth yr amser heibio yn gyflym a sylweddolodd Elin, pan oedd Siams wedi llwyr ymgolli yn y sigâr a'r sgwrs, ei bod *yn hen bryd* iddynt gychwyn adre. RDW. CT. 89.

Y syniad yn 'hen bryd' yw: y pryd(=yr amser) wedi 'mynd yn hen'. Am y meddwl gwrthgyferbyniol o amser yn 'ieuanc' pan fo hi'n gynnar cf. yr hen ymadrodd o'r Mabinogi, "yn ieuenctid y dydd".
Peth gwahanol i 'hen bryd' a olygir gan y S. *old time*(*s*)'. Am 'hen bryd' gair y Sais yw *'high time'*. Ond sylwer: mae *'old'* yn S. yn dod o wreiddyn (cytras â'r Lladin *altus*) s'n golygu 'uchel'!
Yn gyfystyr â 'yn hen bryd' ceir hefyd 'yn hwyr bryd'.

971. HEN+enw (berfenw)=ar raddfa fawr. Fel y mae peth byw yn mynd yn hŷn y mae'n tyfu a mynd yn fawr. Magodd 'hen' o'r herwydd mewn rhyw gysylltiadau yr ystyr o "fawr" neu "ar raddfa fawr". "Fe aeth yn *hen*

helynt yno"=yn helynt *fawr*. S. *trouble on a big scale*. "'Roedd yno hen fwyta"=bwyta ar raddfa fawr.

darfod yn y cythryfwl cyffredin i'r Porthmyn daro wrth y Cwcwaldiaid, a mynd i ymhyrddio i brofi p'run oedd gleta'i cyrn; a hi a allasai fynd yn *hen ymgornio* oni basai i'ch cewri corniog chwithau daro i mewn. EW. BC. 126.

HET

972. TAFLU HET YN ERBYN Y GWYNT. Gwneud peth ofer a di-bwrpas; ceisio gwneud peth amhosibl.

Waeth ichi *dawlud ych hetie nerbyn y gwunt* ne geisio galw doe nôl na cheisio caul hen dreth yr yd yn i hôl. WR. LlHFf. 14.

973. TYNNU FY HET I RYWUN. Cydnabod a mynegi fy mharch tuag ato, a'm hedmygedd ohono.

Cytuno â hwy neu beidio, 'rwy'n barod i *dynnu fy het* i'r bobl sy'n barod i ddioddef dros eu hegwyddorion.

HEYRN

974. GORMOD O HEYRN YN TÂN. Dywedir fod gan ddyn ormod o heyrn yn tân pan fo ganddo gynifer o oruchwylion, cynlluniau, diddordebau a gweithgareddau yn hawlio'i sylw ar yr un pryd nes ei fod yn methu â rhoi gofal priodol i'r un ohonynt. Trosiad yw hwn o fyd y gof. Ni eill yntau drin gormod o heyrn yn ei ffwrnais ar yr un pryd, a gwneud hynny'n llwyddiannus. Gw. am ymadrodd cyfystyr (1438).

HI

Y mae'r Gymraeg yn defnyddio'r rhagenw personol (trydydd person unigol benywaidd) 'HI' yn amhersonol ac ag ystyr amhenodol yn debyg i'r modd y defnyddir y rhagenw di-ryw *'it'* yn S.

(1) Wrth sôn am weithrediadau neu agweddau Anian e.e.

975.

Mae *hi'n* bwrw glaw : *it is raining*.
Mae *hi'n* rhewi : *it is freezing*.
Mae *hi'n* oer : *it is cold*.

Peth tebyg a geir mewn brawddegau fel

Mae *hi'n* amser cychwyn: S. *it* is time to start.
'Roedd *hi'n* bleser bod yno: S. *it* was a pleasure to be there.

(2) Gydag arddodiaid. Dyma rai enghrau.

AMDANI—(HI)

976. AMDANI-(HI). (a)=parthed y sefyllfa neu'r cyflwr neu'r amgylchiadau a gyfleir yn y cyd-destun.

Y gwir *amdani-hi* : S. the truth about *it;* the fact of the matter.
Y truenuswir *amdani-hi* yw fod y car yn dadfeilio.
THP-W. M. 83.

(b)=*yn wyneb* y sefyllfa neu'r cyflwr neu'r amgylchiadau a gyfleir yn y cyd-destun.

Nid oedd dim *amdani-hi* ond cerdded.

(c) yn yr ymadrodd llafar, "Beth amdani-hi?", yn cyfleu awgrym neu wahoddiad.

Mae criw ohonom yn bwriadu mynd i Ffair y Borth. *Beth amdani-hi*?
(h.y. beth am i'r sawl a gyferchir ymuno?)
Maen' nhw'n chwilio am Ysgrifennydd i'r Gymdeithas. *Beth amdani-hi*?
(h.y. beth am i'r sawl a gyferchir ymgymryd â'r swydd?)

ARNI—(HI)

977. COLLI ARNI-(HI). Mynd i ddryswch meddwl, bod mewn ansicrwydd meddwl, ynghylch rhywbeth.

Yr oeddwn yn llwyddo y troeon cyntaf i ddyfod o hyd i'r priffyrdd a'r croesffyrdd . . . ond wedi mynd i aros eleni i berfeddion gogledd y rhanbarth, mi gollais *arni* yn llwyr.
THP-W. OPG. 65.

Hefyd, drysu yn y synhwyrau. S. *become mentally deranged.*

Yr oedd ymddygiad Morgan mor rhyfedd, a'i olwg mor wyllt, nes credu o'i gymdogion ei fod yn *colli arni.*

Cf. 'colli arnaf fy hun' (561).

978. GYRRU ARNI-HI. Mynd ymlaen yn ddyfal â rhyw orchwyl neu weithgaredd.

"Yr wyf fi wedi blino yn adrodd . . . a chwithau wedi blino yn gwrandaw . . . .", ebe James . . . Ebe F'Ewythr Robert, "Na choelia i'n wir — "Does yma neb yn blino, paid a meddwl, 'dae ti'n *gyrru arni* trw'r nos.
WR. AFR. 311.

ATI—(HI)

979. AC ATI-(HI)=ac felly ymlaen. S. *and such-like.*

Y noswaith gyntaf aeth y ffermwr caredig â mi hyd y caeau gydag ochrau'r gwrychoedd a thros gamfeydd *ac ati-hi,* i mi gael deall "ansawdd y wlad".
THP-W. OPG. 66.

I'r Dr. Thomas Parry yr wyf yn ddyledus am y nodyn a ganlyn: "Nid wyf fi'n cael y blas priodol ar yr ymadrodd fel y mae'n cael ei ddefnyddio heddiw, oherwydd y mae rhyw smach o rywbeth dilornus yn y ffordd y defnyddir ef ar lafar e.e. 'Pan agorais i ddrws y twll-dan-y-grisiau dyna'r lle'r oedd hen sgidiau a dwy iantar a thrapiau llygod ac ati-hi.' Ni fuaswn i byth yn dweud, 'Ar fwrdd y stydi yr oedd y Beibl a Llyfr Emynau a nodiadau pregeth ac ati-hi' ond yn hytrach ' . . . a phethau felly'."
Heb os, y mae'r Dr. Parry yn llygad ei le yn ei ddehongliad o'r defnydd traddodiadol o'r ymadrodd. Dim ond yn y blynyddoedd diwethaf yma y dechreuwyd defnyddio 'ac ati-hi' yn gyfystyr ag 'et cetera' ym *mhob* cyswllt yn ddi-wahaniaeth.

980. EDRYCH ATI-(HI). Cymryd gofal.

Os derbynith y Sentars beth o arian y Llwodreth at u sgolion . . . Fydd gynu nhw'r un gair i'w ddeud wrth y Glwyswrs wedyn. Gwell iddy nhw *edrach ati* mewn pryd.

LlHf. 6.

981. MYND ATI-(HI). Dechrau ar (waith neu'r cyffelyb). S. *go to it.*

Gwyn eu byd y gwŷr hynny, meddaf i, sy'n *mynd ati-hi* gyda blas ac afiaith i afael mewn gwaith hamdden sy'n mynd â'u bryd yn llwyr . . . THP-W. M. 34.

Hefyd, *deffro ati, taro ati,* etc.

OHONI—(HI)

982. OHONI-(HI) sef o'r gweithgaredd neu'r sefyllfa dan sylw yn y cyd-destun.

Yr aflwydd yw fod dyn yn cael ei demtio i dynhau gormod [ar y nyten] ac felly'n gwneud llanast yn aml. Yr wyf wedi bod yn euog o beth felly lawer gwaith — ar ôl gwneud job ardderchog *ohoni-hi.* THP-W. M. 37.

WRTHI—(HI)

983. WRTH-HI. (S. *at it*) yn cyfleu'r ystyr, 'yn gwneud rhywbeth.' Weithiau nid oes i'r 'hi' yma gyfeiriad penodol. Cyfleu y mae ystyr gyffredinol o weithgaredd, e.e. 'Mae o *wrthi'n* ddiddiwedd' h.y. nid yw fyth yn ymorffwys. Dro arall, e.e. 'Dyna fo *wrthi* eto', bydd y cyd-destun neu'r sefyllfa neu'r amgylchiadau yn gwneud yn eglur am ba weithgaredd y saif 'hi'.

NODIAD. Sylwer mai ategol a phwysleisiol yw swyddogaeth yr HI yn yr holl enghrau. uchod a gellir ei hepgor, os mynnir, wrth siarad neu wrth sgrifennu. Nid felly, fodd bynnag, yn yr enghrau. yn yr adran nesaf.

(3) Yn y cyflwr genidol gyda berfenwau.

984. EI DAL-HI. (a) Anodd yw ei *dal-hi* ym mhob man. S. *to keep up with everything.*

(b) Slang=*meddwi.*

Yr oedd o wedi'i *dal hi'n* braf. S. *He was well and truly drunk.*

985. EI GWELD-HI. Deall y sefyllfa. Gweld y pwynt. S. *Grasp the situation, the point.*

Wedi mi egluro yn amyneddgar iddo, ebe fo, "'Rwy'n meddwl fy mod *yn ei gweld-hi*?"

986. EI HADDO-HI (I RYWUN). Bygwth pethau annymunol.

Ysgyrnygodd fel ei cynddeiriog arnaf, gan fytheirio ymadroddion bygythiol a'i *addo hi'n* enbyd i mi.

THP-W. Y. 39.

987. EI HAROS-HI. Disgwyl y dynged benodedig neu'r gosb anochel.

. . . mae hi wedi dwad iddo fo o'r diwedd. Ddaru mi ddim deud wrthot ti nad oedd o ddim ond yn *ei haros hi*? [Nansi'r Nant yn torri'r newydd i Gwen Tomos fod y Sgweier Griffiths yn "drysu yn 'i ben."] DO. GT. 234.

Nid yw'r enghraifft nesaf yn dilyn yr un o'r patrymau uchod yn hollol:

988. MYND Â HI. (a) ennill, cael y llaw uchaf. (b) bod yn boblogaidd.

Pan geir cyffes gywir gyfrinachol dynion, y maent oll yn barod i gyfaddef mai'r celwydd sy'n *mynd â hi.*

Doe canu hen gerddi Cymru oedd piau hi. Heddiw canu pop *sy'n mynd â hi.*

Mae 'piau hi' yn yr enghr. olaf yma yn debyg ei ystyr i 'mynd â hi' ac yn cynnwys yr un 'hi' amhersonol ac amhenodol.

. . . mewn crefydd a pholitics trefn ddatganolog *piau hi.* S. *holds the field.* GE. AM. 72.

Gw. hefyd (1257).

HIDL

989. WYLO'N HIDL (CRIO'N HIDL) (ar lafar, *hidil*). Ymollwng i wylo a'r dagrau'n llifo.

Y mae hi yn wylo yn *hidl* liw nos ac y mae ei dagrau ar ei gruddiau. Galar. 1. 2.

Wylai Harri yn *hidl* o dosturi dros Gwen. DO. G. 65.

Eto unwaith mi ddyrchafaf
Un ochenaid tua'r nef,
Ac a ŵylaf ddagrau'n *hidil*
Am ei bresenoldeb Ef. WW. LlEM. 592.

Hidlo yw tywallt gwlybwr i lestr ag iddo waelod o ddeunydd hydraidd (fel metel mandyllog, neu fân rwyllwaith o wifrau neu weadwaith fel myslin) gyda'r amcan o lanhau'r gwlybwr o amhureddau a fo ynddo. Rhed y gwlybwr drwy'r gwaelod yn llif (dyna briodoldeb yr ymadrodd *wylo'n hidl*) i lestr arall otanodd, gan adael yr amhureddau yn yr hidlen.

HIR

990. YMHEN HIR A HWYR. Wedi i amser maith fynd heibio.

HIRBELL

991. O HIRBELL. O bellter. S. *at a distance, from afar.*

A Phedr a'i canlynodd ef o *hirbell*. Marc 14. 54.

Ffig. (Gan gyfeirio at ymlyniad wrth berson neu achos neu fudiad). Heb lawer o frwdfrydedd. S. *halfheartedly*.

A'th ganlyn wnaf bob dydd yn well
Ac nid *o hirbell* mwyach. EWyn. LlEM. 444.

HOEL(EN)

992. HOELEN YN ARCH (RHYWUN neu RYWBETH). Rhywbeth sy'n mynd i gyfrannu tuag at brysuro diwedd dyn, mudiad neu sefydliad.

Bob tro y bydd Cymro'n defnyddio Saesneg lle gallai ddefnyddio Cymraeg, y mae'n gyrru *hoelen i arch* yr iaith.

Hyd yn oed, cyn y rhybuddion diweddar ynglŷn â pheryglon ysmygu yr oedd rhai yn cyfeirio at sigarennau fel "hoelion eirch"!

993. CYN FARWED Â HOEL(EN). Yn farw hollol. S. *dead as a door-nail.*

Dyna lle'r oedd efe yn ei hen ddillad yn ei arch *can farwed â hoel.* DO. RL. 395.

Ceir ffurf fŵy pwysleisiol fyth. *Cyn farwed â hoelen arch.*

994. PWYO AR YR UN HOEL. Traethu ar yr un testun; pwysleisio'r un pwynt.

[Bu] yn ffonodio blaenoriaid capel heb fod ymhell o'i gartref am eu diffyg dawn siarad. Yr oedd efe wedi bod yn *pwyo ar yr un hoel* ychydig cyn hynny mewn Cyfarfod Dosbarth. JPJ. Ysg. 22.

Darlun sydd yma o ddyn yn curo hoelen i mewn i bren â morthwyl, ac yn dal i ddyrnu nes gyrru'r hoelen adref. (23).

995. RHOI (HONGIAN) HET AR YR HOEL mewn tŷ arbennig. Priodi gŵr neu wraig, mab neu ferch y tŷ hwnnw.

'Doedd Gareth ddim yn gapelwr ond 'roedd wedi dechrau mynd i Beerseba . . . am un rheswm da. 'Roedd Marian yn canu'r organ yno. Ac fe wyddai nad oedd ganddo fawr o siawns *hongian ei het ar yr hoel* yna os nad oedd ganddo ryw lun o grefydd. IFfE. CH. 41.

Hen ferch odd hi — hen glatshen ymla'n tua'r hanner cant 'na. Digon o gasn, ond salw felltigedig, a wedi ffaelu'n deg â *rhoi'r hat ar hoel* mewn un man. IJ. YP. 9.

996. TARO'R HOEL(EN) AR EI PHEN. (Yn y Deau TARO'R HOEL AR EI CHLOPA). Dweud yr union beth cywir a chymwys i'r galw.

Ni chredaf fod dim tebyg i ddysgu Lladin fel hyfforddiant tuag at feddwl yn glir . . . [a'n] gorfodi ni i droi haniaeth yn ddiriaeth . . . a thrwy hynny chwalu'r niwl a'r diogi sy'n barod i ymfodloni ar *daro'r hoel rywle ond ar ei phen.* EE. CyNgh. 11.

997. HOELION WYTH. Pregethwyr mawr. Pencampwyr y pulpud.

Ar ôl darlithio yn Saesneg yn un o drefi Maldwyn, dyma gais Cymraeg am ddarlith arall y tymor dilynol. Bwriais innau mai yn iaith fy mam y disgwylid imi draethu'r eildro; nodais *Hoelion Wyth* fel testun . . . beth oedd ar y [rhaglen] pan gyrhaeddodd ond *Eight Inch Nails* yn lle *Big Guns,* fel y dylesid cyfieithu. JHJ. GG. 167.

Y mae hoelion wyth modfedd yn fawr iawn wrth gwrs o'u cymharu â hoelion bach cyffredin.

HOLI

998. HOLI A STILIO. Holi'n fanwl iawn.

Yr oedd John Powell eisoes wedi dychwelyd . . . Yr oedd fy mam wrth ei *"holi a'i stilio"* wedi galiu tynnu digon ohono i edrych gyda phryder ac ofn ar y diwrnod y byddai fy mrawd yn dyfod yn ôl. DO. RL. 159.

HOSAN

999. (HEN) HOSAN. Arian wedi ei gynilo.

Mi fum i yn 'i phryfocio hi 'mod i'n mynd i chwilio am *yr hosan* yn y llofft yma fwy nag unwaith. AL. CT. 4.

Cyfeiriad at yr hen arfer gynt, cyn dyfod banciau'n bethau cyffredin, o gasglu arian mewn hosan (gan y ffurfiai gwdyn hwylus) a'i gelu.

HUDDYGL

1000. FEL HUDDYG I BOTES. Yn annisgwyliadwy a dirybudd (ac yn fynych, fel yr huddygl, heb iddo lawer o groeso).

Ddoe, pan oeddwn i wedi tynnu'r tŷ acw yn fy mhen, (1233) a'r cwpwrdd ncsa peth at fod yn wag, pwy landiodd, fel *huddyg i botes*, ond fy chwaer a'i gŵr a thri o blant.

HUFEN

1001. Defnyddir i olygu *y gorau.* Yr hufen yw'r rhan orau a mwyaf maethlon o'r llaeth.

A chyda'r peth harddaf a welais i ydoedd O.M. [Edwards] yn sefyll yng nghanol ei ddosbarth yn Ysgol Sul Llanuwchllyn, ac yn rhoddi hufen ei feddwl i fechgyn y Llan a gweision ffermydd y fro. JHJ. GG. 131.

HUN

1002. DOD ATO'I HUN. Mae tri ystyr i'r ymadrodd hwn:—

1. cael adferiad iechyd corff.
2. ennill ymwybyddiaeth ar ôl bod yn anymwybodol.
3. dod yn ôl i iawn bwyll, naturiol neu foesol.

Ceir enghr. o (1) a (2) yn y dyfyniad hwn:—

Yn lloft pen y gegin ym Mryn Marian y *daeth* [Lewys Dafydd] *ato'i hun* (2), ond ni *ddaeth ato'i hun* mewn nerth ac iechyd byth wedyn (1).

A dyma yr enghraifft enwocaf yn yr iaith efallai o (3):

A phan ddaeth *ato'i hun* . . . Luc 15. 17.

HWCH

1003. GWRANDO FEL HWCH YN YR HAIDD. Gwrando a pheidio â rhoi sylw. Y math o wrando a ddisgrifir gan y gair, 'i mewn drwy un glust ac allan drwy'r llall'. Mae'r hwch yn y maes haidd yn rhy dda ei lle i fod ag awydd gwrando ar unrhyw un yn ei galw oddi yno. Hwyrdrwm eu clyw yw 'y rhai esmwyth arnynt' bob amser. Mae hen ymadrodd S. ar gael, *"To hear like a hog in harvest"*.

1004. YR HWCH YN MYND DRWY'R SIOP. Methdaliad. Torri mewn busnes.

> Pryd yr aeth *yr hwch drwy'r siop* yn llwyr 'dwyf i ddim yn cofio erbyn hyn, ond dyna fu ei diwedd. DTL. LG. 81.

Anodd olrhain tarddiad y dywediad — ond prin y gellid dychmygu am ddim a wnâi alanastra mwy trychinebus mewn siop na hwch!

HWDE

1005. Gwell dechrau ag enghraifft.

> Mi fûm yn cael *fy llawn hwde* ar wneuthur rhyw Gywydd i'r Gymdeithas o Gymmrodorion yn Llundain. LlGO.. 33.

Berf yn y modd gorchmynnol yw *hwde* ac nid oes ffurf arall ar gael ag eithrio'r ll. *hwdiwch.* (Yn y Deau, hwre, hwriwch.) Ei ystyr yw *cymer hwn.* Fe'i ceir yn y ddihareb: Gwell un *hwde* na dau addo. Gwelir y lluosog *hwdiwch* yn E.W. B.C. 38: 'Os tlawd, hwdiwch bawb i'w sathru a'i ddiystyru'. Yn y dull y defnyddir ef gan G.O. uchod grym *enw* sydd iddo, yn golygu rhywbeth tebyg i lond dwylo. Ceir y gair ar lafar o hyd yn Arfon lle dywedir e.e. "'rydw'-i wedi prynu rhyw *hwda* o betha" h.y. hylltod o bethau (1022).

Haws deall yr ystyr mewn enghr. arall gan Oronwy:

> . . . byddwn yn sicr o gael fy *llawn hwde* ar fwyta brechdanau o fêl . . . LlGO. 23.

A dyma enghr. ddiweddar o 'hwdiwch':

> *Hwdiwch* hwn fel enghraifft o'r coegni sy'n iasu'r gweddill. JHJ. GG. 123.

[wrth gyflwyno dyfyniad o *Nodion Ned Huws* gan Daniel Owen].

> Mae mam yn prynu *hwde* o bethau [gan y dyn gwerthu llysiau] – bwndeli o foron, dau dalbo o eirin . . . a phwysi o afalau. KR. LW. 14-15.

HWN-A-HWN

1006. Y mae nifer o ymadroddion ar y patrwm hwn a ddefnyddir fel enw amhenodol. Gellir crynhoi y rhai mwyaf cyffredin ohonynt mewn brawddeg sy'n enghraifft o'r ffordd y defnyddir hwy:

> Mi glywais fod *hwn-a-hwn* wedi dweud *fel-a'r-fel* wrth *hon-a-hon* yn y *lle-a'r-lle* (neu'r *fan-ar'r-fan*) ar yr *adeg-a'r-adeg* ac mai *hyn-a-hyn* fyddai'r pris.

HWYL

1007. RHOI RHYWUN AR HWYL i wneud rhywbeth. Rhoi cychwyn iddo ynglŷn â rhyw orchwyl. E.e. geill athrawes roi plant ei dosbarth *ar hwyl* i wneud rhyw waith — dangos iddynt sut i "fynd o'i chwmpas hi".
NODIAD: Hen ystyr i 'hwyl' oedd 'cwrs' neu 'daith'. Cedwir yr ystyr honno yn 'hwylfa'=llwybr, a geir mewn llu o enwau lleoedd. Mae 'rhoi ar hwyl' felly yn cyfateb yn deg i ymadrodd arall o'r un ystyr, 'Rhoi rhywun ar ben y *llwybr* (neu'r *ffordd)'*. Noder hefyd y ceir y gair 'hwyl' mewn Gwyddeleg yn y ffurf *'seol',* ac ymhlith ystyron hwnnw y mae 'cwrs', 'ffordd o wneud rhywbeth', cyfarwyddyd', 'arweiniad'—pob un yn cyd-daro â'r ystyr yn yr ymadrodd dan sylw. Gw. (834).

1008. RHOI RHYWBETH AR HWYL. Rhoi cychwyn iddo. Gw. yr ysgrif flaenorol.

HWYLIO

1009. HWYLIO BERFA. Ei gwthio i beri iddi symud.

> Ni welwyd ef [Siams] erioed ar lwyfan ond llwyfan y domen. Llawer berfâd a *hwyliodd* Siams i fyny i hwnnw hyd rhyw ystyllen gul. DRW. CT. 68.

Yn yr un ystyr: *hwylio beic*=cerdded gan ei wthio yn hytrach na'i farchogaeth. Hefyd, *hwylio pram.*

1010. HWYLIO I GYCHWYN. Ymbaratoi i fynd.

> Cymerodd Hywel Ellis y cyfle . . . i godi i *hwylio* i fynd fynd adre . . . RDW. CT. 120.

> 'Does fawr o amser tan fydd raid i ni *hwylio* i'r capel. RDW. CT. 60

Defnyddir 'hwylio' yn yr ystyr hon yn fynych fel cyfystyr ag 'ymwisgo'.

1011. HWYLIO PRYD O FWYD. Ei baratoi a'i osod ar y bwrdd.

> Harri, mae gen i flys myn'd i edrach am Elin Wynn a byddwn i ddim yn dod yn ôl erbyn tê, mi neiff Ann *hwylio te* i ti. DO. GT. 149.

1012. HWYLIO RHYWUN (I WNEUD RHYWBETH). Ei berswadio, ei annog, ei gyfarwyddo, ei roi ar waith.

> Rhaid i chi'r plant mwyaf, beidio â *hwylio* y plant bach i wneud drygau.

> Yna fe ddaeth at dri o feiliaid; minnau yn lled gyfrwysddrwg yn fy meddwl a ddywedais yn deg wrthynt, ac a'u meddwais, a'r un oedd â'r *Writ* ganddo a ddaeth i'm gwely i at y gwas i gysgu; a phan gysgodd ef, mi a *hwyliais* forwyn oedd gennyf i nôl ei *Bocket Book* ef, i gael i mi'r *Writ;* ac felly y bu. HLITN. 39.

HWYR

1013. YN HWYR NEU'N HWYRACH. Rhyw adeg a ddaw ond na ellir bod yn sicr pryd.

> Mae'n siwr, *yn hwyr neu'n hwyrach,* o slap felltennol yn ei dalcen wrth hollti coed. RW. W. 45.

HYD

1014. AR FY HYD. S. *at full length.* Gorwedd ar fy hyd ar lawr. S. *to lie at my full length on the ground.* Ond sylwer, geill *ar ei hyd* (3ydd person) olygu 'o'r dechrau i'r diwedd, o un pen i'r llall' mewn brawddegau fel: Yn ei lyfrgell y treuliai ef y dydd *ar ei hyd.* Mwynheais yr araith *ar ei hyd.* Neu fel yr un a ganlyn:

> Y mae hi'n arfer bellach ddweud fod modd bod yn yr Eisteddfod *ar ei hyd* heb fynd yn agos ati hi ei hun, sef at y gweithrediadau . . . yn y pafiliwn. THP-W. M. 47.

1015. AR FY HYD GYHYD. S. *at full length.*

> Edrychais dan y gwely, a dyna lle'r oedd clamp o ddyn mawr *ar ei hyd gyhyd,* ac yn cysgu'n drwm. DO. GT. 96. Chwedi unweth ddechre rhoid pwus i byrelin ar y dreth mei eiff [dyn tlawd] i orfedd arni hi ar ei *hud gud* yn bur fuan. WR. LlHFf. 34.

1016. MESUR FY HYD. Ymadrodd yn golygu syrthio ar hyd gyhyd. (Gw. 1015).

> 'Roeddwn yn ddiolchgar nad oedd [y plismon] wedi mynd heibio ychydig funudau'n gynt a chanfod y beic a minnau'n *mesur ein hyd* ar y ffordd. EWms. DE. 51.

1017. O'M HYD GYHYD=AR FY HYD GYHYD. (Gw. 1015).

Yna Saul a frysiodd ac a syrthiodd *o'i hyd gyhyd* ar y ddaear. 1 Sam. 28.20.

1018. YN FY LLAWN HYD. S. *at full length.*

Un tro cofiaf fynd i bregethu mewn B.S.A. Scout, car trwyn hir o deulu'r rasio . . . Eisteddid yn isel yn y cerbyd hwnnw gan osod y coesau *yn eu llawn hyd* ar fflat i drin y pedalau. RW. W. 90.

HYDION

1019. AM HYDION. Am amser maith. Lluosog 'hyd' (h.y. o amser) yw hydion.

Eisteddai *am hydion* ar un o'r cychod i ddisgwyl cwsmer ac i synfyfyrio. EWms. DE. 21.

Ffurf arall o'r un ystyr yw AM HYDOEDD. Amrywiad ar yr ymadroddion hyn yw ALLAN O (BOB) HYDION (HYDOEDD). Gw. (84).

HYLL

1020. PETHAU'N EDRYCH YN HYLL. Y sefyllfa yn ymddangos yn fygythiol, y rhagolygon yn ddrwg.

Mae pawb yn gobeithio na chaeir mo'r gwaith. Ond rhaid cydnabod bod pethau'n *edrych yn hyll.*

1021. AR EI BETH HYLL=AR EI LW CRYFAF beth bynnag yw hwnnw. Dull o osgoi ail-adrodd y llw penodol a ddefnyddiwyd gan y sawl y sonnir amdano. Gw. (1249).

1022. HYLLTOD O BETHAU. Swm mawr o bethau. Cysylltir yr 'hyll' a'r 'mawr'. "Tlws popeth bychan" medd y ddihareb. Ar y llaw arall mae'r *mawr* yn anferth (an+berth=nid prydferth).

Mi enillodd Ifan ryw *hylltod* o arian ar y pwls.

IACH

1023. CANU'N IACH. Ffarwelio. Gw. (427).

1024. YN IACH. Cyfarchiad o ddymuniadau da wrth ymadael. S. *Goodbye.*

> *Yn iach* weithian dan y dydd
> Y gwelom bawb ei gilydd. Siôn Tudur.

Defnyddir hefyd heb fod yn gyfarchiad uniongyrchol:

> Wel, ebr fi wrthyf fy hun, *yn iach* weithian i'm hoedl.
> EW. BC 7.

IÂR

1025. FEL IÂR AG UNCYW. FEL IÂR A DEUGYW. Yn ffwdanus a ffyslyd — yn enwedig am bethau dibwys. Bydd iâr â dim ond un cyw neu ddau ganddi yn gwneud cymaint o sŵn ag iâr â chanddi ddwsin yn ei gofal. Ymadrodd campus yw hwn i ddisgrifio'r teip o berson sy'n llawn ffwdan, ac yn ceisio rhoi argraff arnoch fod ei brysurdeb yn codi o'i bwysigrwydd.
Prysurdeb yn unig fodd bynnag a awgrymir yn y dyfyniad a ganlyn:

> . . . a phawb yn ymddangos [ar ddiwrnod dyrnu] cyn brysured â *iar â deugyw.* DO. S. 12.

1026. FEL IÂR AR Y GLAW. Defnyddir i ddisgrifio rhywun â golwg ďorcalonnus arno. Cymhariaeth addas dros ben yw hon. Cas gan iâr y glaw, a chyngor yr hen ddihareb yw "Na werth dy iâr ar y glaw" oherwydd nid yw'n ymddangos ar ei gorau y pryd hynny.

1027. FEL IÂR I DDODWY. Yn slei; yn llechwraidd; heb i neb weld.

> Yr oedd M. yma ar ddechrau'r cyfarfod, ond rywdro'n ystod y gweithrediadau fe ddiflannodd *fel iâr i ddodwy.*

Esbonia C. P. Cule (Cymraeg Idiomatig, Tud. 27) yr ymadrodd fel yn golygu: *ar frys, heb fedru aros.* Yn y gogledd o leiaf ni thybiaf mai dyna'r ystyr a roir iddo.

IAU

1028. O DAN IAU rhywun. O dan arglwyddiaeth ac awdurdod rhywun. Y darlun tu ôl i'r ymadrodd yďyw'r darn trwm o bren (yr *iau,* S. *yoke*) a roid ar draws gwarrau gwedd o ychen wrth aredig etc. gynt. Nid annaturiol i'r gair ddod yn ffig. i sefyll am wastrodaeth, disgyblaeth, awdurdod ac (mewn ystyr ddrwg) am orthrwm, neu gaethiwed. Byddai'r Rhufeiniaid, wedi trechu gelynion

mewn rhyfel, yn eu gorfodi, fel arwydd o'u darostyngiad, i fynd 'dan yr iau', *'sub iugo'*, yn y ffurf arwyddluniol o dair gwaywffon — dwy'n sefyll i fyny fel dau bost ac yn cynnal y dryďedd a osodid ar eu traws. O *sub iugo* y daeth y S. *subjugate*.
Ceir digon o gyfeiriadau at *yr iau* yn y Beibl, wrth gwrs, (1) weithiau yn yr ystyr lythrennol (e.e. Num. 19. 2); (2) weithiau'n ffigurol, (a): disgyblaeth (e.e. Galar. 3. 27); (b): gorthrwm (e.e. I Bren. 12. 4).
Ceir enghrau. o'r tair ystyr hefyd yn y T.N. (e.e. (1) Math. 21. 5; (2) (b) Galat. 5. 1, a (2) (a) yr enghr. enwocaf o'r cwbl:

> Cymerwch fy *iau* arnoch a dysgwch gennyf. Math. 11, 29.

Y mae llinellau emyn Pedr Fardd yn gyfarwydd iawn:

> Cael bod yn fore *dan yr iau*
> Sydd ganmil gwell na phleser gau . . .
> O boed im dreulio yn ddi-goll
> *O dan iau* Crist fy mebyd oll.
>
> PJ. LIEM. 753.

Gw. y priod-ddull nesaf ond un a restrir.

IEUENCTID

1029. IEUENCTID Y DYDD. Y bore cynnar. Un o ymadroďdion hyfrytaf y Mabinogi yw hwn e.e.

> A thrannoeth yn *ieuenctid y dydd* cyfodi a orug a dyfod i Lyn Cuch i ellwng i gwn dan y coed. WM. 1.

IEUO

1030. IEUO'N ANGHYMHARUS. Cyfuno dau beth neu ddau berson anaddas gyda'i gilydd. Fynychaf cyfeirio y mae'r ymadrodd at briodas rhwng dau anghydweddol. Am ystyr *ieuo* gw. dan *iau* (1028).

> Na *ieuer* chwi yn *anghymharus* gyda'r rhai di gred; canys pa gyfeillach sydd rhwng cyfiawnder ac anghyfiawnder, a pha gymundeb rhwng goleuni a thywyllwch? 2 Cor. 6. 14.

> Pe torrai eglwys Tanyfron fi allan am *ieuo yn anghymharus*, mi wnai ei ddyletswydd tuag at Dduw a'r cyfundeb. DO. GT. 284.

> [Gwen Tomos — sy'n aelod eglwysig — yn trafod gyda Rheinallt — nad yw'n aelod — eu bwriad i briodi].

IRO

1031. IRO LLAW neu DDWYLO (IRO PALF) RHYWUN. Rhoi cil-dwrn. Llwgrwobrwyo. S. *grease one's palm.* Gw. (808).

> Felly peidiwch a beio'r cynulleidfaoedd am y "*cheers* a'r *thundering applause;*" nid hwy sy'n eu dodi yno, canys y mae berfeidiau o'r dychlamiadau glafoeriog hynny ar gael yn swyddfau'r papurau — dim ond i chwi *iro palf* y perchennog. JHJ. GG. 33.

[Arfer gynt mewn adroddiadau papur-newydd o areithiau etc. oedd nodi mewn cromfachau adwaith y gynulleidfa.]

> Ac os tyddyn fydd ar osodiad
> Daw yno i ymryson resiad;
> Ni cheir na threfn na threial na thro
> Heb iro dwylo'r diawliaid. ETd. PCG. 16.

[Sôn y mae Twm o'r Nant am stiwardiaid tir feddianwyr ei gyfnod].

ISEL

1032. YN ISEL FY MHEN. Yn fy medd.

> Fy nydd sydd yn nyddu yn fanwl i fyny
> A'r nos yn dynesu i *roi'n isel fy mhen.*
> Edward Richards, Ystradmeurig

> Os digwydd i'r hanes hwn syrthio i ddwylaw rhai o fy nghyfeillion pan fyddaf fi *yn isel fy mhen* . . . gwn y byddant yn synnu . . . DO. RL. 42.

Sylwer bod 'bod yn isel ei ben' yn gwbl wahanol ei ystyr i 'bod yn benisel'. Bod yn benisel=bod yn brudd. S. *depressed.* Ar y llaw arall nid bod yn llawen yw bod yn *benuchel,* ond bod yn falch a thrahaus.

IWS

1033. AT IWS GWLAD. Ymadrodd a ddefnyddir yn llythr. am bethau syml, plaen, diaddurn a gwerinaidd ac yn ffig. yn yr un ystyron, am bersonau.

> Pe buasai Lewis Jones yn bregethwr mawr, mae ymron yn sicr na fuasai efe yn meddwl am Elin Wynn . . . ond gan mai pregethwr *at iws gwlad* oedd Lewis syrthiodd ei lygaid ar ddarpar wraig gampus. DO. GT. 329.

'iws' (o'r S. *use*)=defnydd, gwasanaeth.

LIMPIN

1034. COLLI LIMPIN (LIMPYN). Gwylltio. Mynd i dymer.

> Gwylltiais innau. "Ddwedais i ddim fod Geraint yn

gwneud dim gwaeth na chusanu'r eneth yna". "Paid â *cholli dy limpin*", [ebe Melinda.] KR. TH. 55.

Daw *limpin*, fe awgrymwyd, o'r S. *linchpin* — y pin a roir drwy ben echel i gadw'r olwyn yn ei lle. Os collir hwnnw ni bydd rheolaeth ar nac olwyn na cherbyd. Wrth wylltio mae dyn hefyd yn *colli rheolaeth* — arno'i hun. Cf. mynd oddi ar fy echel (800).

LINCYN LONCYN

1035. (MYND) LINCYN LONCYN. (Mynd) yn hamddenol, wrth bwysau. S. *jog along*.

Ymlaen â i . . . heibio i Foel Lwydiarth i Lannerch-y-Medd, ac oddiyno *lincyn loncyn* i Gaergybi. LlM. 12.

Ffurfiau eraill ar yr ymadrodd: LINC-DI-LONC. LINC-MI-LONC.

Lle gwych i foelystota* ynddo ydyw Trefdraeth, sef i daro ar ambell gydymaith gwledig heb ei lyfnu . . . gan ddandieiddiwch y dref; i gerdded *linc-mi-lonc* yn ei gwmni ar hyd y meysydd a'r lliaws cefnffyrdd snec a chysgodol . . . JHJ. M. 27.
*moelystota=prancio.

Ymadrodd o'r un ystyr yw O DOW I DOW neu DOW-DOW. Ym meirniadaeth yr Awdl yn Eisteddfod Dolgellau 1949 (gw. Cyfansoddiadau a Beirniadaethau'r flwyddyn honno, tud. 67) dywed THP-W. am un cystadleuydd, 'Cyfyd yn uwch na'i lefel arferol ar dro (1441)'. Yna, wedi dyfynnu enghreifftiau o hynny, â ymlaen, 'Codi weithiau fel yna, ond gan amlaf mynd *dow-dow* yn dawel i'r diwedd'.

LIWT

1036. AR FY LIWT FY HUN. Ar fy mhen fy hun, heb gymorth na chwmni neb arall.

Y noswaith gyntaf aeth y ffermwr caredig â mi hyd y caeau . . . Yr ail noswaith mi euthum hyd y caeau *ar fy liwt fy hun*. THP-W. OPG. 66.

LÔN

1037. LÔN BENGAEAD. Lôn (ffordd) nad yw'n mynd 'drwodd' i unman; *cul de sac* (sef lôn fel *pen sach*).

Mae'n debyg genni mai *lôn bengaead* ydi hon, ond siawns na byd lle i droi cerbyd yn rhywle. RTJ. CFf. 19.

LLACH

1038. RHOI LLACH AR RYWUN. Ei feirniadu'n anffafriol.

> Dywedai [Nhad] fod pob pregethwr yn gwneud ei orau. Dim ond ar un pregethwr y clywais ef yn *rhoi ei lach* erioed. KR. LW. 49.

Ergyd â chwip ydyw *llach*, a gair digon priodol felly am air cas a brathog. Defnyddir y ferf *llachio* yn ddigon cyffredin, yn Arfon o leiaf, yn yr ystyr o ddweud pethau cas, beirniadol.

LLADD

1039. LLADD. Yr oedd dwy ystyr i'r gair 'lladd'.
(1). TORRI. Dyma enghrau. 'Yna y peris [=parodd] Bendigeidfran *ladd* ei ben' WM 29. Yn y Beibl ceir 'lladd â llif'=torri â llif, llifio: 'Meini costus wedi eu *lladd* â llif' (I Bren. 7. 9). 'Llunio'r wadn fel bo'r troed' a ddywedwn ni heddiw. Ond '*lladd* y gwadn' (ei *dorri* allan o'r darn lledr) yw'r ffurf a geir yn 'Oll Synnwyr Pen Kembero i gyd' (William Salesbury). Mae'r ystyr yma'n fyw o hyd. Dim ond y dydd o'r blaen clywais ddyn yn defnyddio'r ymadrodd, 'lladd mawn' (=torri mawn) ac y mae 'lladd gwair' a 'lladd ŷd' yn gyfarwydd iawn inni.
(2). TARO. 'A *lladd* tân a wnaethant' (WM 32) h.y. taro'r garreg dân â dur i gael gwreichionen. Yn chwedl Pwyll yn y Pedair Cainc ceir y frawddeg: 'Ac yna *lladd* [di] glwm ar gareiau y god' sef '*taraw* cwlwm, clymu'n sydyn, ar drawiad' (IW PKM 133). Heddiw ystyr gyffredin 'lladd' yw S. *kill* h.y. *taro* rhywun fel ag i roi pen ar ei fywyd. Cf. y gair S. *slay*. Ystyr gyntaf hwnnw oedd *taro*, yna *taro* tân, yna lladd. Daw 'sledge' yn *sledge* hammer (gordd i *daro* go iawn!) o'r un gwreiddyn.

1040. LLADD AMSER. Llenwi'r amser tra fydder yn aros i rywun ddod neu i rywbeth ddigwydd.

> . . . Curo dwylo, cicio traed, methu gweld y cyrten yn mynd i fyny'n ddigon buan . . . y plant i gyd efo'i gilydd yn y seddau blaen a Jôs y Scŵl yn eu harwain dros donau'r Gymanfa i *ladd amser*. IG. Cr. 94.

Rhoi 'pen' neu 'derfyn' ar yr amser disgwyl — dyna'r cysylltiad, debyg, â'r gair *lladd* yn y cyswllt yma.

1041. LLADD AR (RYWUN neu RYWBETH). Ei ddifrïo. Ei fychanu. Ymosod arno (â geiriau).

> Tydio ddim iws yn y bud i fynd i (o)fidio ar ôl hen dreth anghyfion a gorthrymus a *lladd ar y dun* fu'n 'fferyn i'w diddumid hi. WR. LlHFf. 10.

O gofio'r ystyr o 'dorri' sydd i 'lladd' weithiau, mae'n ddiddorol sylwi fel y defnyddir 'TORRI AR' yn yr un modd â 'LLADD AR, e.e. Nid oes ganddo air da i neb — dim ond *torri ar* bawb.

Yn y dyfyniad a ganlyn ceir enghr. hefyd o'r ymadrodd gwrthwyneb i 'lladd ar' sef DAL DAN (677).

> Clywais ef [fy nhad] yn *lladd* ar . . . stiwardiaid pan haeddent, er nad un i *ladd* yn hawdd *ar bobl* ydoedd ef. *Dal dan* bobl y byddai yn hytrach. KR. LW. 97.

1042. LLADD DAU DDERYN AG UN ERGYD. Cyrraedd dau amcan drwy'r un weithred; cyflawni dwy dasg â'r un ymdrech. Dywedir am y S. cyfatebol mai fel cyfieithiad o ymadrodd Ffr. *d'une pierre faire deux coups* yr ymddangosodd gyntaf yn 1611.

1043. LLADD GWAIR (neu ŶD, YSGALL etc.). Torri gwair etc.

> Llawer a gerddodd i Fôn a mannau eraill â'i bladur dros ei ysgwydd i *ladd gwair* am rot y dydd, a hynny o wawr i wyll. JHJ. M. 10.

LLAESU

1044. LLAESU DWYLO. Mynd yn llai egnïol gyda gwaith.

> Meddai'r siaradwr, "Yr ydym wedi cyflawni tri chwarter y dasg a osodwyd inni. Nid dyma'r adeg i *laesu dwylo*."

Ystyr 'llaesu' yma yw 'llacio'. Cf. yr hen ddihareb, *'Llaes* ei afael a gyll ei graff'. Heddiw fe ddywedwn, 'llac ei afael'. Daw *llaes* o'r gair Lladin *laxus* (=llac). O'r un gair y daw *lax* a *laxative* yn S. Dywed rhai mai dyna hefyd darddiad *lascivious* yn yr iaith honno — Moesau llac sydd gan ddyn y gellir ei ddisgrifio felly! Ni fedr neb sy'n gweithio â *dwylo llaes* neu lac fod yn effeithiol iawn. Nid ymegnïo, ond gorffwyso y byddwn wrth *ymlacio*. Gan gofio, onid *'It is not a time to relax'* a ddywedai Sais yn y cyswllt uchod?

LLAETH

1045. LLAETH MWNCI. Diod feddwol. Dywedir am rywun wedi meddwi,

> Mae o wedi cael gormod o *laeth mwnci.*

Ceir 'sugno'r mwnci' yn S. hefyd mewn ystyr gyffelyb, o'r arfer (yn ôl Partridge, DHS) o sugno licer, yn arbennig rwm, â gwelltyn allan o gasgen trwy dwll gimbill (wimbled). Defnyddir yr un term am yfed gwirod yn syth o'r botel, ac o hynny, yn gyffredinol am ddiota.

LLAIS

1046. CYMRYD LLAIS YR EGLWYS. Term a arferir gan Ymneiltuwyr am gymryd pleidlais aelodau eglwys fel corff ar fater y bo angen ei benderfynu, e.e. yn yr enghr. isod, ynglŷn â rhoi cymeradwyaeth i aelod ymgyflwyno i'r weinidogaeth.

> Cydsyniodd [Thomas Roberts] o'r diwedd i'r peth fynd i *lais yr eglwys.* Galwodd swyddogion Dimbech am frodyr o'r Cyfarfod Misol i *gymryd y llais.* JPJ. Ysg. 13.

1047. RHOI FY LLAIS. Pleidleisio.

> Y mae'n gof gennyf (550) fynd allan ben bore i *roi fy llais* mewn etholiad. JPJ. GD. 22.

LLANC

1048. LLANC MAWR. Dyn â meddwl uchel ohono'i hun a'i ymddygiad yn dangos hynny.

> Mae gras Duw yn troi *llanciau mawr* yn blant bychain.
> Y diweddar Dr. Thomas Williams, Gwalchmai. Dyf.
> HLlW. TWG. 83.

LLATHEN

1049. HEB FOD YN LLAWN LLATHEN. Heb feddu galluoedd meddyliol normal; â rhyw goll meddyliol; simpil.

> Dyma'r plisman yn rhyw gil wenu'n larts ar y naw (1180) ac yn edrych arna i fel petawn i ddim *yn llawn llathan* a fynta biti drosta i fel petae. JGW. PS. 203.

Ffurf arall ar yr ymadrodd — HEB FOD YN BEN LLATHEN.

> Ni chyfrifid Thomas na Barbara fel yn perthyn i ddosbarth y gwybodusion. Yn wir edrychid yn gyffredin ar y ddau fel heb fod yn *ben llathen.* DO. RL. 83.

Nid oedd llathen, yr uned gyffredin i fesur hyd, ddim yn llathen os oedd, yn yr idiom Seisnig, "*not quite thirty six inches.*" Gw. am ymadrodd cyfystyr (951).

1050. MESUR PAWB WRTH FY LLATHEN FY HUN. Barnu pawb wrth y safonau yr wyf fy hun yn ddiarwybod yn gweithredu wrthynt. Priodoli i eraill fy nheimladau a'm cymhellion fy hunan.

"Mae'n cyfrannu'n hael bob amser",
"Ydi, er mwyn cael ei enw yn y papur".
"Paid â *mesur pawb wrth dy lathen dy hun*".

LLAW

1051. AIL-LAW. (Gw. hefyd 77). Defnyddir i ddisgrifio nwyddau a ddefnyddir ond nas prynwyd yn newydd; nwyddau a ddefnyddiwyd gan eraill o flaen y defnyddiwr presennol, e.e. dillad *ail-law*, car *ail-law*. Nid rhaid i'r nwyddau fod yn faterol. Gellir dweud am lawer ohonom mai *syniadau ail-law, opiniynau ail-law*, a hyd yn oed *ragfarnau ail-law* sy gennym!

Pan draethai [Thomas Richards] ar hanes rhyw hen deulu tiriog, seilid y ddarlith yn uniongyrchol ar ddogfennau a llythyrau'r teulu — nid ar wybodaeth *ail-law*.
TR. RAC. 122.

1052. ALLAN O LAW. Ar unwaith. Heb oedi. Gw. (85).

. . . i gael ei yrru [copi o gywydd y Farn] i Lundain *allan o law*. LlGO. 74.

1053. AR LAW RHYWUN. O fewn ei allu. Yn ei gyfle.

Hynny oedd raid imi petwn yng Nghaerdydd. Dywedwch wrth y Ficar y gwnaf gymaint drostaw yntau os daw *ar fy llaw*.

William Midleton. Dyf. yn Rhyddiaith Gymraeg (2). Tud. 52.

1054. BOD Â LLAW RYDD. Bod yn ddibriod.

Tra bûm â'm *llaw yn rhydd* (chwedl pobl Fôn) neu heb briodi . . . LlGO. 7.

1055. BOD YN LLAWDRWM, ar rywun/neu rywbeth. Bod yn feirniadol iawn ohono.

Hawdd gennym wrth farnu pobl dlodion fod yn *rhy lawdrwm* ar y dyn, ac anghofio ei anfanteision ef.
JPJ. GD. 38.

Wrth roi cerydd neu gosfa mae pwysau'r llaw neu'r pwysau a roir tu ôl iddi yn gwneud gwahaniaeth!

1056. CAEL Y LLAW UCHAF. Cael y fantais. Cael y gorau o'r sefyllfa. Bod yn drech na rhywun neu rywbeth.

Llwyddwyd i gael y *llaw uchaf* i raddau helaeth ar y darfodedigaeth fel ar lawer afiechyd corfforol erbyn hyn. MH. Mn. 17.

1057. COLLI FY LLAW (ar rywbeth). Colli fy nawn i wneud rhywbeth. Colli fy meistrolaeth ar ryw grefft.

[Chwarchwr sy'n siarad] "Mi liciwn i ddiweddu f'oes yn fy hen fro. Ac mi liciwn naddu tipyn o ladis wyth* ac ugain deuddeg* eto rhag ofn mod i wedi *colli fy llaw* arni." KR. OGB. 41.

*Mathau o lechi.

1058. DAN FY LLAW. Wedi ei lofnodi gennyf fi fy hun. Gw. (755).

1059. GYDA LLAW. Ymadrodd a ddefnyddir wrth ddwyn i mewn i sgwrs neu drafodaeth (lafar neu mewn ysgrifen) sylwadau heb fod ganddynt gysylltiad uniongyrchol â'r prif bwnc dan sylw.

1060. HELP LLAW CHWITH. Help a roir yn anfoddog.

1061. HEN LAW AR (RYWBETH). Un wedi ennill medr ar ryw waith drwy hir ymarfer. S. *pastmaster, expert.*

Mae gen i gyfaill agos sy'n gerflunydd o'r radd flaenaf . . . 'Roeddwn i ac ef wedi sôn droeon am iddo "wneud fy mhen". Y mae e'n *hen, hen* law ar hynny, ac wedi "gwneud pennau" lu. THP-W. P. 77.

Mae'n sicr mai mewn perthynas â chrefft neu orchwyl lle defnyddir y dwylo y tarddodd yr ymadrodd, ond fe'i cymhwysir at bob math o bethau eraill. Soniwn e.e. am *hen law* ar wneud englyn, ar gyfansoddi tôn, ar lenwi cwpon pêl droed, ar gael ei ffordd ei hun etc.

1062. LLAW-AGORED. Haelionus.

'Marged law agored gynt' ebe G.O. am fam y Morrisiaid

1063. LLAWGAEAD. Y gwrthgyferbyniol i *llawagored.*

1064. LLAWFAETH. Defnyddir am oen a gollodd ei fam neu a wrthodwyd ganddi, ac a fegir â llaw ar lefrith potel. Aeth *llawfaeth* yn *llawaeth* ar lafar, ac yna'n *llywaeth.* Gan fod oen llawfaeth yn dod yn *ddof* iawn gelwir dyn dof, di-blwc, swil yn un *llywaeth.*

1065. LLOND LLAW. Ffig. Ychydig. Gw. (1093).

Dim ond *llond llaw* o bobl oedd yno.

1066. RHAG LLAW. Ymlaen llaw. Cf. S. *beforehand.*

Yr wyf i fy hun yn cofio mwy am y posteri oedd yn ei hysbysu *rhagllaw* nag am y sioe ei hun. THP-W. OPG. 62.

1067. TALU AR LAW. Talu am nwyddau wrth eu cael yn hytrach na'u prynu *ar goel,* h.y. derbyn y nwyddau gan addo talu rywdro wedyn. Ceir y ddau briod-ddull yn y dyfyniad hwn:

Gallaswn gael faint a fynaswn [o nwyddau] *ar goel* (543) gan fy hen gyfaill sy'n cadw siop y llan . . . ond y mae'n bwnc gennyf fi bob amser erioed *dalu ar law* am bob peth y byddwn yn galw amdano. WR. HBHD. 52.

Mae'n bwnc gennyf. S. *make a point of.*

1068. TYNNU LLAW DROS BEN RHYWUN. Rhoi gweniaith iddo er mwyn cael ei gydweithrediad, fel y bydd dyn yn mwytho anifail neu blentyn.

1069. YN DIPYN O LAW GYDA (EFO) RHYWUN . . . Ar delerau cyfeillgar ag ef (neu hi). Yn cyd-dynnu'n dda ag ef.

Yr oedd fy modryb yn *dipyn o law* efo'r hen ŵr a ddaliai'r practis o flaen y doctor. AL. CT. 13.

Gw. hefyd (1071).

1070. YR HEN LAW. S. *the old fellow.*

"Pwy fedar byth fynd atyn nhw"?
"Be ydyn *nhw?*" ebe'r gwas bach.
"Celc *yr hen law*", ebe Siams, gan gyfeirio a'i fawd at y Tyrchwr. RDW. CT. 103.

1071. YN LLAWIAU. Yn gyfeillion. Ar delerau da â'i gilydd.

Mae digon o brofion bod W. Llewelyn Williams a J. Morris-Jones *yn llawiau* garw. JEC-W. AA. (TJ).

Lluosog 'llaw', wrth gwrs, yw 'llawiau' ond ni ddychmygai neb am ei ddefnyddio ond yn yr ymadrodd hwn. cf. (1069).

1072. YSGWYD LLAW AT Y PENELIN. Ysgwyd llaw gwirioneddol galonnog.

Cyn dweud gair ysgydwodd Twm *ddwylaw at y penelin* efo Gwen a minnau. DO. GT. 342.

Daeth llinell olaf englyn Gwilym Deudraeth ar sut i ysgwyd llaw yn un o idiomau ein cyfnod ni:

Y ddeufys na oddefwch — ond mewn llaw
Dwym yn llon gafaelwch;
Llaw cyfaill yw hi; cofiwch
Ysgwyd llaw nes codi llwch!

Anodd peidio â dyfynnu y diweddar Syr Ifor Williams yn sôn am sylw rhyw wraig o Arfon. Disgrifiai ddyn oedd yn rhagrithiol o groesawus. "Mae'n ysgwyd eich llaw chi", meddai, "nes ma'ch sana chi yn dwad i lawr".

LLAWER

1073. YN LLAWER O'R DYDD (NOS). Ymhell ymlaen ar y dydd (neu'r nos), yn hwyr iawn.

'Wel dowch adref bellach, nhad', ebe James. 'Mae hi yn mynd *yn llawer o'r nos*—fe fydd mam acw'n anniddig.'
WR. AFR. 106.

LLAWES

1074. CRIBO I LAWES RHYWUN. Ymwthio i'w ffafr, trwy weniaith fel arfer. S. *curry favour*.

Gwneuthum ymdrech fawr i *gribo i lawes* yr hen wraig trwy wneud rhyw fân swyddi iddi pan gawn gyfle.

1075. CHWERTHIN YN FY LLAWES. (LLEWYS). Chwerthin yn ddirgel.

Ni allai Harri chwaith beidio â meddwl am ei gyfoedion . . . fel y byddent yn cymryd arnynt gydymdeimlo ag ef yn ei golled [colli ei geffyl hela newydd] ac ar yr un pryd yn llechwraidd *chwerthin yn eu llewys*. DO. GT. 86.

Mae enghreifftiau o ddefnyddio'r ymadrodd cyfatebol yn S. *to laugh in one's sleeve*, cyn belled yn ôl â 1506. Awgrymir ddyfod yr ymadrodd ar arfer yn yr amser pan wisgid llewys llac, y gallai dyn eu dal o flaen ei wyneb a chelu gwên neu chwerthin o'r tu ôl iddynt. Gw. yr erthygl nesaf.

1076. GWENU YN FY LLAWES. Gwenu yn ddirgel, oddi mewn megis, gan ddal wyneb difrif yr un pryd.

Anfonais fy mechgyn hynaf [o blith disgyblion ei ddosbarth] i wrando arno. Fe'u hanfonais dan *wenu yn fy llawes*, oblegid hogiau bywiog, talentog oeddynt. heb ormod o barch i 'awdurdodau'.
RTJ. YDda. 137.

Gw. yr erthygl flaenorol.

LLE

1077. AGOS I'M LLE. (1) Yn byw'n fucheddol.

Credu'r ydwi . . . [meddai Thomsa Bartley] os byddwn ni'n onest a thalu'n ffordd a byw rhwbeth *agos i'n lle*, y byddwn ni i gyd yn gadwedig. DO. RL. 84.

Chwi gewch ddynion go *agos i'w lle* yn y cyffredin yn colli yn arswydus yn y fan yma [: mewn geirwiredd]. JPJ. GD. 29.

(2) Yn bur gywir o ran ffeithiau.

Ni wn eto pa un ai düwch tywyllwch yntcu düwch rhew oedd yn f'amgau. Ond byddaf yn *agos i'm lle* os dywedaf fod y fangre ogofaol honno wedi duo gan rew. THP-W. OPG. 38.

1078. RHOI LLE (I RYWUN neu RYWBETH). Rhoi cyfle iddo.

Daeth arnai hepian uchben fy mhapur a hynny *a roes le* i'm Meistr Cwsg lithro ar fy ngwartha. EW. BC. 84.

Trugarog a graslawn yw'r Arglwydd,
Hwyr-frydig i lid i *roi lle*. WNW. LlEM. 44.

1079. YN EI LE. Yn iawn, yn deg.

Mi rydwi'n disgwyl na fudd gynoch chwi ddim gwrthwuneb i neyd pob peth *su'n i le* — [sydd yn ei le]. WR. LLHFf. 27.

1080. YN FY LLE. Yn gywir yn fy marn neu weithred.

Yr ydych *yn eich lle*, F'Ewyrth Robert, nid oes neb mewn gwirionedd yn meddu hawl a pherchenogaeth mewn dyn ond ei Greawdwr. WR. AFR. 10.

Geill *yn fy lle* hefyd olygu, wrth gwrs, S. *instead of me; in my place*:

Ffydd, dacw'r fan a dacw'r pren
Yr hoeliwyd arno Dwysog nen
Yn wirion *yn fy lle*.
WW. LlEM. 216.

LLECH

1081. O LECH I LWYN. Yn llechwraidd gan geisio cadw o olwg pawb.

Aeth y ddau fel dau herwheliwr *o lech i lwyn* tua Thwsog AL. CT. 33.

Amlwg mai darlun o un yn symud yn yr awyr agored sydd yma — un yn defnyddio pob cysgod sydd ar gael iddo, pa un ai maen (llech) neu lwyn, neu beth. Ond sylwer ar y dyfyniad hwn:

Daeth Geraint i lawr [o'r llofft] *o lech i lwyn* ac eistedd wrth y bwrdd. KR. TH. 56.

Gwelir fod pob ymdeimlad o'r ystyr lythrennol gyntaf wedi cilio (nid oes lech na llwyn mewn tŷ). Y mae'r ystyr drosiadol fel petai wedi mynd yn annibynnol ar yr ystyr wreiddiol.

LLED

1082. LLED-LED BYD (neu WLAD neu ARDAL, etc.). Trwy'r byd (neu'r wlad neu'r ardal) oll.

Abergafenni . . . lle y mae dau Gymro y gwyddwn amdanynt yn byw, ac mi gefais y fraint o gael sgwrs gydag un ohonynt yn ystod f'ymweliad; a hwnnw oedd y gŵr a adweinir *led-led* Cymru fel "John Owen y Fenni." THP-W. M. 58.

LLESTRI

1083. TROS BEN LLESTRI. Yn anghymedrol. I ormodedd.

Yr oedd y ffraethinebu a'r adrodd storiau yn fwrlwm hwyliog ar y dechrau, ond fe wnaeth rhywun joc go amheus ac o hynny allan aeth pethau o ddrwg i waeth. Yn y diwedd aethant *dros ben y llestri'n lân.*

Y darlun sydd yn yr ymadrodd ydyw dŵr yn cael ei dywallt i lestr a mwy yn cael ei arllwys na llond y llestr.

LLEWYS

1084. TORCHI FY LLEWYS. Yn llythr. rowlio'r llewys i fyny ar y breichiau wrth ddechrau ar orchwyl rhag eu maeddu, a rhag eu bod yn rhwystr.

Mae hi'n treio gwneud bwyd heb faeddu sosbenni, yn treio golchi heb rwbio'r dillad, ac yn treio gweithio heb *dorchi 'i llewys.* KR. SG. 17.

Yn ffig. Ymbaratoi o ddifrif i fynd at waith.

Os wyt ti am basio'r arholiad yr haf yma rhaid iti *dorchi* dy lewys ar un waith ac nid meddwl am ei chael hi'n braf.

1085. YN LLEWYS FY NGHRYS. Wedi tynnu fy nghôt ar gyfer gwaith.

LLIDIARD (LLIDIART)

1086. TU YMA (neu TU NESA) I LIDIARD Y MYNYDD. Fel arfer defnyddir yr ymadrodd hwn gyda'r ferf 'gwybod' (neu rhyw ferf o gyffelyb arwyddocâd) mewn brawddeg negyddol i gyfleu mewn ffordd gref yr ystyr "*o gwbl*".

Digrif ddigon oedd clywed ambell ysgogyn pendew na ddarllenasai gan tudalen o lyfr yn ei fywyd, yn cymryd arno fod yn dipyn o anghredwr, ac yn defnyddio geiriau a thermau na wyddai *tu nesaf i lidiart y mynydd* mewn gwirionedd beth ydoedd eu hystyr. DO. EH. 295.

Yr oedd ene un ohonynt acw yn sôn . . . am 'olwynieth' ne rwbath tebyg a wyddwn i *tu nesa i lidiart y mynydd* be oedd o'n feddwl. DO. RL. 375.
(Thomas Bartley yn sôn am bregethwyr o *students*).

Agoriad yn wal y "mynydd" oedd y llidiart, a'r wal oedd terfyn eithaf y tir lle'r oedd ffiniau diffiniedig i ffermydd a thyddynnod. Os oedd anwybodaeth rhywun yn cyrraedd i bwynt cyn belled â hynny yr oedd yn bur sylweddol.

LLINYN

1087. CAEL DEUPEN Y LLINYN YNGHYD (neu AT EI GILYDD neu YNGHLWM). Llwyddo i fyw heb fynd i ddyled.

. . . *cael deupen llinyn* bywoliaeth dlawd *at ei gilydd*.
WR. HBHD. 5.

Helpai [fy nhad] beth ar ei bedwar swllt ar ddeg trwy werthu hadyd i amaethwyr a bythynwyr y fro; ond bu'n galed arno *gael deupen ei linyn ynghlwm*. JHJ. GG. 14

Pobl yn ymladd yn erbyn tlodi oedd pobl fy nghyfnod i. yn methu'n glir *cael y deupen llinyn ynghyd*.
KR. LW. 139.

Y ddeupen y ceisir eu cael i gyfarfod wrth gwrs yw traul ac incwm, a'r darlun, debyg, yw rhywun yn ymdrechu i rwymo pecyn mawr â llinyn rhy fyr. Gw. (707).

1088. CAEL PEN LLINYN. Ffig. Dechrau deall rhyw bwnc astrus; dechrau cael syniad am rediad stori etc.

Nid oedd gan John fawr o glem ar Fathemateg, ond er pan ddaeth yr athro newydd, mae'n dechrau *cael pen llinyn* ar y pwnc.

Amrywiadau ar ffurf yr ymadrodd: Dod o hyd i'r pen llinyn, cael gafael ar y pen linyn.

1089. COLLI PEN Y LLINYN. Colli rhediad yr ymresymiad neu'r traethiad. S. *lose the thread of the argument.*

Un tro pan oedd Robert Thomas wedi llwyddo i draethu'n dda ar y pen cyntaf o'i bregeth, aeth . . . ymlaen at ei ail bwynt, ond methai a chael gafael *ym mhen y llinyn*.
Hynodion Hen Bregethwyr Cymru 233.

1090. YN LLINYN. Yn rhes, y naill ar ôl y llall.

Eisteddfod Llanfachreth, Gwyl yr Ysgol Sul. a Steddfod Llangwm ddoe — tri dydd Sadwrn *yn llinyn*. LlB. D. 34.

LLO

1091. ADDOLI'R LLO AUR. Rhoi'r holl fryd ar ennill cyfoeth; derbyn safonau cwbl faterol; gwadu egwyddor er mwyn elw.

Oes y cyflog-sy'n-cynyddu a'r gwasanaeth-sy'n-lleihau yw'r oes hon. Oes y *Llo Aur* ydi hithau. MH. Mn. 23.

Bellach, y mae'r rhan fwyaf o eilunaddoliaeth y genedl [Gymreig] yn rhedeg mewn dwy sianel — Ariangarwch a Saisaddoliaeth! Yn lle rhannu eu calon fel cynt rhwng duwiau lawer, y mae'r Cymry yn awr wedi crynhoi eu holl serch ar ddau lo — *y llo aur* a'r llo Seisnig. EapII. E(1). 43.

Cyfeiriad sydd yn yr ymadrodd at yr hanes enwog yn Ecs. 32. Adroddir yno fel y bu i'r Israeliaid yn absen Moses ar fynydd Sinai droi i addoli llo aur a luniasai Aaron iddynt. Cosbwyd hwy'n llym am eu heilunaddoliaeth.

1092. LLADD Y LLO PASGEDIG. Darparu'r croeso gorau posibl. Cyfeiriad wrth gwrs at ddameg y Mab Afradlon Luc 15. 11-32).

LLOND (LLONAID)

1093. LLOND DWRN. Cyfystyr â *llond llaw* (1065). Gw. enghr. yno. Cyfystyr hefyd yw 'dyrnaid', a ddefnyddir yn ffig. gyda'r un meddwl:

Dyrnaid bychan o wrandawyr . . . yn swatio yng nghysgod y set fawr. RTG. CFf. 55.

1094. LLOND GWLAD. Nifer neu swm mawr. '*Llond gwlad* o bobl'. 'Llond gwlad o fwyd'. 'Llond gwlad o groeso'.

1095. LLOND GWNIADUR. Swm bach iawn. Y mymryn lleiaf.

1096. LLOND HET=llond dwrn. Gw. (1093).

LLUCH

1097. O LUCH I DAFL. Ymadrodd yn disgrifio rhywbeth yn cael ei luchio a'i daflu o un fan i'r llall heb neb yn malio beth a ddigwydd iddo.

Mi fuasai'n dda gen i petaet ti'n peidio â gadael dy ddillad *o luch i dafl* hyd y lle yma.

Yn ffig. fe'i cymhwysir at bobl.

Mi fu'r hen ŵr efo'i chwaer am sbel, nes blinodd honno, yna mi aeth at ei ferch, wedyn at y mab, yna'n ôl at y ferch eto. *O luch i dafl* fel yna y mae o wedi bod ers dwy flynedd.

Fe ellir ei ddefnyddio hyd yn oed wrth sôn am bethau haniaethol.

Am dros gan mlynedd mae'r syniad o hunanlywodraeth i Gymru wedi bod *o luch i dafl* rhwng y pleidiau.

LLWCH

1098. YSGWYD LLWCH (RHYWLE) I FFWRDD ODDI neu ODDI AR FY NHRAED. Gadael rhywle heb fod â'r bwriad i ddychwelyd yno fyth mwy. Ysgrythurol, wrth gwrs, yw tarddiad yr ymadrodd. Gw. Math. 10. 14.

[Llanddewi Nant Hodni] . . . lle bu'r llenor Saesneg, Walter Savage Landor, a brynodd y stad a'r cyfan, mewn helynt o bob math gyda'r trigolion, cyn mynd oddi yno ac *ysgwyd llwch* y fangre *oddi ar ei draed* am byth.
THP-W. M. 60.

LLWDN

1099. LLWDN Y GLOCH. Y llwdn sy'n arweinydd y praidd. Crogid cloch am ei wddf gynt. S. *bellwether.* Ffig. Un sy'n arweinydd, neu'n gosod ei hun felly Blas braidd yn ddifrïol sydd i'r gair fel arfer.

. . . na chais chwaith fod yn *llwdn y gloch* mewn llu neilltuol o folerwyr, i gael cynnal dy uchel-fryd a'u gwag folach gwenieithus hwynt. EW. RBS. 87.

LLWYNOG

1100. CYSGU LLWYNOG. Ffugio cysgu. Nid yw'r dyfyniad a ganlyn o *Rhys Lewis* yn cynnwys yr ymadrodd ond y mae'n ei egluro.

"Rhys". ebe fy mam . . . "gwell iti fynd i dy wely". "Yn union deg", ebe finnau. ond rhoddais fy mhen i orffwys ar y bwrdd gan gymeryd arnaf gysgu. Nid wyf yn sicr na ddarfu imi chwyrnu. Y fath *lwynog* o hogyn oeddwn;

Darfu i fy ymddygiad daflu y ddau oddi ar eu gwyliadwriaeth. DO. RL. 76.

Ers cyn co, fel y tystia Chwedlau Esop, bu'r llwynog yn deip o gyfrwystra castiog. Ymddengys fod yr ymadrodd *a fox's sleep* i'w gael yn Saesneg hefyd. O leiaf fe'i rhestrir gan Br. a'i egluro fel "a sleep with one eye open. Assumed indifference to what is going on". Cysgu ysgafn o'r un math yw CYSGU CI BWTSIWR yn y De.

1101. LLWYNOG O DDIWRNOD. Ymadrodd a ddefnyddir i ddisgrifio diwrnod sy'n dechrau'n braf yn y bore ac yn troi'n stormus at y prynhawn. Neu, fel yn yr enghr. ganlynol, diwrnod anarferol braf ar adeg annisgwyl ar y flwyddyn.

Os digwydd inni gael diwrnod anghyffredin o braf a chynnes yn Chwefror neu ddechrau Mawrth, tuedd rhai o'r trigolion hynaf yn yr ardal hon fydd dweud, yn dywyll a thrymaidd . . . 'O — *llwynog* ydi hwn hogia bach, peidiwch cymryd eich twyllo, mi fydd yn rhaid inni dalu'n ddrud iawn am hwn eto *wchi. JGW. MM. 64-5.

*wchi=welwch-chi.

LLYFRAU

1102. YN LLYFRAU RHYWUN. Yn gymeradwy ganddo. Yn cael ffafr yn ei olwg. Yn S. y ffurf gyfatebol yw *'in one's good books'* a'r gwrthwyneb iddo yw *'in one's bad* (neu black) *books'*. Nid oes ansoddair ar gyfyl yr ymadrodd yn Gymraeg, a'r unig ffordd i fynegi'r gwrthwyneb yn negyddu'r frawddeg, e.e., 'Nid yw hwn-a-hwn *yn fy llyfrau'*. I wneud y diffyg i fyny benthyciodd Cymraeg llafar y ffurf S. yn glap, a chlywir 'yn y blac bwcs' yn ddigon cyffredin.

Gan eich bod gymaint *yn llyfrau'r Pâp* [Angau sy'n cyfarch rhyw frenin sy'n pledio ger ei fron fod ganddo nawdd y Pab] cewch fynd yno i gyweirio'i wely ef at y Pâp oedd o'i flaen. EW. BC. 69.

NODIAD. Un o ystyron cynnar S. *book* oedd rhestr (*list*). Ymhlith ystyron *liber*, y gair Lladin a roes i'r Gymraeg y gair 'llyfr', yr oedd *rhestr, cofrestr*. Ystyr 'llyfr' yn yr ymadroddion uchod yw rhywbeth fel 'rhestr', h.y. o gyfeillion neu bobl gymeradwy. Golygai'r S. "*black book*" gynt lyfr yn cofnodi enwau personau a oedd i gael, neu a gawsai, gerydd neu gosb.

1103. YN Y LLYFRAU. Yr un ymadrodd â'r un yn yr erthygl flaenorol ond yn cael ei ddefnyddio mewn dull cyffredinol a heb ragenw.

"Mae'r 'bos' yn glên iawn efo ti'r dyddiau yma". "Ydi. Wn i ddim pam, ond 'rydw i *yn y llyfrau* ers tro byd."

Ceid unwaith yn S. ffurf gyfatebol, *in the books*. Hi'n wir, meddir, oedd y ffurf S. hynaf ar yr ymadrodd, ond aeth allan o arfer bellach.

LLYFU

1104. LLYFU BYSEDD. Arwydd bod rhywun yn mwynhau bwyd — ei fwynhau hyd at lyfu unrhyw weddillion a eill fod ar y bysedd. Bellach defnyddir y geiriau i gyfleu mwynhad (maleisus fel arfer) o unrhyw beth.

Pan gyhoeddwyd ysgrifau [yn ymosod ar weinidogion] yn y Geninen yr oedd gelynion y "brethyn" yn gwynfydu a *llyfu eu bysedd.* JHJ. GG. 51.

1105. LLYFU TIN. Ffalsio, gwenieithio.

1106. LLYFU TRAED RHYWUN. Ymgreinio iddo. Ystum yn arwyddo ymostyngiad llwyr a diraddiol.

Ond y mae hyn oll [mynnu bod Saeson yng Nghymru'n dysgu Cymraeg] yn *impracticable* meddai'r gŵr bach Seisgar. Tebygaf fod popeth yn *impracticable* i chwi ond *llyfu traed* y Saeson.
Eapl. E(1) 61.

1107. LLYFU'R LLAWR. Syrthio o hyd gyhyd ar lawr nes ymddangos fel petai dyn yn llythrennol yn llyfu'r ddaear.

Mi es dros gyrn y beic a syrthio'n glwt nes 'mod i'n *llyfu'r llawr.*

1108. LLYFU'R LLWCH. Ymadrodd o'r Beibl a dull ymadroddi Hebreig ydyw, gyda'r ystyr lythr. o gwympo'n ddiymadferth ar fy hyd, ac yn ffig. cael fy ngorchfygu'n llwyr (mewn rhyfel).

O'i flaen ef ymgryma trigolion yr anialwch a'i elynion a *lyfant y llwch.* Salm 72. 9.

Am resymau hawdd eu deall magodd yr ystyr bellach yn Gymraeg o ymddarostwng ac ymgreinio'n wasaidd.

[Pe] clewch chi wel mau pobol yn siarad yn ych cefne chi mi fudde 'no ryfedd gynthoch chi. Ond pen ddo'n nhw atoch chi, mi fuddan yn bowio ac yn capio ac yn barod i *lyfud y llwch.* WR. LlHFf. 31.

LLYGAD

1109. BOD Â LLYGAD YN FY MHEN. Bod yn graff i weld cyfle ac i osgoi perygl. Gwybod yn dda beth wyf yn ei wneud.

> Yr oedd S. *â'i lygad yn ei ben* pan brynodd y cae yna. Efo'r galw mawr am dai newydd mae'n cael dengwaith y pris a dalodd amdano trwy ei werthu fesul plot yn dir adeiladu.

Medd y Gigfran yn Llyfr y Tri Aderyn:

> Mi fedraf droi phob gwynt ac arogli fy mwyd o bell a gochelyd y saethyddion. Ni ddisgynnaf yn agos i neb heb *fy llygad yn fy mhen.* MLl. 161.

1110. CANNWYLL LLYGAD. Llythr. Canol y llygad. S. *pupil, apple of the eye.* Ffig. Fe'i defnyddir fel cymhariaeth i ddisgrifio rhywbeth a gyfrifir yn annwyl a gwerthfawr iawn. Gw. (423).

> Efe [Duw] a'i cafodd ef mewn tir anial. ac mewn diffeithwch gwag erchyll; arweiniodd ef o amgylch a pharodd iddo ddeall; a chadwodd ef fel *cannwyll ei lygad.* Deut. 32. 10.

> Ganwyd i ni un eneth . . . ein hunig blentyn, ac yr oedd hi fel *cannwyll ein llygaid.* DO. GT. 259.

1111. CIL LLYGAD. Congl y llygad. *Edrych drwy gil fy llygad* yw edrych o'r ochr, megis, a heb ymddangos fy mod yn edrych.

> Barnaf imi weld *trwy gil llygad* ddau neu dri o'm cymdogion yn palu eisoes. RW. Wrthi. 16.

1112. DOLUR LLYGAD. Ffig. Unrhyw beth sy'n atgas i edrych arno.

> A fu rhywbeth hyllach na rhai o'r gwersylloedd carafannau ar yr arfordir? *Dolur llygad,* os bu peth felly erioed.

> Mae y glerigiaeth yma [côt, colar a het y gweinidog] yn *ddolur llygad* i filoedd. DO. EH. 306.

1113. GWELD LYGAD YN LLYGAD. Bod o'r un farn yn llwyr. Dyma'r ystyr a roir i'r priod-ddull yn Gymraeg fel yn S. Deallwyd ef i olygu yn llythr. '*gweld* yn union fel ei gilydd', ac yna yn ffig. '*meddwl* yn union fel ei gilydd'.

O'r Beibl y cawsom ni'r ymadrodd, o Eseia 52. 8: 'Dy wylwyr a ddyrchafant lef: gyda'r llef y cydganant; canys gwelant *lygad yn llygad,* pan ddychwelo yr Arglwydd Seion'.

Ymddengys mai cyfieithiad llythrennol ydyw o idiom Hebraeg yn golygu 'wyneb yn wyneb' h.y. yn wynebu ei gilydd. Felly, yn wir, y cyfieitha JB., 'For they see Yahweh, *face to face* as he returns to Zion'. Camddehongliad, felly, o'r ymadrodd gwreiddiol yw'r ystyr a roddwn ni iddo heddiw.

Y pwnc yw a allwn ni ei gael i weled *lygad-yn-llygad â ni* [ynglŷn â buddsoddi arian mewn gwaith mwyn]. Mae *mining* yn ddiau yn beth dieithr iddo. DO. EH. 51.

1114. LLYGAD Y FFYNNON. Dŵr codi yw ffynnon, a'r *llygad* yw'r man y byrlyma'r dŵr i fyny ynddi. Defnyddir ffynnon hefyd am darddle afon. Yn ffig. defnyddir yr ymadrodd i olygu prif ffynhonnell neu darddle cyntaf unrhyw beth yn enwedig gwybodaeth neu newyddion.

Oherwydd diffyg hamdden i ymofyn â phob llyfr y gwnes gyfeiriad ato mi syrthiais rai gweithiau i fai llenyddol go bwysig: rhoddi dyfyniad ail law (1051) yn lle'i gyrchu o *lygad y ffynnon*. JPJ. Iago vii.

Y peth pwysig . . . yw i Emrys [ap Iwan] wneuthur yr un peth â rhyddiaith Gymraeg ag a wnaeth John Morris-Jones â'r farddoniaeth, sef myned yn ôl i *lygad ffynnon* y clasuron ac astudio'r rheini'n frwdfrydig.
TP. HLlG. 291-2.

Mewn rhai cysylltiadau buasai'r ymadrodd S. "*straight from the horse's mouth*" yn cyfleu union ystyr yr idiom Gymraeg—er mewn dull llai barddonol!—e.e. Mi gefais y stori'n syth o lygad y ffynnon: *I got the story straight from the horse's mouth.* Ond ni thalai ei defnyddio ar gyfer y ddau ddyfyniad uchod. At y rheini a'u cyffelyb byddai'n rhaid cael rhyw eiriau fel "*source*" neu "*fountain-head*".

1115. LLYGAD YR YSTYR. Yr union ystyr.

Daeth yn bregethwr Saesneg cymeradwy dros ben. Deuai yr un coethder syml i'r golwg yn hyn eto, yr un manylwch greddfol mewn arfer pob gair *yn llygad ei ystyr*.
JPJ. Ysg. 18.

1116. YM MYW LLYGAD RHYWUN. Yn union i'w lygad. Ceir y *cil* (1111) a'r *byw* yn yr enghr. hon:

Syllwn drwy gil fy llygad ar y llanc . . . Pan gefais gyfle edrychais *ym myw ei lygaid*. THP-W. Y. 27.

1117. RHOI BYS YN LLYGAD RHYWUN. Cyffelyb o ran ystyr i 'Tynnu blewyn o drwyn rhywun'. Gw. (231).

1118. SIÔN LYGAD Y GEINIOG. Naill ai (1) dyn â llygad ganddo i weld pob cyfle i ennill ceiniog neu (2) dyn yn llygadu pob ceiniog yn hir a phwyllog cyn gadael iddi fynd o'i afael. Yn y naill a'r llall yr hyn a awgrymir ydyw cybydd-dod crintach. Gw. (804).

1119. YN LLYGAD FY LLE. Yn barnu, dweud neu wneud yn hollol gywir.

> Yr wyf i'n credu bod Platon . . . *yn llygad ei le* pan ddywedodd fod cerddoriaeth gwynfannus alarllyd yn an-ŵreiddio dynion. EapI. E(1). 101.

> Pob oed a gradd raid adde,
> Mae'r wlad yn *llygad ei lle*. Dewi Mawrth.

h.y. S. *popular opinion is right.*

1120. YN LLYGAD YR HAUL. Dan dywyniad uniongyrchol yr haul. Yn wynebu'r haul. Yn cael tywyn haul am ran helaetha'r dydd.

> Prancient [ŵyn bach] yn ddiorffwys . . . neidient a thwlcient. a dywedent yn groyw fod bywyd ar y clawdd terfyn *yn llygad haul.* yn felys ac yn werth i oen bach ei fyw. RDW. CT. 16.

> Bechan oedd yr ardd oedd tu cefn i'r tŷ ond yr oedd yn *llygad yr haul.* DO. GT. 9.

Y gair gwrthwyneb yw: yng nghysgod haul, yng nghil haul.

LLYGADAU

1121. LLYGADAU POETHION. Ysbeidiau o haul tanbaid.

> Yr oedd hi'n gwneud *llygadau poethion* ac fe aeth yn annioddefol yn y car er bod y ffenestri'n agored.
> AL. BG. 107.

'Llygadau' a geir ar lafar yn Arfon yn gyffredinol fel lluosog 'llygad' a defnyddir y gair yn yr ystyr uchod hefyd. Wedi croesi afon Gonwy 'llygid' (=llygaid) a ddywedir am y S. *'eyes'* a chyfyngir *llygadau*'n llwyr i'r defnydd trosiadol.

1122. CAU LLYGAID AR RYWBETH. Ffig. anwybyddu (e.e. beiau, diffygion, camweddau, etc.) o fwriad.

> Nid oeddwn heb wybod am droseddau'r bachgen, ond er mwyn ei deulu, penderfynais *gau fy llygaid* arnynt, a'i gyflogi.

LLYGEDYN

1123. LLYGEDYN GOLAU. Rhywbeth mwy gobeithiol neu gysurlon na'i gilydd mewn amgylchiad neu amgylchiadau tywyll.

> Yr ydym yn sefyll ar drothwy blwyddyn nad yw'n argoeli'n dda . . . blwyddyn y cwtogi a'r prinderau, y tywyllwch a'r diffyg gwaith, y trethi a'r prisiau a'r tollau uchel. Nid oes yr un *llygedyn golau* yn unman.
>
> GRJ. *Y Faner* 28/12/73.

Yn yr enghr. nesaf defnyddir y trosiad i ddisgrifio rhannau mewn llyfr sy'n sefyll allan o ganol y gweddill oherwydd eu diddordeb a'u blas.

> Hanes mân a mawr helbulon felly yw llawer o'r cofnodion [mewn hen lyfr-log]. Ond y mae yma ambell *lygedyn golau,* megis cyfeiriad at ymweliad Berw ac Eifionydd â'r ysgol gyda'i gilydd ryw brynhawn.
>
> THP-W. Ll. 11.

LLYW

1124. WRTH Y LLYW. Yn arwain; yn rheoli. *S. at the helm.* (Ffigur o fyd llongwriaeth). Y llyw yw'r teclyn sy'n rheoli cyfeiriad y llong — yn llaw'r *llywydd.*

> Ar fôr tymhestlog teithio'r wyf . . .
> Fy nhad sydd *wrth y llyw.* IGG. LlEM. 467.

Yn nhelyneg Eifion Wyn ceir y gair yn cael i ddefnyddio yn yr ystyr lythr.

> Mordwyo, mordwyo,
> O gyrraedd, o glyw;
> Myfi wrth y rhwyfau
> A Men *wrth y llyw.*

a'r un ffig.

> A gwnaethom cyn dychwel
> Y llw i gyd-fyw,
> Myfi wrth y rhwyfau
> A Men *wrth y llyw.*

LLYWODRAETH

1125. LLYWODRAETH Y BAIS. Ymadrodd i ddisgrifio sefyllfa ar aelwyd lle mae'r wraig yn rheoli'r gŵr a'r teulu ("a Men wrth y llyw" chwedl Eifion Wyn!) neu'n fwy cyffredinol unrhyw sefyllfa lle'r honnir bod dylanwad ac awdurdod merched yn ormodol.

MAEN

1126. MAEN MELIN AM FY NGWDDF. Rhyw rwymedigaeth neu gyfrifoldeb o unrhyw natur sy'n faich trwm arnaf.

> Rhoddwch fy enw i lawr am £20 ond ofnaf y bydd y ddyled fel maen *melin yn crogi* am flynyddoedd *am wddf* y pwyllgor. E. Wms. DE. 38.

Yr oedd maen melin, un o'r ddau faen a ddefnyddid i falu'r ŷd rhyngddynt, o angenrheidrwydd yn drwm iawn. O'r Testament Newydd y cawsom yr ymadrodd. (Gw. e.e. Marc 9. 42).

1127. MAEN PRAWF. Yr hyn a ddefnyddir i brofi gwerth neu ddilysrwydd rhywbeth. S. *touchstone.*

> . . . gwych odiaeth fuasai cael y Beibl yn safon a *maen prawf* iaith Gymraeg dda yn ogystal â chrefydd bur. IW. MSI. 17.

Am *'touchstone'* dywedir yn SOED: *A smooth fine-grained block or dark coloured variety of quartz or jasper . . . used for testing the quality of gold and silver alloys by the colour of the streak produced by rubbing them up on it.'* Yn ffig. wedyn daethpwyd i'w ddefnyddio'n gyffredinol yn yr ystyr o brawf, safon, *criterion.*

> Y nôd felly yw cael hyd i ryw *feini praw* a fo'n help i benderfynu ai Dafydd [ap Gwilym] ai rhywun arall biau cywydd arbennig. GDG. lxxiv.

1128. MYND Â'R MAEN I'R WAL. Llwyddo i gyrraedd yr amcan mewn golwg.

> Dyn ymarferol oedd Llywelyn [Fawr] yntau, dyn a osododd nôd terfynedig o flaen ei lygaid . . . ac a aeth â'i *faen i'r wal.* RTJ. YDda. 142.

Pan adeiledid gynt yr oedd galw am nerth a medr mawr i gael y meini trymion i'w lle.

MAES

1129. AR UCHELFANNAU'R MAES. Eglura'r dyfyniad a ganlyn ystyr y geiriau

> Byddai gan fy nhad air a arferai yn aml wrth sôn am rywun mewn hwyl dda, "'Roedd o ar *uchelfannau'r maes."* TGJ. Bri. 11.

Geiriau oedd y rhain a ddefnyddid yn gyffredin iawn gynt i ddisgrifio pregethwr a gâi 'hwyl' ar bregethu. Rhan yw'r ymadrodd yn wreiddiol o gân Debora a Barac (Barn) 5) "Pobl Sabulon a roes eu heinioes i farw:

felly Naphthali ar *uchelfannau'r maes*" (Adn. 18). Ystyr llythr. oedd i'r geiriau yn eu cyswllt cyntaf; *'the heights of the battlefield'* (NEB). Mae'n fwy na thebyg fod y term 'pregethu *ar y maes*' h.y. pregethu yn yr awyr agored neu mewn pabell fawr, fel yr arferid gwneud yn nyddiau nerth pregethu 'mawr' y gorffennol yng Nghymru, wedi helpu i liwio'r ystyr newydd a roed i'r ymadrodd ysgrythurol.

1130. CAEL Y MAES AR RYWUN. Ei orchfygu, bod yn drech nag ef.

> [Eleias] yn argyhoeddi Ahab a thrwy dân o'r Nef yn *cael y maes* ar broffwydi Baal. (1 Bren. 18. Cs.)

Y maes, wrth gwrs, yw maes y frwydr neu faes y gad.

1131. CARIO'R MAES=Cael y maes.

> Gwelais Iesu ar Galfaria
> Yn gwbwl wedi *cario'r maes.*
>
> TC. LlEM. 618.

1132. ENNILL Y MAES=Cael y maes.

> A thrwy borth Duw y Brutaniaid a enillasant y maes a'u gelynion a wasgarwyd. TE. DPO. 105.

*porth=cymorth.

1133. MYND Â'R MAES=Cael y maes.

> . . . dadlau ac ymdaeru a fasai rhyngddynt prun orau o'r seithryw a garai bot a phibell; a'r prydydd a *aethai â'r maes* ar bawb ond yr offeiriad. EW. BC. 24.

1134. MAES O LAW. Yn ddiweddarach.

> Aeth amal un a ddechreuodd drwy gymryd rhan blaenor mewn drama yn flaenor mewn gwirionedd *maes o law.*
> IG. Cr. 96.

Maes=allan, yn y Deau. Felly cyfetyb 'maes o law' o ran ffurf i'r ymadrodd arall 'allan o law'. Ond y mae cryn wahaniaeth yn eu hystyr. Golyga'r ddau 'yn ddiweddarach' ond 'allan o law'=dim ond y mymryn lleiaf yn ddiweddarach. S. *immediately;* maes o law=beth amser yn ddiweddarach. S. *later on.* Gw. (85) (1052).

MAIN

1135. (1) Y mae'r gair MAIN (=tenau) yn cael ei ddefnyddio — am resymau digon amlwg — i ddisgrifio bywyd gwael a chaled, prin o reidiau bywyd. Cofier disgrifiad englyn

Moelwyn Fardd o fywyd chwarelwyr Blaenau Ffestiniog ar fyd gwan:

Main a du y mae hi'n dod — a meinach
Mae'n myned bob diwrnod;
A *main* a fydd tra myn fod
Wrth y llyw, (1124) eirth a llewod.

1136. BYW YN FAIN. Byw mewn prinder, fel na all y sawl sy'n byw felly fod yn ddim ond main a thenau.

Wel, rheded pawb lle gallon,
Hi aeth yn fyd echryslon;
Rhaid i denantiaid ymhob rhyw
Ar f'einioes *fyw yn feinion*. TEd. PCG. 16.

1137. (2) Mae MAIN hefyd, yn Llŷn=surbwch, cyndyn i siarad, anfoddog.

Gad iddo fo; mae o'n *fain* iawn heddiw.

Pan oedd Owain Glyndŵr yn dŵad i lawr y ffordd yma trwy fwlch Pantglas, mi 'roedd yna hen dempar reit *fain* arno fo. 'Roedd o wedi methu goresgyn Castell Caernarfon. JGW. MM. 162.

1138. GWYNT MAIN. AWEL FAIN. Gwynt neu awel oer a threiddgar.

Er bod yr haul allan heddiw mae'r gwynt yn dal yn bur *fain*.

MALIO

1139. NID WY'N MALIO DRAEN(EN). Ffordd o fynegi dibristod o rywun neu rywbeth, neu ddifaterwch a difrawder ynghylch rhywun neu rywbeth.

. . . ni *faliai'r* ferch *Ddraenen* am ddynol ryw.
THP-W. DG 102.

Geiriau eraill a ddefnyddir yn yr un math o gyswllt gyda'r un ystyr: botwm (corn), gwelltyn, blewyn, catiaid o fanus. (450). Gw. hefyd (745).

MALU

1140. MALU'N FÂN. Ffig. trafod pwnc yn fanwl, rhoi sylw i fanylion.

Ond pe caniadai Duw amser cymwys i fyned drostynt [: pynciau y bu'n eu trafod] unwaith drachefn, ac megis *i falu yn fân* y ceirch a ddarfu ini ei fras silio . . .
GR. GC. 101.

O fyd y melinydd y cafodd GR ei ddelwedd. Enwir dau broses yn y gwaith o droi'r ŷd yn flawd: (a) *silio,* sef tynnu'r eisin, y gorchudd allanol am y grawn, a (b) *malu'r* grawn yn y felin.

MÂN

1141. YN FÂN AC YN FUAN. Defnyddir am rywun yn cerdded yn brysur ond â chamau byrion, chwim.

Mae hwnnw [bugail y mynyddoedd] bob amser yn camu'n *fân ac yn fuan*, ar ryw fath o dith sy'n nodweddu ei grefft a medr ddal ati drwy'r dydd . . . Camau'r bach piau hi.
(1257). IW. IDdA. 45.

Gwraig bach, writgoch, gron oedd, hi . . . fel twmplin 'falau, yn mynd *yn fân ac yn fuan* o gwmpas y tŷ.
KR. OGB. 123-4.

MAN

1142. YN Y MAN. Ymhen ysbaid. Toc.

1143. YN FY MAN. Yn fy llawn faint neu dwf. S. *fully grown.*

Dyma ni heddiw yn ddynion *yn-ein-man* ac wedi gweld digon o arddangosfeydd a syrcasau i fod yn brofiad i laweroedd.
THP-W. OPG. 62.

MANTOL

1144. BOD YN Y FANTOL. Dywedir fod peth yn y fantol pan fo'i dynged yn ansicr; gall pethau droi o'i blaid neu yn ei erbyn, ac mae'r posibilrwydd o'r naill neu'r llall tua chyfartal.

Nid amser ydyw i fod yn ddiofal ynglŷn â safle'r Gymraeg yn yr Ysgolion pan yw ei bywyd *yn y fantol.*

Ni fyddai yno sgwrsio wrth y tân byth, dim ond edrych ar teledu: Elis yn pwyso ymlaen ac yn gwenu'n fodlon, yn torri allan i chwerthin weithiau, edrych yn ddifrifol dro arall, fel petai ei fywyd *yn y fantol.*
KR. HF. 83.

Darlun o glorian sydd yma (MANTOL=clorian) a'r ddwy badell yn dra chytbwys. Defnyddir yr ymadrodd YN Y GLORIAN yn yr un ystyr hefyd.

1145. TROI'R FANTOL. Ffig. penderfynu neu helpu i benderfynu o blaid neu yn erbyn un o ddau ddewis.

Bu'r bechgyn yn dadlau'n hir beth i'w wneud—mynd i'r Syrcas neu i ymdrochi. O'r diwedd ebe Wil, "Mi gawn fynd i 'drochi am ddim". Bu hynny'n ddigon i *droi'r fantol* ac i fwrdd â hwy am y môr.

Pe gwesgid arnaf i ddewis [rhwng môr a mynydd] efallai y byddai'r môr yn *troi'r fantol* o fymryn. RW. 29.

Darlun o glorian gyfartal sydd yma eto (gw. yr erthygl flaenorol) ac ychwanegiad (pe na bai ond mymryn) at y pwysau y naill ochr neu'r llall yn peri fod y glorian yn troi i'r ochr honno. Cyfystyr yw TROI'R GLORIAN.

MEDDW

1146. YN FEDDW FAWR. Wedi meddwi'n llwyr. Disgrifia Syr T. H. Parry-Williams ei brofiad yn fyfyriwr wrth fwynhau gwaith beirdd rhamantus ddechrau'r ganrif. Mae wrthi'n studio'r beirdd Lladin . . .

> Nes dyfod sbel, a drachtio rhin di-ail
> Grawn awen y Gymraeg, gan lwyr gyffroi
> Astudiaeth sad ei sobrwydd hyd ei sail
> A'i sionci drwyddo wedi'r hir ymroi,—
> Ei Horas a'i Gatwlws ar y llawr,
> Yntau ar newydd win *yn feddw fawr.*
>
> THP-W. DG. 77.

1147. YN FEDDW GAIB. Yn llwyr feddw. S. *blind drunk.* Ceir CHWIL GAIB yn yr un ystyr (chwil caib yn y Deau yn ôl Dr. T. J. Morgan yn 'Treigladau a'u Cystrawen'). Beth yw priodoldeb 'caib' yma nid hawdd deall.

MEICHIAU

1148. MYND YN FEICHIAU DROS RYWUN. Yn llythr. *meichiau* yw un sy'n gwarantu ar ran un arall y bydd iddo gyflawni amod, megis talu dyled neu ymddangos mewn llys barn. Yn ffig. golyga gwarantu, sicrhau.

> Chwi a aech *yn feichiau drosto* na byddai iddo dripîo mewn mater o chwaeth. JPJ. Ysg. 16.

MEISTRIAID

1149. MEISTRIAID Y GYNULLEIDFA. Areithwyr neu bregethwyr huawdl a fedr trwy eu doniau areithyddol reoli, bron fel y mynnont, deimladau ac ymddygiad eu gwrandawyr.

> Pan fyddwn yn darllen awdwyr enwog neu ynte yn gwrando ar *feistriaid y gynulleidfa,* teimlwn yn gyffredin nad oeddynt yn dweud dim oedd yn hollol newydd i mi.
>
> DO. RL. 12.

Ymadrodd Beiblaidd yw hwn eto o ran ei darddiad. 'Geiriau y doethion sydd megis symbylau, ac fel hoelion wedi eu sicrhau gan *feistriaid y gynulleidfa.*'

Preg. 12. 11.

MÊL

1150. MÊL AR FY MYSEDD. Rhywbeth sy'n arbennig dderbyniol imi ac wrth fy modd.

Un peryglus i'w heclo ydoedd [Y Parch Evan Jones, Caeranrfon] a chaffai'r hen wron *fêl ar ei fysedd* wrth gribo ambell gorun. JHJ. GG. 34.

Aethant [y Cymry] yn lluoedd ac yn hoyw feddw i'r Uchelwyl [Yr Arwisgo], ac yr oedd cael y fath brawf digamsyniol o'n Prydeindod yn *fêl ar fysedd* gelynion a chaseion y Gymru Gymraeg. JRJ. G. 57.

Tebyg mai o hen arferiad o roi mêl ar fysedd plentyn bach er mwyn iddo'u sugno, ac felly gael ei gadw'n ddiddig, y tarddodd yr ymadrodd. Ond cf. hefyd (1104).

1151. YN FÊL AC YN FEFUS. Yn eithriadol (ac weithiau'n dwyllodrus) o fwyn o ran ymddygiad.

Cofiwch na chewch chi ddim ond rhw ddeilen o frechdan . . . ne fedrwch chi ddm myjoio'ch brecwest pan ddown ni'n ôl o'r Eglwys,'' ebe Marged *yn fêl ac yn fefus.*

DO. EH. 273.

Cyfrifir mêl a mefus yn bethau danteithiol a bu mêl erioed yn llenyddiaeth y byd yn sumbol o fwynder a melyster. Cf. yr ymadrodd Saesneg *'honeyed words'*.

1152. YN FÊL I GYD=YN FÊL AC YN FEFUS.

MELIN

1153. MYND TRWY'R FELIN neu CAEL FY RHOI TRWY'R FELIN. Cael fy rhoi trwy driniaeth galed yn enwedig wrth ddysgu galwedigaeth.

Y ddelwedd yn yr ymadrodd, wrth gwrs, yw grawn yn cael ei falu'n ddidostur rhwng meini'r felin. Erbyn heddiw gallai fod yn llawer math o ddefnydd yn mynd trwy lawer math o felin.

1154. TROI'R DŴR AT FY MELIN FY HUN. Ffig. Manteisio ar unrhyw gynllun, gweithgaredd, amgylchiadau, etc., i ennill budd i mi fy hun. Arfer gyffredin yn nyddiau melinau dŵr oedd tynnu dwfr o afon gyfagos, a'i gludo, ar hyd math o gamlas, at y felin i droi'r olwyn fawr a weithiai'r peiriannau. Mae'r un idiom i'w chael yn y Ffrangeg hefyd. *Faire venir l'eau a son moulin.*

Yr un priod-ddull er nad yr union eiriad sydd yn y dyfyniad a ganlyn:

Mae'n syndod fel y gall cenedl fechan *droi'r dŵr* economaidd *i droi ei melinau* diwylliannol a chymdeithasol ei hun.

R. Tudur Jones. *Y Cymro*, 2/4/74.

MÊR

1155. YM MÊR FY ESGYRN. Llythr. Yng nghraidd fy esgyrn (y mêr yw'r defnydd sydd yn nhyllau'r esgyrn). Yn ffig. yng nghraidd fy mod; yn fy nheimladau mewnol; yn fy hanfod.

Clasurydd *hyd fêr ei esgyrn* ydoedd ef [: John Morris-Jones]. TGJ. Cym. 98.

Bydd Cymru byth, waeth beth fo'i rhawd,
Ym mêr fy esgyrn i a'm cnawd.

EPR. CPR. 46.

MESUR

1156. O FESUR (FESUL) un, dau, tri, etc.

Dyna'r pryd y dechreuodd y . . . penaethiaid uffernol syrthio *o fesur* y myrddiwn. EW. BC. 49.

Llyma'ch caredig lythyrau o'm blaen *o fesur* y cwpl. LLGO. 39.

Erbyn heddiw FESUL yw ffurf arferol y gair. Am y newid rhwng 'r' ac 'l' cf. Chwefro*r*, Chwefrol; dreser, dresel o'r S. *dresser*.

1157. TROS FESUR. Yn fwy nag a ellir ei fesur.

Edmygai [Richard Ellis] Luyd *tros fesur*, ac ni flinai byth ar sôn amdano. TGJ. Cym. 109.

1158. RHOI MESUR BYR. Rhoi mesur byr o ryw nwydd yw rhoi llai nag y sy ddyladwy. Fe ddefnyddir y geiriau yn gellweirus, e.e. mewn dywediadau fel, "Mesur byr a gawsom ni'r bore 'ma", am bregeth fyrrach na'r cyffredin.

MIL

1159. UN O FIL. Person arbennig ac anghyffredin iawn.

"A ydach chi Mr. Huws, yn teimlo y gellwch chi . . . edrach dros yr hyn sydd wedi digwydd . . .? Yr *insult*, y cam, yr ydach chi wedi ei gael?" . . . "Yr wyf yn meddwl y medraf," ebe Enoc . . . "Yr ydych chi'n *un o fil*, syr," ebe Jones. DO. EH. 195-6.

1160. Y MIL BLYNYDDOEDD. Y cyfnod o fil o flynyddoedd pan fydd Crist yn teyrnasu yn bersonol ar y ddaear. (Gw. Dat. 20. 1-5). O'r ystyr hon datblygodd ail ystyr: cyfnod o wynfyd perffaith a threfn ddelfrydol.

Ymleddwch chwi yn awr â'r cewri sydd yn eich cyrraedd chwi ac fe fydd gwaith y *mil blynyddoedd* wedi ei hanner wneud cyn i'r mil blynyddoedd ddechrau. JPJ. Ysg. 152. 'Roedd hi'n werth beicio'r holl ffordd i Gaernarfon a hyd yr oed i Fangor i'r pwyllgorau hynny, oblegid yr oedd y *mil blynyddoedd* wedi dyfod a gwawr rhyddid Cymru yn torri'n wenfflam eisoes yn ffurfafen ein breuddwydion ifanc. MH. Mn. 8.

MIN

1161. TROI'R TU MIN (AT RYWUN). Bod yn llym tuag ato. Tu ôl i'r ymadrodd y mae darlun o erfyn (e.e. cleddau, cyllell neu gryman) a dim ond un tu i'r llafn yn finiog. Os trewir rhywbeth â'r cefn pŵl, di-fin ni wneir llawer o ôl arno. Ond defnyddier yr ochr finiog ac fe wneir marc o ddifrif. Yn ffig. arwyddocéir troi o agwedd ac ymddygiad amyneddgar a goddefus i agwedd fwy llym.

Gŵr mwyn oedd yr athro a chaniatâi gryn ryddid i'w ddosbarth; ond os ceisiai disgybl gymryd mantais annheg ar hyn, gallai yntau *droi'r tu min* ato yn effeithiol iawn.

Pan *dry'r tu min* at Harri Ddu o Euas am droi'n gybydd . . . dengys Guto ['r Glyn] wedd arall ar berthynas bardd a phennaeth. GGG1. Rhagymadrodd xiii.

Y mae Crwys, fel Bardd arall, yn hoffi pechaduriaid a phublicanod, ac at y lleill y mae *ei du min*.

R. Meirion Roberts. Mewn adolygiad. *Traethodydd*, Ebrill 1936.

MINTYS

1162. DEGYMU'R MINTYS A'R ANIS. Rhoi sylw mawr i fanion dibwys, yn enwedig pan wneir hynny ar draul pethau pwysig. Cyhuddodd Crist yr Ysgrifenyddion a'r Phariseaid deddfol o'r diffyg hwn yn eu crefydd. (Gw. Math. 23. 23; Luc 11. 42). Disgwylid i'r Iddew dalu i'r offeiriaid ddegwm (degfed ran) o "ffrwyth ei faes" — popeth a dyfai o'r ddaear. "Ond estynnid y gyfraith hon gan y Rabiniaid i gynnwys pob math o lysiau . . . bychain a defnyddid mewn coginiaeth a meddygaeth." Cadwai'r Phariseaid y ddeddf seremoniol i fanylrwydd ffôl, ond esgeulusent y pethau mawr — barn, trugaredd a ffydd. Bellach cymhwysir yr ymadrodd at bob math o fanylu di-bwynt ar fanion ym mha gyswllt bynnag y digwydd.

MODDION

1163. MODDION GRAS. Term diwinyddol a chrefyddol ei darddiad yw hwn wrth gwrs. Golygai i ddechrau sacramentau'r Eglwys fel cyfryngau i gyfrannu gras dwyfol i'r addolwyr. Yn ddiweddarach ehangwyd ystyr yr ymadrodd gan adrannau "efengylaidd" yr eglwys i gynnwys hefyd yr addoliad cyhoeddus. Ymhlith Anghydffurfwyr Cymru daeth "Y moddion" i olygu'r cyfarfodydd eglwysig — y cyfarfodydd lle y gellid disgwyl derbyn gras. Yn ddiweddarach fyth, mewn tymer mwy seciwlar, cymhwyswyd y term at unrhyw beth, hyd yn oed y tu allan i'r cylch crefyddol, y gellid honni ei fod yn cyfrannu lles ysbrydol i ddyn. Gellir e.e. meddwl am ddyn yn dweud, 'Mae gwrando ar gerddoriaeth yn *foddion gras* i'r gwrandawr' neu, 'Mi ges i *foddion gras* wrth wylio'r plant yn chwarae mor hapus.'

Rhowch imi henglawdd dreiniog
A su'r wylofus wynt,
A medraf fyw ar geiniog
'Rôl hanner byw ar bunt.
Da chwi, na chodwch ddwylo
A'm galw'n bagan bas;
Mae sŵn ei lais yn wylo
I mi yn *foddion gras*.

RWP. CG. 16.

MOEL

Defnyddir y gair MOEL mewn amryw ystyron heblaw'r un gyffredin o 'heb wallt' (er bod perthynas rhwng y lleill a hwnnw, bid siŵr).
Dyma rai:

1164. BUWCH FOEL. Buwch heb gyrn.

1165. DWRN MOEL. Dwrn heb erfyn ynddo na maneg (ddur nac arall) drosto.

. . . y Cymry, y rhai sy mor galonnog i amddiffyn eu hawl a braint eu gwlad, megis ag y beiddiant yn hyderus ddigon ymladd law-law heb ddim ond y *dwrn moel* â gwŷr arfog . . . TE. DPO. 82.

Nid oedd Cynwal druan (ysgolhaig bol clawdd) ond megis yn ymladd â'r *dyrnau moelion* yn erbyn tarian a llurig. LlGO. 103.

[Cyfeirio y mae Goronwy at yr Ymryson enwog a fu rhwng Wiliam Cynwal ac Edmwnd Prys].

1166. TŶ MOEL. Tŷ heb dir i'w ganlyn.

Yr oedd gan lawer o'r chwarelwyr fymryn o dir gyda'i dŷ, digon i gadw rhyw ddwy neu dair buwch a dau fochyn. '*Tŷ moel*' y gelwid tŷ heb dir wrtho. KR. LW. 29.

1167. Y GWIR MOEL. Y gwir plaen, heb drimins.

1168. Y MESUR MOEL. Y mesur di-odl. S. *blank verse.*

MOELI

1169. MOELI CLUSTIAU. Disgrifiad yw'r geiriau o weithred ceffyl yn gosod ei glustiau'n ôl ar ei war — arwydd o dymer afrywiog.

> Yr oedd yn berygl bywyd myned yn agos i ben blaen na phen ôl y ceffylau; *moelent* eu clustiau ac agorent eu cegau am damaid o'ch cnawd, neu cynigient droediad ichwi pan eid yn agos i'w cyrraedd. WR. HBHD. 49.

Gwelir weithiau ddefnyddio "moeli clustiau" i olygu codi clustiau i wrando fel y gwna ceffylau, cŵn ac anifeiliaid eraill wrth glywed rhyw sŵn anghynefin. Ond fe'm sicrheir gan wŷr cyfarwydd â cheffylau nad cywir mo'r defnydd hwnnw.

MÔR

1170. (1) GWNEUD MÔR A MYNYDD. Gwneud rhyw gampau mwy rhyfeddol na'i gilydd. Ias coegni, mwy na heb, sydd i'r geiriau fel arfer. Fe'i defnyddir yn fynych wrth sôn am ryw ymffrost neu focsach, e.e. 'Mi fasach yn meddwl arno ei fod yn mynd *i wneud môr a mynydd.*'

> 'Does gen i ddim mynedd gwrando arnat ti ac eraill yn sôn am addysg fyth a hefyd fel pe bydde addysg yn gallu gwneud *y môr a'r mynydd.* DO. RL. 63.

Môr a mynydd, mae'n debyg, am mai hwy yw'r ddwy arwedd amlycaf ar wyneb ein daear.

(2) GWNEUD MÔR A MYNYDD (O RYWBETH). Gwneud helynt fawr yn ei gylch, ac yntau, y rhan amlaf, yn beth dibwys.

> Os yw [rhai gwleidyddion] yn ysu am achub bywydau gallwn awgrymu ffitiach gwaith iddynt na gwneud *môr a mynydd* o gwestiwn cymharol ddiniwed megis trefn ieithoedd ar arwyddion ffyrdd.
> BARN (Ysgrif Olygyddol), Gorff. '74.

Ymadroddion eraill a ddefnyddir mewn ystyr debyg i 'gwneud môr a mynydd' yn y cysylltiadau hyn yw GWNEUD MELIN A PHANDY. GWNEUD MELIN AC EGLWYS. Enwir ynddynt yr adeiladau amlycaf a welid yn yr ardaloedd ers talwm. Mae'r tri chyfuniad hyn yn rhai naturiol ddigon, a'r elfennau ym mhob un yn cyd-fynd â'i gilydd. Ond fe gymysgir yr arweddau naturiol a'r adeiladau yn yr un ymadroddion weithiau.

Dyma finnau wedi bod wrthi hi (983) . . . ym marn rhai ohonoch, y mae'n siŵr, yn malu awyr ac yn rhyseddu wrth *wneud mynydd-ac-eglwys* o rywbeth nad yw'n cyfrif fawr. THP-W. Y.Ph. 25.

Gair arall yn golygu gwneud llawer allan o beth dibwys yw GWNEUD MYNYDD O BRIDD GWADD.

MUL

1171. LLYNCU MUL. Sorri, pwdu. Priodolir i'r mul, yn gam neu yn gymwys, duedd at ystyfnigo. Pan fo rhywun yn sorllyd neu ystyfnig priodolir hynny i'r mul 'oddi mewn' iddo fel petai. Ymadrodd arall o'r un ystyr yw MYND I'R SIAMBER SORRI.

1172. OES MUL. Llawer o amser. S. *donkey's years*. Dywed Br. yn ei sylw ar yr ymadrodd bod cyfeiriad yndddo at hen draddodiad nad ydys fyth yn gweld mul marw.

Mae *oes mul* er pan welais chwi.

MWDWL

1173. CAU'R MWDWL neu CAU PEN Y MWDWL. Dwyn i derfyn, neu gloi pregeth, araith, ysgrif, llythyr, trafodaeth neu'r cyffelyb.

[wedi rhoi atgofion am nifer o hen frodyr crefyddol ar lannau Mersi, â JHJ ymlaen]. Ond ni allaf *gau'r mwdwl* heb sôn am David Hughes, Camden Street. JHJ. M. 194.

MWDWL yw sypyn o wair. Adeg cynhaeaf, gynt o leiaf, yr oedd yn rhaid gwneud brig y mwdwl gyda gofal, i'w wneud yn ddiddos pe deuai glaw. Cau pen y mwdwl oedd ei orffen. Ar derfyn un o lythyrau Llwyd o'r Bryn [gw. *Diddordebau,* tud. 174] ceir brawddeg fel hyn:

"Be ddyliet ti pe bawn yn *cau pen y das*?"

Mae *tas* yn dipyn mwy na *mwdwl;* ond yr un yw'r egwyddor!

Ffurf arall ar yr ymadrodd yw RHOI PEN AR Y MWDWL.

Mae ambell athro yn meddwl fod dwy flynedd o goleg yn *rhoi pen ar ei fwdwl* bychan o wybodaeth am byth.
OME "At ohebwyr" *Cymru.* Ion. 1902, 100.

Gw. (459).

MWG

1174. FEL MWG. Mae'r ymadrodd yn mynegi'r ystyr 'yn gyflym a rhwydd'. Byddwn yn sôn am amser yn *mynd fel mwg*, a chanai Bob Tai'r Felin:

> "Ac ar ôl y tywydd drwg
> Fe wnawn arian *fel y mwg*."

Defnyddir yr ymadrodd yn fynych yn y Beibl wrth sôn am ddarfodedigrwydd pethau. Ceir y gymhariaeth yn cloi cyfres yn yr adnod,

> Am hynny byddant [: yr eilun-addolwyr] fel y bore-gwmwl ac megis y gwlith yr ymedy yn fore, fel mân us a chwaler gan gorwynt allan o'r llawr dyrnu, ac *fel mwg* o'r ffumer* Hos. 13. 3.

*ffumer=simnai.

1175. YN FWG AC YN DÂN. Yn llawn brwdfrydedd — dros dro.

> Pan ddaw rhyw fudiad newydd i'r ardal bydd Harri'n *fwg ac yn dân* ynglŷn ag o am ychydig fisoedd. Wedyn mi fydd yn blino arno, a throi at frwdfrydedd arall — yr un mor fyrhoedlog.

MWGWD

1176. MYND I'M MWGWD. Monni, sorri.

> Os cwynai [Enoc] am unrhyw ran o'i gwasanaeth *elai* Marged *i'w mwgwd* ac ni siaradai ag ef am ddyddiau.
>
> BO. EH. 53.

Gorchudd tros lygaid, ac weithiau dros y pen cyfan, yw mwgwd. Os yw pen dyn neu anifail mewn mwgwd, ni all weld. Gwrthod gweld rhywun, gwrthod cydnabod ei fod yno, dyna yw *mynd i fwgwd*.

MWYS

1177. GAIR MWYS. Chwarae ar air neu eiriau. S. *pun*. Yr enghr. enwocaf yn Gymraeg yn ddiamau yw 'Cathl y Gair mwys' gan Peter *Lewis*, curad Cerrig y Drudion rywdro tua'r 17eg ganrif. Dyma un o'r 11 pennill:

> Mae dy siwt i gyd yn gryno
> Ond un peth sy'n eisiau eto;
> Nid yw hynny i gyd mo'r llawer
> Ond dwy lath o *Lewis* ofer.

MYNYDD

1178. MYNYDD AC EGLWYS. Gw. MÔR A MYNYDD (1170).

NADROEDD

1179. FEL LLADD NADROEDD. Yn brysur dros ben.

> Pan ddeuai y Saboth, yr oedd [Eos Prydain] fel un yn *lladd nadroedd* neu yn bwrw praidd ar gorff* fel y dywedir. O'r braidd y byddai yn cymryd hamdden i fwyta. DO. EH. 130.

Nid gwaith hamddenol, yn sicr, fyddai ceisio difa criw o nadroedd gwenwynig.

*Ni ddeuthum ar draws yr ymadrodd hwn yn unman arall, ar lafar nac ar lyfr. Mae'r geiriau "fel y dywedir" yn awgrymu bod DO yn gynefin â'i glywed, ac y mae'r cyd-destun yn esbonio'i ystyr. Ond beth am ei darddiad? Ai sylw sinicaidd ydyw ar frys y byw yn gyffredinol i anghofio'r marw? neu ai cyfeirio y mae at frys llofrudd i gelu o ŵydd y byd y dystiolaeth i'w weithred ysgeler? Ai beth?

NAW

1180. AR Y NAW. Math o lw diniwed. Awgrymir mai Y NAW oedd *naw radd nef*, y graddau y dosberthid iddynt y bodau nefol (angylion, seraffim, cerubim, etc.) yn yr Oesoedd Canol. Digon tebyg. Sut bynnag y mae'r gair yn fyw iawn o hyd ar lafar.

> Argraffiad plyg mawr oedd hwn [o'r *Pilgrim's Progress*], "Victoriaidd *ar y naw*' RTJ. YDda. 126.

1181. NAW WFFT. Ebychiad yn dynodi ffieiddiad.

> Yr oedd [Y Capten] yn garedig a hawddgar . . .mwynheais ei ystafell a'i luniaeth; ond *naw wfft* i'w lyfrau — nofelau bas a thanlliw eu cloriau y buasai'n gosbedigaeth arnaf orfod darllen sucan mor ferfaidd. JHJ. GG. 155.

NERTH

1182. NERTH FY MHEN. Ar uchaf fy llais. Gyda holl nerth fy ngheg (pen=*ceg*, yma, fel yn y Deau o hyd).

> Newidiai yr olygfa bob munud a gwaeddai pob un *nerth ei ben*. DO. RL. 44.

Amrywiad ar yr ymadrodd, a chyda chyffelyb ystyr, yw
1183. NERTH ESGYRN FY MHEN.

> Gwaeddai un am y fwyell *nerth esgyrn ei ben.*
> A'r gwas ddygai iddo hen foncyff o bren
> (Mewn disgrifiad o gymysgu'r ieithoedd yn Nhŵr Babel).
> DMF. CGC. 52.

1184. O NERTH TRAED. Cyn gyflymed ac y gall traed symud.

> Rhuthro a wnaethant ar eu hen feistriaid, y Brutaniaid . . . . . . ond er cynted [=cyn gynted] y clywent drwst y saethyddion hwy a gilient *o nerth traed* i'r mynydd-dir a'r diffeithwch y tu hwnt i Wal Sefer. TE. DPO. 76.

NES

1185. BOD YN NES. Sef, weithiau, yn nes i gyrraedd bwriad neu ddymuniad penodol e.e.

> Gwneuthum ym Mharis [ebe Lucifer] ac yn Lloegr ac amryw fannau eraill lawer lladdfa fawr ohonynt [=Y Cristnogion]. Ond *beth ydys nes*? Tyfu a wnai'r pren pan dorrid ei geinciau. EW. BC. 109.

neu, yn fwy cyffredinol, bod ar fantais, bod yn elwach.

> Mi geith y Sentars weld yn o fuan na fydda nhw *fawr nes* er cymud yr arian. WR. LlHFf. 6.

Gw. (954).

NÔD

1186. NÔD ANGEN. Y nodwedd sy'n gwbl angenrheidiol i rywbeth cyn y gellir ei adnabod a'i gydnabod yn ddilys. Weithiau rhaid wrth fwy nag un nodwedd felly.

> Y rhai hyn yw *nodau angen* eglwys . . . nid all hi ddim bod heb y rhai hyn. Beth yw eglwys? . . . cymdeithas o ddisgyblion . . . cymdeithas o ddisgyblion yn siwr o'u Duw . . . cymdeithas a ddisgyblion yn siwr o'i gilydd.
> JPJ. GD. 13.

NOS

1187. YN NYFNDER NOS. Yng nghanol nos. S. *at dead of night.*

> Felly y bu'r cyfaill a minnau ar lawer awr *yn nyfnder nos*, ymron â'n hyfed ein hunain o dan y bwrdd yn ei gwin [sef melodi a glywodd ac a lynodd wrtho]. IFfE. COG. 19.

Ymadrodd arall o'r un ystyr yw YN NHRYMDER NOS (cf. yn nyfnder gaeaf, yn nhrymder gaeaf (792, 793)). Ceir hefyd, GEFN TRYMEDD Y NOS.

NOSWYL

1188. CADW NOSWYL. Llythr. Rhoi'r gorau i waith y dydd gyda'r hwyr.

Pa beth y maent yn ei elw yn fyw? Ai cysgu er mwyn gweithio, a gweithio er mwyn ymborthi, ac ymwisgo, ac ymddifyruu ar ôl *cadw noswyl*? Eapl. H(1) 287.

Yn ffig. marw.

Yr oedd ei dad yn mawrhau yr un gwaith o'i flaen, a bu fyw i fynd yn hen iawn cyn *cadw noswyl*. RDW. CT. 35.

NYTH

1189. GADAEL Y NYTH. Yn ffig. Mynd allan i'r byd. Defnyddir yr ymadrodd am blant yn mynd oddi cartref, i fyw bywyd annibynnol.

Yn y wlad yr oedd ei gartref, yn torri ambell ebolyn i mewn, yn saethu ac yn gweithio gyda'i frodyr a'i chwiorydd a oedd eto *heb adael yr hen nyth*. DJW. ST. 79.

Y darlun, wrth gwrs, yw nythaid o gywion adar wedi tyfu'n ddigon mawr i fedru gadael y nyth ac ymdaro drostynt eu hunain. Ffurf arall ar yr ymadrodd yw MYND DROS Y NYTH.

OLWYNION

1190. TYNNU'R PINNAU O OLWYNION RHYWUN. Drysu ei gynllun.

Mae o am *dynnu'r pinna o lwynion* gŵr y Swan 'fory. RDW. CT. 103.

Y 'pinnau' yw'r pegiau a wthir trwy ben echel i gadw'r olwyn rhag syrthio i ffwrdd. O dynnu'r pinnau buan y deuai taith y cerbyd i ben.

ORIAU

1191. ORIAU MÂN Y BORE. Oriau cynnar y bore ar ôl hanner nos. Gelwir hwy'n fân am mai mân ffigurau sy'n eu dynodi, neu'n hytrach *oedd* yn eu dynodi ers talwm pan na ddefnyddid ond ffigurau Rhufeinig ar wynebau clociau. Dynodir yr oriau ar ôl hynny, yr oriau y dechreuir gweithio, â ffigurau mwy.

OS

1192. HEB OS NAC ONI BAI. Heb unrhyw amheuaeth nac ansicrwydd. Yn bendant ddiamod.

> Er mor anobeithiol oedd Enoc [am gael priodi Susan Trefor] yr oedd gwaith Mr. Brown yn cyfeirio at Miss Trefor fel ei ddarpar-gwraig, *heb os nac oni bai*, yn falm i'w glwyfau (807). DO. EH. 269.

[Cysyllteiriau Amodol yw 'os' ac 'oni bai' a'u grym mewn brawddeg yw nodi amod neu awgrymu amheuaeth ynglŷn â'r peth a fynegir].

PAC

1193. HEL FY MHAC. Mynd i ffwrdd (yn llythr. casglu fy eiddo at ei gilydd gyda'r bwriad o adael rhyw le neu sefyllfa).

> Marged . . . 'dydw i'n hidio 'r un daten am danoch chi, a dalltwch dydw i ddim am ddiodde dim chwaneg o'ch tafod drwg chi, a fe fydd raid ichi *hel eich pac* oddiyma ar unwaith! DO. EH. 171.

Pan fyddai gwas ffarm gynt yn hel ei ddillad ynghyd, a gwneud pac ohonynt, golygai hynny ei fod yn ymadael (o wirfodd neu dan orfod) â'r ffarm y bu'n gweini ynddi.

PADELL

1194. O'R BADELL FFRIO I'R TÂN. Dianc rhag un helbul a syrthio i un fwy enbyd fyth; mynd o ddrwg i waeth.

> Dywedais innau'r hanes [wrth ei dad, amdano'n cael ei gosbi'n yr ysgol am siarad Cymraeg] gan deimlo mai neidio o'r *badell ffrio i'r tân* fu'r newid ysgol.
> TGJ. Bri. 34.

Gair nid annhebyg ei ystyr yw 'mynd dan y pistyll i ochel y glaw'.

PADER

1195. DWEUD PADER WRTH BERSON neu DYSGU PADER I BERSON. Ceisio rhoi cyfarwyddyd i rywun ar bwnc y mae'n hen gyfarwydd ag ef eisoes. Ceisio rhoi hyfforddiant mewn rhyw waith i rywun sy'n arbenigwr arno. Cf. am ystyr debyg, yr ymadrodd 'Yr oen yn dysgu i'r ddafad bori (=yr ifanc dibrofiad yn rhyfygu cyfarwyddo'r hen profiadol). *'Teach your grandmother to suck eggs'* yw dywediad y Saeson ar y pwnc. Yr oedd gan y Rhufeiniaid air 'Sus Minervam *(docet)* h.y. hwch yn dysgu Minerfa' (Minerfa oedd duwies Doethineb).

PAIS

1196. CODI PAIS AR ÔL PISO. Gweithredu'n rhy hwyr, neu edifarhau'n rhy ddiweddar. Cf. y S. (boneddigeiddiach!) (a) *Cry over spilt milk;* (b) *shut the stable door after the horse has gone.*
Yn 'Blodeugerdd Cymry' ceir y cwpled canlynol gan hen faledwr, John Parry o Gwm Pernant, yn mynegi'r un neges:

Rhy hwyr fydd cau drws y gorlan
Wedi i'r defaid fyned allan.

PANT

1197. AR BANT FY LLAW. Ar gledr fy llaw.

Llwyddodd Mr. Ernest i gadw pob gwas, morwyn a gweithiwr ar yr ystâd gyda'r addewid bendant y byddai iddo dalu i bob un *ar bant ei law* bob dimai oedd ddyledus wedi iddo briodi Miss. Vaughan. DO. GT. 265.

1198. Ymadrodd arall cyfystyr â'r un blaenorol: AR DOR FY LLAW.

1199. O BANT I DALAR. Defnyddir y geiriau gyda'r berfau 'chwilio', 'holi' neu'r cyffelyb, gyda'r ystyr 'yn drwyadl'.

'Rwyf wedi chwilio'r tŷ *o bant i dalar* am fy mhwrs, ond ches i mono.
Mi holodd mam fy hanes o *bant i dalar* o'r funud yr es i ffwrdd i'r funud y dois i'n ôl.

NODIAD. 'Rwy'n dyfalu nad y *talar* cynefin (o *tâl*=pen+*âr*, fel yn *a*redig) a geir yma, ond *talardd* (o *tâl*=pen+*ardd*=lle uchel) a'r *dd* ar y diwedd wedi colli, fel y gwna'n fynych, yn enwedig ar lafar, cf. i fyny(dd), cyffwr(dd), ffor(dd), ac 'i gili' am 'ei gilydd' yn Nyfed. Gwnâi'r ymadrodd well synnwyr o ddeall y gair felly, a byddai'r cyferbyniad yn yr ymadrodd yn eglur. (Am 'ardd'=lle uchel gw. IW. ELl. 21 a PKM 260 a 293).

1200. Ymadrodd arall o gyffelyb ystyr yw O BANT I BENTAN.

PARED

1201. AM Y PARED (Â RHYWUN neu RYWBETH). Llythr. Yr ochr arall i'r wal neu'r mur oddi wrtho h.y. â'r wal rhyngddynt. Gw. (92).

Yn wir yr oedd ganddo [:Shôn Thomas, Tŷ'r capel] y

peth nesaf i hawlfraint enedigol i fod yn y sêt fawr. Fe'i ganwyd *am y pared â hi.* Wal ddeunaw modfedd . . . oedd rhyngddo a chael ei eni'n flaenor. RDW. CT. 40.

Yn ffig. golyga'r ymadrodd 'mewn cyflwr o anneall-twriaeth ynglŷn â rhywbeth'.

Geill dyn 'grefyddа' ar hyd ei oes ac eto fod *am y pared* â gwir grefydd.

Yn y drafodaeth yr oedd y ddau siaradwr fel petaent yn sôn am ddau bwnc gwahanol. *Am y pared â'i gilydd* y buont ar hyd y ffordd.

1202. O BARED I BOST. O un lle i'r llall, o un sefyllfa i'r llall, gyda'r awgrym o flinder a phoendod. S. *from pillar to post.*

Clwyfasid . . . [fy mrawd] yn Salonica . . . torrwyd ei goes i ffwrdd, cychwynnodd adref. Torrwyd ei daith ym Malta, ac yntau'n gwella'n dda erbyn hynny, cafodd 'dysentery' a bu farw. Buasai *o bared i bost,* o ysbyty i ysbyty am bum mis o amser. KR. LW. 108.

1203. Defnyddir O GOED I GASTELL hefyd i'r un perwyl â'r idiom flaenorol.

1204. RHYNGOT TI A MI A'R PARED. Yn gyfrinachol iawn. Darlun sydd yma o ddau (gŵr a gwraig efallai) mewn ystafell a'r naill yn dadlennu i'r llall rywbeth nad oes neb o gwbl o'r tu allan i gael ei wybod. Gan nad yw'r trydydd a enwir, y pared, yn gweld, clywed, deall na siarad, pwysleisio y mae'r cyfeiriad ato mai rhwng *dau* — a dim chwaneg, y mae'r gyfrinach i fod. Ffurf arall ar yr ymadrodd: Rhyngot ti a mi a phost y gwely.

PEDWAR

1205. AR EI BEDWAR. Sef ar ei bedwar troed neu ei bedwar aelod; ar draed a dwylo, fel baban, neu fel anifail pedwartroed. S. *on all fours.*

'Does dim rheswm" [meddai Ned Smeilar] "fod creadur mor debyg i ddyn â mwnci; dyn bach *ar ei bedwar* ydi o . . ." RGB. LlD. 30.

Mae'n werth nodi mai *on all four* oedd y ffurf S. i gychwyn, yn debyg i'r Gymraeg. Troer i CSA. Lev. 11. 42.

PEN

1206. Â'M PEN WRTH Y POST. Wedi fy nghaethiwo mewn anghysur i un fan neu i un gwaith neu'r ddau.

> Am unweth – unweth yn y pedwar amser (112) – yr eis i dŷ Mrs. Price i gael paned o de; ydach chi'n edliw hynny i mi, Denman? [ebe Mrs. Denman]. Ydach chi am i mi fod a *'mhen wrth y post* ar hyd y blynydde? DO. EH. 81.

Darlun sydd yma o anifail wedi ei glymu wrth bostyn â thennyn rhy fyr iddo fedru symud y nesaf peth i ddim.

1207. Â'M PEN YN Y GWYNT. Yn crwydro o gwmpas heb bwrpas, yn ysgafala ac anghyfrifol.

> Mae'n arw o beth iti fod *â dŷ ben yn y gwynt* yn yr oed yma. DO. RL. 101.

> Yn chwarae buom lawer tro
> *Â'n pennau yn y gwynt.*
> DMF. 48.

1208. Â'M PEN YN FY MHLU. Yn brudd, digalon a digysbryd.

> Rhoes Geraint record chwim ar y gramaffon ac wrth weld pawb *a'i ben yn ei blu* dyma rywbeth sy yn yn gafael ynof ac yn gwneud imi symud cadeiriau i'r naill ochr . . . Dyma fi'n gafael yn Wil . . ac yn dechrau dawnsio. KR. TH. 35.

Cyfeiria'r ymadrodd at arfer adar pan na fônt mewn hwyl, o guddio'u pennau yn eu plu. Gw. (1272).

1209. AR BEN. Wedi darfod. Mae'r cyfarfod *ar ben*=Y mae'r cyfarfod drosodd.

> Nid oes mewn gwirionedd ddim i'w ofni yng nghynghrair Syria a Samaria. Y mae dydd y ddau allu hynny bron *ar ben*. JPJ. GD. 11.

1210. AR BEN DOD. Ar fin dod, o fewn dim i ddod. S. *just on the point of coming.*

> Pawb i'w le 'rwan reit diniwed achos y mae'n nhw *ar ben* dod o'r Eglwys. DO. GT. 14.

Ceir hefyd 'Ar ddannedd dod' gyda'r un ystyr.

1211. AR BEN-SET. Ar y funud olaf.

> Yr wyf wedi ail-feddwl ynghylch un peth, a hynny ar y funud olaf, neu *ar ben-set* fel y dywedir. THPW. Ll. 47.

Ceir hefyd 'yn ben set'. Mae'n *ben set* h.y. yn y pen o ran amser.

1212. AR EI BEN. Yn uniongyrchol ac agored.

Pan godai awydd ynddo ef [Charles o'r Bala] i draethu wrthych ar "Y Ddau gyfamod" fe wnâi hynny, *ar ei ben* heb ddim ffriliau – nid cymryd arno fod yn *"penny-blood"* a gostiai dri-a-chwech. RTJ. YDda. 120.

Achwyn y mae RTJ ar lyfrau-gwobr duwiolfrydig cyfnod ei blentyndod yn niwedd y 19eg ganrif. Gwell ganddo "Hyfforddwr" (Charles) na'r rheini.

Ateb cwestiwn *ar ei ben*=ei ateb yn bendant a diamwys.

1213. AR EI BEN EI HUN. Ar wahân i'r ystyr arferol, S. *by himself, herself, itself* golyga hefyd 'unigryw; mewn dosbarth *ar ei ben ei hun,* gwahanol i bob un arall'.

Y mae yr arddull *ar ei phen ei hun* wrth reswm ac yn un a allai fynd yn arddull ddyrys yn llaw efelychwr. JPJ. Ysg. 17.

1214. AR BEN Y DRWS. Yn sefyll yn y drws.

Cyn cyrraedd Rhos y Cilgwyn . . . mae rhes o dai o'r enw Glasfryn, a bob nos byddai merched o'r tai hyn *ar ben y drws* yn chwedleua pan âi'r chwarelwyr adref. KR. LW. 34.

Llun nyth, llun oen. Ond gwell na'r cwbl i gyd
Oedd llun rhyw wraig yn nôr rhyw fwthyn clyd.
'Roedd honno fel fy mam yn ddynes glws,
A bwydo'r ieir yr oedd *ar ben y drws.*
RWP. CG. 14.

1215. BENBEN. Mewn ffrae ffyrnig y naill â'r llall. Mewn gwrthdrawiad.

Mi 'rydw i'n rhagweld y byddwch chi'r byddigions a'r personiaid *benben* â'ch gilydd cyn bo hir. LLFf. 28.

Mae'r Sawdwyr *benben* â'r Physygwyr am ddwyn eu trâd lladd; Mae myrdd o Logwyr *benben* â'r Cyfreithwyr am fynnu rhan o'r trâd 'speilio. EW. BC. 124.

Rhyw ddarlun tebyg i ddau hwrdd yn ymdaro sydd yma. Byddai'r ymadrodd yn un da i gyfleu'r meddwl yn y gair S. *'a head-on collision'* er mai o fyd damweiniau'r ffyrdd y daeth hwnnw.

1216. BOD DROS BEN RHYWUN. (a) bod tu hwnt i'w allu i'w ddeall na'i drin.

Mae'r holl broblem *dros fy mhen i.*

Y trosiad yw: dyn yn suddo dros ei ben mewn dŵr.

(b) bod yn rhan o'i brofiad.

Byw sych iawn ydi o meddech chi. Nage, y byw difyrraf fu *dros dy ben di* erioed. JPJ. GD. 162.

Cf. (1228) (2).

1217. CADW EI BEN (EI PHEN). Heblaw'r ystyr o 'gadw rheolaeth arno'i hun, bod yn dawel a pheidio cynhyrfu =S. *keep one's head, keep cool,*' fe ddefnyddir yr ymadrodd hefyd mewn cysylltiad â rhyw fenter (cyngerdd, eisteddfod, garddwest, etc.) neu ryw fusnes sy'n osgoi bod yn golled ariannol, ond dim mwy na hynny.

Aeth y Sioe Gŵn drosodd yn llwyddiannus. Mwy o gŵn, ond llai o bobl. *Cadw ei phen,* a dim arall, a wna.

LlB. D. 21.

1218. CODI I BEN RHYWUN. Effeithio ar ei ymennydd fel e.e. diod feddwol.

Wrth ymweld â'r fro [Dyfed] [Yr wyf] yn byw mewn awyrgylch gwahanol rywsut. Y mae'r wlad fel petai'n *codi i'm pen.* THP-W. OPG. 65.

1219. CYMRYD YN FY MHEN. Penderfynu, yn fynych yn fympwyol, neu heb reswm digonol.

Ar adegau gwaeddwn am oriau bwygilydd (341) ac oherwydd fy mod wedi *cymeryd yn fy mhen* i beidio â siarad am gryn ddwy flynedd, ni wyddai neb am ba beth y gwaeddwn. DO. RL. 15.

1220. DAL PEN RHESWM. Ymgomio, ymddiddan.

Byddai un o hen gyfeillion Daniel Owen yn arfer dod ato . . . am fygyn ac ymgom bob nos; ac wedi i'r nofelydd farw . . . dyma'i hen gyfaill yn galw a gofyn a gaffai ryddid i ddod yma fel cynt, i fygu a *dal pen rheswm* ag ysbryd Daniel Owen. Dyf. JHJ. GG. 116.

1221. DAL PEN STORI=DAL PEN RHESWM.

"All hi [: y wraig] ddim dwad heno . . . yr oedd gwraig y Tŷ Draw wedi dwad acw gyda'r nos yma; 'roedd raid iddi aros i *ddal pen stori* i honno." WR. AFR. 212.

1222. DOD I BEN. Defnyddir yr ymadrodd hwn gydag amryw ystyron.

(a) gorffen: e.e. y gwaith yn *dod i ben.*

Nid eisiau deall a wnaeth iddo [Dr. Davies o Fallwyd] adael allan o'i Eirlyfr gymaint o eiriau, ond brys a blys ei weled wedi *dyfod i ben* cyn ei farw. LLGO. 93.

(b) aeddfedu, fel y gwna, e.e. cornwyd.

(c) dod i fod.

Y mae'r dyddiau'n *dod i ben* —
  Dyddiau hyfryd
Y dyrchefir Brenin nen
  Dros yr hollfyd.

WW. LlEM. 408.

(ch) dod yn wir, gwireddu.

Cyflawnwyd y proffwydoliaethau.
Daw'r holl addewidion i ben. PJ. LlEM. 426.

1223. DROS BEN. Defnyddir y geiriau fel adferf cryfhaol fel y byddwn yn defnyddio'r gair 'iawn' e.g. 'gwych dros ben'=gwych iawn. 'Cymwynasgar dros ben'=Cymwynasgar iawn.

O mor ddoeth, a choeth, a chall,
D'eiriau*am y Duw arall;
Nid ffrochi gan genfigen,
Na, "Duw dros bawb" — Da *dros ben.* JMJ. Can. 87.

*sef geiriau Mamon.

1224. DROS BEN. Yn weddill.

Ysywaeth ni bu ganddi [nain yr awdur] erioed ddimai *dros ben,* er iddi weithio'n galed ar hyd ei hoes.
KR. LW. 85.

Y neb sy ganddo fwy na'i raid, rhoed hynny a fo *tros ben.* EW. RBS. 221.

1225. MAE HI YN Y PEN. Mae'r sefyllfa'n anobeithiol. S. *it is all up*:

"Oes 'na ddim goleuni wedi dod o unlle, Siams?" gofynnai Lewis Dafydd. "Dim," ebe yntau, "*Mae hi yn y pen* — ddaw dim byd bellach". RDW. CT. 101.

1226. MI ROWN FY MHEN I'W DORRI. H.y. yr wyf yn gwbl sicr (mor sicr, nes bod yn barod i roi hawl i rywun dorri fy mhen os profir fi'n anghywir!).

'Does neb wedi dweud dim wrthyf, ond mi *rown fy mhen i'w dorri* y bydd Nel a Dafydd wedi priodi cyn pen tri mis.

1227. MYND Â'I BEN IDDO. S. *collapse.* Yn llythr. defnyddir yr ymadrodd i ddisgrifio adeilad yn adfeilio a'i do'n syrthio i mewn iddo.

Y cyfan a erys o hen chwarel felly . . . ydyw tomen . . . o gerrig gwrthodedig . . . ambell furddun gefail ac offis, gweddillion hen sied (efallai) . . . cwt powdwr wedi *mynd â'i ben iddo.* THP-W. LL. 24.

Yn ffig. fe'i cymhwysir at sefydliadau, cynlluniau, etc.

Bwriwch fod cwmni masnachol wedi *mynd â'i ben iddo.*
JPJ. GD. 166.

neu hyd yn oed at baragraff, neu bennill neu linell o farddoniaeth.

Camgymeriad yw'r ymorchestu diweddar am ledu'r cyswllt [mewn cynghanedd groes o gyswllt] nes bod y llinell yn *mynd â'i phen iddi.* JMJ. CD. 161.

1228. MYND DROS FY MHEN (1) Fy mherswadio, fel arfer yn groes i'm tuedd.

'Doedd gen i ddim awydd mynd ar wyliau i'r Cyfandir, ond bod y wraig wedi *mynd dros fy mhen i.*

(2) (wrth sôn am dreigl amser). Mynd heibio yn fy hanes.

Aeth llawer diwrnod *dros fy mhen*
O heulwen a chymylau. JMJ. Can. 37.

cf. (1216) (b).

1229. (O) LED Y PEN. Yn llydan agored.

. . y modd y ceffid tipyn o awyr iach i'r addoldy fisoedd yr haf ydoedd agor deuddrws y capel *led y pen* am awr o flaen oedfa'r bore. JHJ. GG. 17.

Fel 'pen' (=ceg) yn agor ar ei lletaf.

1230. O'M PEN A'M PASTWN (fy hun). Ar fy nghyfrifoldeb, ac o'm hadnoddau, fy hun.

Nid ymgynghorodd â neb cyn gweithredu; gwnaeth y cwbl *o'i ben a'i bastwn ei hun.*

Beth yw tarddiad yr ymadrodd? Geill y nodyn a ganlyn gan y diweddar Syr Ifor Williams (DGG[2] 215) daflu rhywfaint o olau ar y cwestiwn.

Yng Ngramadeg Siôn Dafydd Rhys (tud. 304) . . . sonnir am ddatgeiniad 'Pen Pastwn' sef "un a fo yn datganu heb fedru dim canu tant ei hunan; a hwnnw a ddyly sefyll yng nghenawl [=yng nghanol] y neuadd a churaw ei ffon, a chanu ei Gywydd neu ei Owdl gyd a'r dyrnodiau". Ai ceisio esbonio'r enw y mae ynteu disgrifio'r arferiad? Diarhebir eto 'Gwneud peth *o'i ben a'i bastwn* ei hun'.

Nid yw'n amhosibl, o leiaf mai dyna gefndir cyntaf yr ymadrodd cyfarwydd hwn — y datgeiniad di-gyfeiliant yn gwneud y gorau o'r adnoddau sy ganddo — ei *ben* (=ei enau) i ganu a'i *bastwn* i guro'r amser.

[NODIAD: Daw *pastwn* o'r S. Canol *baston* (=ffon, fel erfyn ac fel arwyddlun o swydd) a hwnnw yn ei dro o'r hen Ffr. *baston.* Ffurf ar ar yr un gair yw *baton* yr arweinydd côr a *batten* y saer a'r adeiladydd. Am y 'b' yn newid yn 'p' cf. S. *bastard* yn troi'n 'pastard' yn Gymraeg].

Ni welais i yn unman ond yn narlith radio Syr Thomas Parry-Williams, 'Ymhél â Phrydyddu' (Tud. 7) yr amrywiad 'o'i berfedd a'i bastwn ei hun' ac efallai mai un o greadigaethau'r dewin geiriau hwnnw ydyw.

1231. PENDRAMWNWGL. Â'i ben yn gyntaf. Yn wysg (llwrw) ei ben. S. *headlong.* [Cyfansawdd yw'r gair o pen+tra (=tu hwnt)+mwnwgl=gwddf].

[Hwy] a'i dygasant ef hyd ar ael y bryn . . . ar fedr ei fwrw ef *bendramwnwgl* i lawr. Luc 4. 29.

Defnyddir ef yn ffig. yn yr ystyr hon:

. . . ni chafas Gwrgan Farfdrwch ond chwerthin am ei ben, am ei ewyllys da i'w hachub rhag myned *bendramwnwgl* i gaethiwed. TE. DPO. 55.

O'r syniad o rywbeth yn 'syrthio ben-yn-gyntaf', heb reolaeth arno, tyfodd yr ystyr o syrthio 'rywsut-rywsut', ac wrth sôn am nifer o bethau'n syrthio felly aeth yr ymadrodd i olygu 'anhrefn', 'pethau ar draws ei gilydd'.

Ym mhen draw un o'r silffoedd uchaf, yr oedd pentwr o anialwch . . . hen drywsus melfaréd wedi breuo, a phâr o glocsiau a brws blacin neu ddau wedi eu taflu *bendramwnwgl*. AL. CT. 50.

A dyma'r ystyr pellach hwn yn cael ei ddefnyddio'n ffigurol:

Yn hyn, dyma un arall [o ysbiwyr Satan] a fasai as ysbi tua'r Deau . . . yn mynegi fod y drwg yn dechrau torri allan yno, oni charcherid tri oedd eisus wedi gyrru pob peth *bendramwnwgl*. EW. BC. 126-7.

1232. TYNNU RHYWUN YN FY MHEN. Achosi iddo gweryla â mi ac ymosod arnaf (yn llythr. neu ffig.).

Yn sicr ni chystedlid gwrthwynebiad y gweithwyr at Mr. Strangle gan ddim ond ei gasineb yntau at Gymru a Chymraeg . . . y canlyniad fu iddo yn fuan *dynnu* y gwaith *yn ei ben*. DO. RL. 113.

Gwaith, yma=gweithwyr.

1233. TYNNU (GWAITH, HELBUL, CWERYL, FFRAE, TRAFFERTH, etc.) YN FY MHEN. Achosi'r pethau hyn i mi fy hun.

Dyfed sy'n cael rhoi yr ergyd ymadawol [mewn dadl ar emynyddiaeth] a hynny sy'n deg, gan mai myfi a *dynnodd* y cweryl *yn fy mhen*. JPJ. Ysg. yn y *Traethodydd*.

Rwyf wedi dechrau peintio'r sied. Ond mae'n edifar genni dynnu'r *gwaith yn fy mhen*.

1234. TYNNU POBL YN FY MHEN. Tebyg i (1232). Achosi iddynt droi yn fy erbyn.

'Wyddoch chwi, Thomas [ebe'r blaenor] 'rwyf yn siwr na fwriadodd Duw i'r bachgen yna bregethu.' 'Ddaru chwi ddweud hynny yn seiat . . .?' gofynnais innau ac ebe fo — 'Wel, naddo, welwch chi, achos bydaswn i'n deud hynny, mi fuaswn yn *tynnu pobol yn 'y mhen*. DO. EH. 146.

1235. YN Y PEN. Mae dwy ystyr dra chroes i'w gilydd i'r ymadrodd hwn, a hynny am fod PEN yn cael ei ddefnyddio fel='y pen cyntaf' a hefyd 'y pen diwethaf'.

(1) Yn y pen=yn y dechrau, y cychwyn. S. *in* (*at*) *the beginning.*

> Gan nad oedd gennyf ond ail i ddim (76) o ffrwyth y blynyddoedd cyntaf hynny mewn ysgrifen bu raid imi . . . ail ddechrau *yn y pen* wrth baratoi y llawlyfr hwn.
> JPJ. Iago v.

(2) Yn y pen=yn y diwedd=S. *at an end; all up.*

> Mae hi *yn y pen* arno efo'i fusnes.

PENNAU

1236. AR BENNAU'R TAI=AR BENNAU'R DRYSAU. Gw. (1214).

> Byddai'r chwarelwyr yn cerdded yn orymdaith drefnus o'r chwarel a chas beth ganddynt fyddai gweled merched *ar bennau'r tai* yn edrych arnynt. KR. LW. 34.

PENNOD

1237. RHOI PENNOD AC ADNOD. Rhoi y cyfeiriad penodol i ategu gosodiad. Rhoi tystiolaeth fanwl a phendant. Cefndir y dywediad ydyw'r adeg pan benderfynid bron bob cwestiwn (ac nid yn unig rai diwinyddol) trwy apelio at y Beibl, a dwyn profion i ategu barn trwy ddyfynnu o ysgrythurau penodol. Bellach fe'i defnyddir mewn ystyr ehangach, i olygu rhoi cyfeiriadau manwl at ffynonellau'r dystiolaeth y seilir dadl neu osodiad arnynt.

PENUCHEL

1238. PENUCHEL=FFROENUCHEL. Gw. (837).

PENWAIG

1239. FEL PENWAIG YN YR HALEN. Cymhariaeth yn disgrifio nifer mawr wedi eu gwasgu i le bach.

> Stafell fechan oedd y stafell bwyllgor ond yr oedd yno gryn ddeg ar hugain ohonom, yn dynn *fel penwaig yn yr halen.*

Ceir yn S. air tebyg, *Like herrings in a barrel* (ODEP 371). Dodid y penwaig mewn baril i'w halltu, a gwesgid cynifer i'r baril ag oedd modd.

PERCHEN

1240. PERCHEN ADAIN (ADEN). Aderyn.

Diau gwaith ofer yw taenu rhwyd yng ngolwg pob *perchen adain*. Diar. 1. 17.

Gw. hefyd Preg. 10. 20.

1241. POB PERCHEN ANADL. Popeth byw. Ymadrodd ysgrythurol ei darddiad.

Pob perchen anadl, molianned yr Arglwydd. Salm 150. 6.

Pob perchen anadl ym mhob man
Dan gwmpas haul y nen. IGG. LLEM. 7.

Arhosodd Harri am agos i awr . . . a chredai oddi wrth y distawrwydd a deyrnasai fod *pob perchen anadl yn y* Wernddu mewn trwmgwsg. DO. GT. 96.

PERFEDD

1242. BWRW FY MHERFEDD. Dweud fy holl feddyliau a'm teimladau cudd; arllwys fy nghyfrinachau.

Gŵr a fethodd fynd yn offeiriad pabyddol ydoedd [Frederick Rolfe, Baron Corvo] . . . dyn o athrylith, ond dyn â llu o chwiwiau a chwirciau yn chwyrnellu yn nhrobwyll ei enaid, fel y datguddiodd ef ei hun wrth *'fwrw'i berfedd'* yn ei lyfrau. THP1W. M. 58.

Ymadroddion cyffelyb yw 'bwrw fy mol' a 'bwrw fy nhu mewn'.

Meddyliais unwaith am *fwrw fy nhu mewn* wrth Gruff. KR. TH. 60.

Gw. (247).

1243. MYND I BERFEDD RHYWBETH. Archwilio ac weithiau datgymalu ei beirianwaith mewnol.

Yr wyf wedi sôn am *fynd i berfedd* pethau, i weld y 'gweithredoedd' fel petai, a gwybod sut y maent yn gweithio. THP-W. M. 35.

1244. WEDI TYNNU EI BERFEDD. Wedi mynd yn ddi-hyder, diysbryd a heb asbri.

Edrychai Marged yn swrth, diynni a digalon, fel pe buasai wedi *tynnu ei pherfedd allan*, neu fel cath wedi hanner ei lladd. DO. EH. 200.

1245. PERFEDD NOS. Canol eigion nos. Cefn trymedd y nos.

Oes gynoch chi ddim cwilydd, mewn difri', Denman, yn colma hyd dai pobol dan *berfedd y nos*? DO. EH. 80.

1246. PERFEDD Y WLAD. Canol y wlad. Ymhell o'r trefi a'r ardaloedd poblog.

PERFEDDION

1247. PERFEDDION NOS=perfedd nos.

Gyda char a cheffyl yr âi Richard Cadwaladr i Sir Fôn, ar ôl caniad, a chyrraedd yno *berfeddion o'r nos.*

*sef caniad corn noswyl y chwarel.

KR. LW. 74.

1248. PERFEDDION Y WLAD=perfedd y wlad.

Pan fydd meddyg *ym mherffeddion y wlad* mewn tipyn o benbleth, ond odid nad enfyn am Doctor Puw i'w gynorthwyo. AL. CT. 13.

PETH

1249. (dweud) AR EI BETH MAWR. Cymryd y llw cryfaf sy ganddo, beth bynnag yw hwnnw.

Dywedai [Ernest] *ar ei beth mawr* nad oedd ef am wneud llawer o seremoni o herwydd marwolaeth ei dad, ond y priodai yn fuan. DO. GT. 250.

Ffurf arall ar yr ymadrodd: AR EI BETH HYLL. Gw. (1021).

1250. O DIPYN I BETH. Fesul ychydig.

O *dipyn i beth* ac o fodfedd i fodfedd gollyngodd Harri yr holl ofal a'r drafferth arnaf fi. DO. GT. 167-8.

PETHAU

1251. GWYBOD GWELL PETHAU. Gwybod yn amgenach. Meddu cywirach gwybodaeth.

Cymro oedd Sadwrn; Cymro oedd Jupiter . . . Cymry oedd y lleill. Nid wyf fi ddim yn dweud mai Cymry oeddent o'r wlad hon; nac wyf, *mi wn well pethau.*

TE. DPO. 148-9.

1252. GWYBOD FY MHETHAU. Deall fy ngwaith.

"Mae'r hen Ddoctor yn *gwbod i betha*", meddai Margad Wilias. IG. Cr. 67.

1253. HAEDDU GWELL PETHAU. Haeddu amgenach ffawd.

Wel, Gwen, [ebe Robert Wyn Pantybuarth] mae yn ddrwg iawn gen i drosot ti—ydi wir. Yr wyt ti wedi *haeddu gwell pethe.* DO. GT. 238.

1254. MYND TRWY'I BETHAU. Arddangos ei gampau nodweddiadol ei hun, dilyn llwybr ei ddiddordebau a'i chwimiau nodweddiadol ei hun.

Yn y blynyddoedd hynny yr oedd [Gwilym Cowlyd] wedi mynd i gysylltu'r Orsedd a Barddas nid yn unig â Christnogaeth ond hefyd ag Iddewiaeth. Gwrandawer arno'n *mynd trwy'i bethau* mewn llythyr at Archesgob [Dyfyniad yn dilyn]

Gerallt Davies, *Llên Cymru,* Ionawr –Gorffennaf 1962. Tud. 42.

Gwrandawai un rhan ohonof arno [: y pregethwr] yn astud a di-fwlch hyd y diwedd. Ar yr un pryd yr oedd rhan arall ohonof yn ddiwyd ddiorffwys yn *mynd trwy'i bethau.*

THP-W. Y. 20.

1255. O BETHAU'R BYD. O bopeth yn y byd. Yn fwy na dim arall.

. . . dacw greigen arall, nês i'r lan, yn edrych o *bethau'r byd* fel morforwyn. JHJ. M. 28.

1256. O GWMPAS FY MHETHAU. Mewn purion hwyl. Yn fy hwyliau a'm hiechyd. Mewn llawn feddiant o'm cyneddfau.

Wedi clywed fod yr hen ewyrth yn cwyno, mi es i'w weld yn ei gartref. Yn wir 'roedd-o *o gwmpas ei bethau'n* ddel iawn.

PIAU

1257. PIAU HI=sydd orau. 'Hi'=y wobr neu'r gamp, neu'r cyffelyb.

. . . tybio o un dosbarth o ddynion mai beirdd y werin *piau hi* bob tro, a thaeru o'r lleill mai cyfansoddwyr yr awdlau a'r pryddestau yw'r unig feirdd gwerth yr enw.

TP. BDG. 47.

Gw. hefyd (988).

1258. TAW PIAU HI. Tewi sydd orau. 'Annoeth ni reol enau'. Yr oedd gan Mynyddog gerdd a fu'n boblogaidd iawn, 'Taw piau hi, bois'. Go brin mai ef a greodd yr ymadrodd, ond yn sicr gwnaeth lawer i'w boblogeiddio. Am enghr. gw. (1395).

PICIL

1259. MEWN PICIL. Mewn anhawster; mewn penbleth; mewn amgylchiad dyrys ac anghysurus.
Benthyg o'r S. *pickle* yw picil, a'i ystyr lythr. yw y

gwlybwr hallt (e.e. heli) neu asidaidd (e.e. finegr) y rhoir cig neu lysiau ynddo i'w cadw. Triniaeth go egr yw honno, ac felly daethpwyd i'w defnyddio yn ffig. am unrhyw gyflwr dyrys iawn ar ddyn.

PIG

1260. CAEL PIG I MEWN. Cael cyfle i ddod i mewn (a) *i sgwrs;*

Yr oedd Mrs. H. yn siarad mor gyflym a di-stop fel nad oedd ddichon i'w gŵr druan gael *ei big i mewn* o gwbl.

(b) *i sefyllfa.*

Nid yw'r swydd yr wyf newydd fy mhenodi iddi fawr o beth. Ond wedi i mi unwaith *gael fy mhig i mewn i'r* B.B.C. 'does wybod i ble'r arweinia hi.

Rhydd [Y Ficer Prichard] gyngor a gweddi i'r neb a fo yn diosg ei ddillad i fynd i'r gwely: mae'r ddau yn barod hefyd pe digwyddai i un ddeffro yn y nos: mae'r ddau eto'n barod at adeg dihuno yn y bore, ymwisgo ac ymolchi. Ni chaiff y diafol *ei big i mewn* os medr pennill ei gadw allan. IW. LLGC.

Y 'pig' yn yr ymadrodd, wrth gwrs, yw'r trwyn. Os caiff dyn ei drwyn i mewn i rywle mae siawns y caiff ei ben ddilyn, a'r holl gorff yn y man.

1261. MYND YN BIG ARNAF. Mynd yn brin.

Pan âi *yn big arni,* am ddim i'w darllen, ail ddechreuai ddarllen y Beibl o'i gwrr. (622). KR. LW. 114.

Mae'n debyg mai'r syniad tu ôl i'r ymadrodd yw rhywbeth llydan (ffordd efallai) yn mynd yn gulach, gulach nes o'r diwedd mynd yn llythrennol yn big, lle nad oes lle i ddim, na lle i fynd ymlaen.

PIGO

1262. PIGO BWRW. Dechrau bwrw.

Ni fedraf anghofio fy llawenydd pan glywais ym Môn y tro cyntaf, "Mae hi'n gwneud tipyn o ddagrau" am y bras ddafnau fydd yn disgyn o flaen cawod drom. Gair fy mro i fy hun oedd "*pigo bwrw,*" rhyw bigiad yma ac acw. IW. MSI. 29.

PIN

1263. FEL PIN MEWN PAPUR. Yn dwt a phropor, heb ddim allan o'i le. S. *prim and proper; spick and span.*

Mae llawer un 'run fath â hi [gwraig nodedig o fudr a

blêr] mi fyddan fel *pin yn y papyr* yn hogenod ifinc ac yn troi allan yn wragedd mochynedd trost ben.

WR. AFR. 290.

Tarddiad yr ymadrodd yw'r arfer (nid mor gyffredin bellach) o werthu pinnau fesul dalennaid — rhai dwsinau o binnau wedi eu gosod yn dwt, rhesi unffurf trefnus ar ddalen o bapur. Ni ellid cael gwell darlun o dwtrwydd destlus.

1264. YN BIN. Yn daclus.

Ynghylch pum punt am gosodai i fyny *yn bin* yrwan.

LlGO. 44.

Cofier mai un o ystyron 'taclus' heb law 'twt' S. *neat,* yw 'cysurus o ran amgylchiadau'.

1265. YN SYTH BIN. (1) Yn syth fel pin. Yn gwbl union.

Ymfalchïai bob amser wrth aredig fod pob cwys *yn syth bin.*

(2) Cymhwyswyd yr ymadrodd at amser yn yr ystyr o 'ddi-oed, ar unwaith'. Cf. fel y defnyddir 'yn union' yn yr un modd, a '*straight* away' yn S.

"Mae gwaed ar laswellt Iwerddon heno", ebe'r ymwelwyr. Gyrrodd ei frawddeg ias . . . trwy feddyliau Huw a Ned . . . Am ladd-dy Wil Bwtsiar y meddyliodd Huw *yn syth bin.* GRJ. SE. 99.

PINNAS

1266. CODI FY MHINNAS. (Ymbaratoi i) symud o'r lle yr ydwyf. Yn llythr. codi fy nghoesau. (Daw 'pinnas' fe ymddengys, o'r S. *pins* yn yr ystyr o 'goesau').

Nid prudd mohono [: John Roberts cyn-chwarelwr o Arfon a aethai i weithio yn y Pyllau Glo yn y De] ond hawdd i'w wraig weled ei fod am *godi ei binnas* i fynd i'r Gogledd yn ôl. KR. OGB. 36.

PINNAU

1267. AR BINNAU. Mewn stad o anghysur pryderus.

Mi fûm hefyd yn un o bedwar yn cael brecwast . . . efo'r Prifathro, Syr Harry Reichel — pawb *ar binnau* a neb yn siarad bron ddim ond Reichel ei hun. TP. A. 47.

Yn fynych mae elfen o ddisgwyliad yn yr anghysur a'r pryder.

Bûm *ar binnau* byth er canol dydd wedi derbyn y nodyn oddi wrth Enid. KR. SG. 5.

Gw. (747) am idiom o'r un ystyr.

PLANT

1268. PLANT ADDA. Y ddynoliaeth. Holl ddisgynyddion y dyn cyntaf.

Myfi yw'r Ysgolfeistres hyna'
Sydd yn y byd gan holl *blant Adda.*
(Arglwyddes Chwantau Natur sy'n siarad). TEd. CO. 99.

1269. PLANT ALIS. Saeson.

A'u trydar aflafar lu,
Blant Alis, blina teulu
dyf. yn GPC o 'Diddanwch Teuluaidd'

. . . a geir dim dirmyg gan *blant Alis,* heblaw gweiddi Taffy? LlGO. 125.

Alis oedd Merch Hengist a ddaeth, yn ôl y chwedl, gyda'i frawd Hors(a) fel arweinydd mintai o Saeson i Brydain, ar wahoddiad Gwrtheyrn Gwrthenau, a chael felly droed i lawr yn nhir y Brutaniaid. Enw arall Alis oedd Rhonwen. Daeth yn ordderchwraig Gwrtheyrn, er mwyn helpu ei thad i wneud brad y Brutaniaid, yn arbennig Brad y Cyllyll hirion [Gwel. DPO (1) Pen. 4]. Sonia Dafydd Nanmor mewn awdl am "eisyllydd Rhonwen" h.y. epil Rhonwen, sef y Saeson. Ceir amryw gyfeiriadau yng ngwaith Guto'r Glyn e.e.

(1) Nâd trwy Wynedd *blant Rhonwen*
Na phlant Hors yn y Fflint hen.
GGGl. 130.

(2) Os gwir i *blant Alis* gau,
Draeturiaid, dorri tyrau,
Ni ddôi'r iangwyr, ni ddringynt
I dai'r gŵr na'i dyrau gynt.
GGGl. 143.

(3) Blino y maent o'm blaenawr
Blant Ronwen, genfigen fawr.
GGGl. 135.

Ceir cyfeiriad ychydig linellau o flaen 3 uchod at Hensiest (=Hengist) hefyd. Ceir yr ymadrodd 'Cywion Alis' hefyd yn golygu 'Saeson'.

PLAT

1270. GORMOD AR FY MHLÂT. Ffig. Gormod o wahanol swyddi neu oruchwylion neu alwadau gennyf, fel na allaf wneud chwarae teg â hwy. Y gyffelybiaeth yw dyn â'r fath bentwr ar ei blât fel nad oes ganddo obaith i'w fwyta i gyd. Ffurf arall a glywais ar yr ymadrodd: GORMOD AR FY NHRENSIWR. (O'r S. *trencher*). Gw. (1438). Cf. (974).

PLITH

1271. [YN] BLITH DRAPHLITH. Yn gymysg â'i gilydd.

Yr oedd . . . defnyddio ymadroddion o'r ysgrythur a'u cordeddu *blith draphlith*, wedi dyfod yn ail-natur iddynt. [sef yr 'hen bobol' — yr hen do o grefyddwyr]. THP-W. 51.

Mae'r bysus a'r ceir a'r faniau *blith draphlith* ar hyd ffordd y wlad. RW. 58.

PLU

1272. A'M PEN YN FY MHLU. Yn brudd a di-ysbryd.

Am grefydd [ebe Thomas Bartley] rydw i'n ych gweld chi y crefyddwrs yma yn waeth ych *off* na neb . . . 'Rydw i'n eich gweld chi'n wastad mewn helbul *a'ch pene yn ych plu*. DO. RL. 136.

Yn union fel y bydd iâr, pan na fo hwyl arni. Gw. (1208).

PLUEN

1273. DANGOS Y BLUEN WEN. Actio fel llwfrgi.

'Rydw i wedi cael tipyn o eiriau efo Ernest y Plas . . . mi slensiodd fi i ymladd â fo, a mi dderbyniais ei gynigiad . . . Fedrwn i ddim peidio wyddost, heb *ddangos y bluen wen* . . . DO. GT. 96-7.

Tebyg mai cyfieithiad o'r S. *to show the white feather* yw'r dywediad. Ymladd ceiliogod yw cefndir yr ymadrodd. Yr oedd pluen wen ymysg plu'r ceiliog ymladd yn dangos, meddir, nad oedd ei frid o'r gorau.

1274. RHOI PLUEN I RYWUN. Rhoi clod, canmoliaeth, neu gompliment iddo.

Pan glybu [Ben Bowen] Iolo Caernarfon, y beirniad, yn dywedyd mai ei fai oedd 'canu gormod am Gymru a thragwyddoldeb' trodd at ei frawd, Myfyr Hefin, a eisteddai wrth ei ochr: 'Dyna'r *bluen* hardda a allasai roi imi.' JHJ. GG. 136.

Dywedir, â pha sail ni wn, fod ymadrodd nid annhebyg yn S. *a feather in one's cap* yn tarddu o arferiad ymhlith Indiaid Cochion, o ychwanegu pluen at benwisg y *brave* am bob gelyn a laddai.

PLWC

1275. CHWYTHU PLWC. COLLI EI BLWC. Colli egni. Mynd heb ffrwt.

> Dyma'r corwynt wrthi ar hyd y nos a'i sŵn fel utgorn gwallgof, ond erbyn y bore bydd *wedi chwythu ei blwc*, a daw tawelwch llednais dros y wlad ar ei ôl. RW. W. 79.

O'r S. *'pluck'* y cawsom *plwc* wrth gwrs. Rhai o'i ystyron yn yr iaith honno yw: dewrder, penderfyniad i ddal ati. Y mae iddo gysylltiad ag ymladd â dyrnau: *plwc* oedd dal ati; gwrthod colli gwynt. Rhywle o'r cysylltiadau yma y cafwyd i'r Gymraeg yr ystyr a roddwn ni i *chwythu plwc*.

PLWMP

1276. YN BLWMP AC YN BLAEN. Gyda berfau fel 'dweud' a 'siarad' neu eu cyfystyron y defnyddir yr ymadrodd hwn. Ei ystyr yw: yn gwta a chlir, heb geisio lliniaru dim ar yr hyn a ddywedir nac ar y ffordd o'i ddweud.

> "Nid yw'r hyn a ddwet'soch chi yn hollol gyd-fynd â'r ffeithiau". "Pam na ddwedwch chi *yn blwmp ac yn blaen* 'mod i'n dweud celwydd?"

[NODIAD. (1) *Plwmp*. O'r S. *plump* (ond nid yn yr ystyr gyffredin i'r gair heddiw, sef 'tew'). Ymddengys fod *plump* yn perthyn i'r dosbarth o eiriau sy'n dynwared sŵn, yn yr achos yma, y sŵn a wneir gan rywbeth symudol yn dod i wrthdrawiad sydyn â gwrthrych arall — dod yn 'blwmp' yn ei erbyn, fel y dwedir. Cais yw 'siarad' i ddod i gyffyrddiad â meddwl arall. Wrth siarad yn 'blwmp' y mae'r cyfarfyddiad yn un swta a di-seremoni.

(2) *Plaen*. Daeth hwn o'r S. *plain* a ddaeth drwy'r Hen Ffrangeg o'r Lladin *planus*=[tir] gwastad. (O'r un gair hefyd y cawsom y *plaen* arall, erfyn y saer i wneud coed yn llyfn a *gwastad*).

Ar dir *gwastad* y *plain* gellir gweld yn glir — nid oes dim ar y ffordd. Pan fydd rhywun yn siarad yn blaen (*plain speaking*) mae'n siarad yn glir, ac fe ddywed y gwrandawr "'Rwy'n gweld". Cf. fel y ceir yr un syniad tu ôl i frawddeg fel "I told him *flat*" yn S. Yn Gymraeg, Mi ddwedais wrtho'n *blaen*. Ac wedi siarad yn "blwmp ac yn blaen" mae'r Sais yn aml yn cloi drwy ddweud, *"And that's flat"*].

Gair arall (yn y Deau) am yn 'blwmp ac yn blaen' yw

YN DOC AC YN BLAEN. YN DOC=yn gwta (o tocio=torri'n gwta e.e. tocio gwallt; tocio gwrych; tocio maip, sef torri'r dail a'r mân wreiddiau oddi arnynt). Medd D. J. Williams, wedi cymharu gwneud detholiad o'i storïau byrion â'r gwaith o ddewis o 'dorred' o gathod bach pa rai i'w cadw a pha rai i'w boddi:

Mi wn y dywedai fy ffrind gonest, Saunders Lewis, *yn doc ac yn blaen,* 'Boddwch y lot'. DJW. ST. 10-11.

[Wedi ysgrifennu'r uchod deuthum ar draws yr ymadrodd '*plump and plain*' yn S. yn un o ddramau James Bridie, 'The Girl who did not want to go to Kuala Lumpur' (Colonel Wotherspoon and Other Plays. James Bridie. Constable. Tud. 298). Ymddengys felly ei fod yn air a ddefnyddir yn yr Alban. Clywais hefyd y ceir ef yn nhafodiaith rhannau o Ogledd Lloegr. Ond nis rhestrir yn SOED dan na 'plump' na 'plain'.]

PLWYF

1277. ENNILL FY MHLWYF. Ennill cydnabyddiaeth. Cael fy nerbyn. Ymsefydlu'n llwyddiannus. Ymgartrefu.

Llai na blwyddyn sydd er pan ddaeth i fyw yma, ond y mae wedi hen *ennill ei blwyf.*

Dim ond yn y ganrif yma i bob pwrpas y daeth y 'soned' yn fesur Cymraeg, ond bellach y mae wedi *ennill ei phlwy* mor ddiogel â phe bai wedi bod yn Gymraes erioed.

Yn y llawysgrif, trwy gamgopïo ymddengys y ffurf *Lleu* fel Llew ac *enillodd* yr enw Llew Llaw Gyffes *ei blwyf* mewn llenyddiaeth ddiweddar. ChCC. 158.

Hen ystyr y gair 'plwyf' oedd 'plwyfolion. Ymddengys mai ystyr 'ennill plwyf' ar y cychwyn oedd ennill yr hawl i fod yn un o'r plwyfolion. Defnyddir 'PLWYFO' hefyd fel=ennill fy mhlwyf.

Ar lafar o leiaf y mae'r ffurf 'Cwicsot' . . wedi hen (969) *blwyfo* bellach yn ein hiaith. JTJ. ADC. (Rhagair vii).

POEN

1278. AM FY MHOEN. Am fy nhrafferth. Am fy ymdrechion. Am fy llafur.

Y mae gennyf un [athro] arall danaf i ddysgu Saesneg, i'r hwn yr ydwyf yn rhoddi wyth bunt yn y flwyddyn *am ei boen.* LIGO. 43.

Ar ôl iddo [Awstin Fonach] blannu y fath Gristnogaeth amhur yn eu mysg y bu gwiw gan y Pab ei feistr ei wobrwyo ef ag Archesgobaeth holl Brydain *am ei boen.* TE. DPO. 251.

1279. DAN BOEN. Dan fygythiad [o gosb]; S. *on pain of*.

Y mae i minnau ddyfyn i ymddangos o'i flaen, *dan boen* dioddef fy niraddio o freintiau ein hardderchog Gymdeithas. LlGO. 123.

Nid rhydd i neb saethu anifail y bo helwriaeth arno, pan fo yn ei esmwythdra *tan boen* colli ei fwa a'i saeth i arglwydd y tir. Y Naw Helwriaeth (Geiriadur Richards).

Er darfod i Dduw eu gwahardd hwy [: Adda ac Efa] a'u gorchymyn i ymgadw oddi wrth hyn o beth bychan [=bwyta ffrwyth y pren] *dan boen* cosbedigaeth angau tragwyddol, er hyn hwy a gredasant i air y cythraul o flaen gair Duw. RF. YDdu. 33.

Term cyfreithiol yw *poen* yma, a fenthyciwyd o'r Lladin *poena*=cosb. Ceir yr un elfen yn S. *pen*al, *pen*alty). Yn wir nid yw *dan boen* ond cyfieithiad o *sub poena* a ddefnyddir o hyd fel term cyfreithiol am wŷs yn gorchymyn ymddangos tyst mewn llys barn, gyda bygwth ei gosbi am anufuddhau. Ceir y gair hwn ar lafar yn Gymraeg o hyd yn y ffurf *'sbena'*. Datblygiad o ystyr gyfreithiol *'poena'* yn Lladin oedd yr ystyr *dioddefaint* — a hwnnw yw'r ystyr gyffredin a roir i *poen* yn Gymraeg (fel i S. *pain*) bellach.

PORTHI

1280. PORTHI AWYDD. Swcro, neu gynnal awydd.

. . . ni fynnwn i er dim eich rhoi chwi mewn cost na llafur er *porthi fy awydd* fy hun. LlGO. 13.

LlGO. 13.

NODIAD. Mae dwy ystyr i *porthi* (er bod y ddwy'n berthnasau agos, mae'n wir). (1) cario, cynnal. (2) bwydo. Gwâi un o'r ddwy ystyr yn y fan yma. Cf. ymadroddion cyffredin eraill: fel 'porthi balchder', 'porthi blys', 'porthi cenfigen', 'porthi diogi', hynny yw rhoi swcr a chynhaliaeth i'r rhain.

Enghr. ddiddorol o'r gair 'porthi' yw'r un a geir yn yr ymadroddion 'porthi'r gwasanaeth', 'porthi'r bregeth', lle y golygir bod rhywun yn rhoi cymeradwyaeth glywadwy i araith ac yn enwedig i bregeth (trwy, yn yr achos olaf, ddweud 'Amen', 'Haleliwia', Ie, Ie,' neu'r cyffelyb).

POST

1281. YN DDALL BOST. Yn gwbl ddall.

Yn y miri hwnnw [cyn-athro o feddwyn sy'n siarad] dro yn ôl pan gyhuddid fi o bysgota ar balmant y sgwâr, gwelais samons ar y palmant mor blaen ag oedd bosibl a'r plismyn *yn ddall bost*. RGB. LLD. 58.

Cf. yn fyddar bost; mor fyddar â phostyn.

1282. YN WIRION BOST. Yn gwbl ffôl.

Mae'r dynion calla'n mynd *yn wirion bost* efo merched. KR. SG. 23

POTES

1283. LOL BOTES. Ffwlbri, ffolineb.

'Wele, bellach ddigon ar y *lol botes* yma' [sef y rhan gyntaf o'i lythyr, sy'n trafod gwaith y Gogynfeirdd]. LLGO. 42.

Ffurf gryfach ar yr ymadrodd yw LOL BOTES MAIP.

1284. MELYS CWSG POTES MAIP. Nid oes gan y tlawd achos pryderu fel sy gan y cyfoethog. Mewn geiriau eraill: Diofal yw dim. Fel y dengys y dyfyniad isod yr oedd potes maip yn sumbol o dlodi. Bwyd y tlodion ydoedd am ei fod gyda'r rhataf yr oedd dichon ei gael.

Edryched y darllenydd o'i gwmpas ac ymofynned pa nifer o'i gydnabod ag sydd wedi codi dipyn yn y byd a soniant o'u gwirfodd am dlodi eu rhieni? Am yr adeg yr oeddynt yn byw ar *botes maip?* DO. EH. 10.

1285. POTES EILDWYM. POTES WEDI EI AIL DWYMO. Defnyddir yr ymadrodd fel cymhariaeth i ddisgrifio peth diflas neu beth yr ydys wedi blino arno. Anaml y bydd potes, neu unrhyw fwyd cyffelyb, mor flasus wedi ei ail dwymo ag oedd pan baratowyd ef y tro cyntaf.

'Rwyf agos â diflasu yn canu yr un dôn byth fel y gog. Mae Cywydd yn awr, o eisiau tipyn o ryw amheuthun (=newid. Gw. 105) mor ddiflas â *photes wedi ei ail-dwymno*. LLGO. 34.

Yr un yw ystyr CAWL EILDWYM. CAWL WEDI EI AIL DWYMO. Gw. hefyd (74).

1286. RHYNGOF I A'M POTES. Mater i mi yw'r sefyllfa yr wyf ynddi.

Waeth iddo heb ddisgwyl help gen i eto. Mae o wedi mynnu mynd i'w ffordd ei hun. *Rhyngddo fo a'i botes* bellach.

PRIC

1287. PRIC PWDIN. Ffig. un a ddefnyddir gan rywun arall i wneud gwaith atgas neu anodd yn ei le.

Nid oedd y gŵr bach [:ymchwilydd preifat] yn ei boeni ryw lawer iawn: 'doedd o'n ddim ond twlsyn, *pric pwdin*, gwas bach, i Edward. JEW. RhC. 103.

Darn o bren oedd y "pric pwdin" a ddefnyddid i godi

pwdin berw e.e. pwdin plwm, o'r sosban pan fyddai'n barod. Byddai'r pwdin naill ai wedi ei lapio mewn lliain neu mewn bowlen a lliain amdani, a byddai dolen i wthio'r pric drwyddo i'w dynnu o'r dŵr berwedig. Amcan y pric, wrth gwrs, oedd arbed y sawl a godai'r pwdin rhag sgaldio'i fysedd. Mae'n ddisgrifiad da o rywun y gwneir defnydd ohono i wneud gwaith budr dros arall, gan ddwyn pob perygl ac anghysur ynglŷn â hynny.

Y term S. sy'n cyfleu'r un syniad yw 'to become somebody's *catspaw*' — cyfeiriad at yr hen stori am y mwnci a berswadiodd y gath i dynnu'r cnau poethion o'r tân yn ei le — a llosgi ei phawen ei hun wrth wneud.

1288. YN GROES FEL DAU BRIC. Ymadrodd yn disgrifio rhywun drwg ei dymer. Fe'i ceir yn S. hefyd: *As cross as two sticks.*

PRIDDELLAU

1289. PRIDDELLAU'R DYFFRYN. Y bedd, y fynwent.

> Mae Gweinidog Bethel er ys peth amser bellach yn gorwedd yn dawel ym *mhriddellau'r dyffryn.* DO. RL. 9.

> Erbyn hyn gorweddai'r seiri a fu'n cloi ei chonglau [:y felin] ac yn lefelu ei thrawstiau . . . yn dawel a di-gyffro ym *mhriddellau'r dyffryn* gerllaw. RDW. CT. 24.

Ymadrodd ysgrythurol yw hwn eto.

> Y mae priddellau y dyffryn yn felys iddo [sef i'r drygionus]. Job 21. 33.

Bachigyn o pridd yw 'priddell' ac fe ddigwydd y gair yn y Beibl ryw bum gwaith. Fe'i cyfieithir yn CSA ag amrywiol eiriau: *dust, clod, potsherd.*

PRY(F)

1290. PRY GARW. Ymadrodd a ddefnyddir yn edmygol wrth siarad am rywun yn meddu llawer o graffter a thalent yn enwedig os na chafodd addysg a hyfforddiant.

> "*Pry garw* oedd y bachgen hwnnw," ebe Thomas [Bartley] (am Wil Bryan.) DO. EH. 119.

> Mi gofiais am Fyrddin Fardd o Chwilog *hen bry garw* gyda llawysgrifau a hynafiaethau a phethau felly.

Pry, efallai, yn yr ystyr o 'greadur' (ceir defnydd felly o'r gair) Cf. fel y byddwn yn sôn am rywun yn greadur galluog, hoffus, od, etc. Am 'garw' gw. (870).

PUMP

1291. ESTYN FY MHUMP. Ymadrodd a glywir yn Arfon am estyn y pum bys=y llaw. Ysgwyd llaw.

1292. RHOI FY MHUMP (AR RYWBETH). Gafael ynddo â'm pum bys. (Gw. yr erthygl flaenorol)=ei ladrata.

> Peidiwch â gadael dim o werth os bydd J. o gwmpas. Mae o'n siŵr o *roi ei bump* arno fo os caiff o gyfle.

PWDIN

1293. YN Y PWDIN TEIM. Yn yr union amser iawn. Y S. *time* wrth gwrs yw'r 'teim'. Yn wir ymddengys mai benthyg o'r S. yw'r holl ymadrodd. Yn ôl SOED: "*'pudding time'* a time when pudding is to be had; hence fig. a time when one is in luck; a favourable time."

Fe gofir am y pennill yn y gerdd 'The Vicar of Bray' sy'n dechrau,

> 'When Charles in *pudding time* came o'er!'

Ceir y gair ar lafar yn Sir Ddinbych. Ni wn a yw'n gyffredinol trwy Gymru:

> *Yn y pwdin teim* y daru i ni gyrraedd. Yr oedd y drysau ar fin cau.

PWMP

1294. HEB DDWEUD PWMP. Heb ddweud gair.

> . . . ni wnant ond llygadrythu yn llechwrus *heb ddywedyd* pwmp mwy na buwch. LlGO. 37.

PWNC

1295. PWNC LLOSG. Pwnc sydd o ddiddordeb cyffredinol ac sydd ar yr un pryd yn bwnc dadleuol.

> . . . un o *bynciau llosg* ein cenedl ar hyn o bryd, sef sianel deledu Gymraeg.
>
> Geraint Wyn Jones. Golygyddol. *Lleufer* Cyf. XXV (1973) Rhif 3.

PWT

1296. SORRI'N BWT. Pwdu'n llwyr.

> Rhag i ni *sorri'n bwt* a llyncu mul (1171) fe wnaethpwyd cymrodedd . . . Fe gaem fynd i'r syrcas ar ôl bod yn y Seiat.
>
> THP-W. OPG. 62.

PWYLL

1297. GAN BWYLL. Yn araf a hamddenol. Yn ofalus.

Prun yw'r ffordd orau [i ymdrochwyr] o fynd i'r dŵr? Lle bo'r dŵr yn llonydd a meddal mae cerdded i'w ddyfnder *gan bwyll* bach yn burion peth . . . RW. W. 60.

Gan bwyll y bwytawn o dafell i dafell betryal.
Yr academig dost. RWP. CG. 76.

Gan=gyda. Clywir yn y De o hyd "Dewch genni"= "Dowch gyda mi".

PWYS

1298. WRTH FY MHWYS. Yn hamddenol. Yn ôl fy nghyfle. Heb frys.

Yno hwre bawb â'i chwedl digrif, a dwndro *wrth ein pwys,* oni flinom. LlGO. 43.

Ffurf ar 'hwde' yw 'hwre', a glywir o hyd yn Ne Cymru.

1299. YN FY MHWYSAU. Ohonof fy hun, yn ôl trefn naturiol pethau, yn anochel.

Dewis di fynd i'r nefoedd ac fe ofala Duw y cei di fynd. Dewis di fynd i uffern a thi ei yno *yn dy bwysau.*
JW. Preg(1) 288.

PWYTH

1300. TALU'R PWYTH. Talu'n ôl, (a) mewn diolch neu (b) mewn dial.

(a) . . . odid y daw fyth ar fy llaw *i dalu'r pwyth* i chwi am eich caredigrwydd. LlGO. 23.

(b) Nid wyf yn cofio . . . i neb o'r penaethiaid [ymysg plant yr ysgol] geisio *talu'r pwyth* imi ar ôl imi fynd drwy brawf yr 'hogyn newydd', yn weddol lwyddiannus.
TGJ. Bri. 35.

Hen ystyr i 'pwyth' oedd 'tâl, gwobr.

PYDRU

1301. PYDRU ARNI. Dyfalbarhau gyda rhywbeth, dal ati.

Fe ŵyr [y llenor ifanc] yn eithaf da hefyd, wrth iddo *bydru arni* yn awr ac eilwaith i ymberffeithio . . . na all feddwl am wneud llawer o 'geiniog' (482) heb sôn am fywoliaeth ohoni.
THP-W. YPh. 8.

Ceir hefyd POWDRO ARNI yn yr un ystyr.

1302. PYDRU MYND. Mynd yn ddyfal brysur.

Wrth *bydru mynd* yno* gan ddringo nerth y traed;
Fe ddaw rhywbeth i rithio trem ac i rinio gwaed.
THP-W. DG. 91.

*i ffermdy Oerddwr.

RHAD

1303. RHAD AR (RYWUN neu RYWBETH)! Bendith arno! (defnyddir mewn coegni fel arfer). "Prin yr eiddunir y fendith *'rhad arno'* ond pan fo melltith yn y galon", ebr JMJ (CD 63), a dyfynna'n enghraifft gwpled Simwnt Vychan:

A'r ffis a'r arian yn ffo
I'r twrnai — *rhad Duw arno;*

Cymharer am beth tebyg, 'gwynt' teg o'i ôl'. (Gw. 936).

"Yr oedd yn dda gan Wmffre gael mynd adre", ebe fi. "Nid dyna ydi'r cwestiwn" ebe Gwen. "Wydde'r llanc mo'i berygl. Oedd Harri'n gwybod? Os oedd o *rhad ar* ei gydymdeimlad, ac ar ei ddynoliaeth".
DO. GT. 210.

Rhad: rhodd, gras, bendith. O'r ymadrodd 'yn rhad' (=yn rhodd, o ras) cafwyd yr ystyr ddiweddar o isel-bris. Cedwir yr hen ystyr yn yr ymadrodd 'yn rhad ac *am ddim*'.

RHAFF

1304. DOD I BEN FY RHAFF.=Dod i ben fy nhennyn. Gw. (1397).

A phan ni chlywid mwy ei drwst
Na'i ffrwst ar war y ffridd,
Fe ddeuthai gŵr i *ben ei raff*
A phagan praff i'r pridd. RWP. HCE. 23.

1305. RHOI GORMOD O RAFF I'M TAFOD. Caniatáu i mi fy hun siarad yn rhy rydd, yn rhy anwyliadwrus neu'n rhy haerllug. Y darlun a geir yma eto (gw. yr erthygl flaenorol a'r cyfeiriad yno) yw anifail wedi ei glymu wrth gortyn neu raff. Po hwyaf y rhaff pellaf yn y byd y geill yr anifail fynd o'r man lle clymwyd ef. Wrth roi 'gormod o raff i'w dafod' mae dyn yn caniatáu iddi fynd, fel y byddwn yn dweud, yn *rhy bell.*

1306. RHOI RHAFF I'M DYCHYMYG (TYMER, CENFIGEN, TEIMLAD(AU) etc.). Caniatáu iddynt gymryd eu cwrs heb geisio'u hatal na'u rheoli. Yr un cefndir sydd i'r ymadroddion hyn ag a ddisgrifwyd yn yr erthygl flaenorol.

1907. RHOI RHAFF I RYWUN. Rhoi rhyddid iddo i wneud fel y mynno. Dywedir am rywun ffôl neu ddrwg, *''Rhowch ddigon o raff* iddo, mae'n siŵr o grogi 'i hun'' h.y. os caiff yr ehud neu'r diffaith ddigon o ryddid bydd y naill a'r llall yn sicr o'i andwyo'i hun yn hwyr neu'n hwyrach. Am arwyddocâd 'rhoi rhaff' gw. y ddwy erthygl flaenorol.

RHAFFAU

1308. TYNNU'N RHAFFAU'R ADDEWIDION. Gweddïo. Addewidion Duw yw'r addewidion. Beth yw priodoldeb delwedd y rhaffau? Ai'r syniad yw mai'r addewidion, os credir iddynt, yw sicrwydd diogelwch dyn, fel y mae rhaffau a deflir dros ochr llong i rai ar foddi yn foddion i achub y neb a gydïo ynddynt?

RHAID

1309. GWNEUD EI RAID. Gair mwyn am 'defecate'.

1310. YN FATER RHAID. Yn rhywbeth anhepgor. Yn beth na ellir ei osgoi.

> Mr. R. T. Jenkins ei hun a ddywed . . . fod darllen ei waith [:gwaith Richard Bennet] yn *fater rhaid* ar bawb a fynn ddechrau deall hanes y Diwygiad Methodistaidd. ICP. S. 89.

RHAN

1311. DUW YN FY RHAN. Duw a'm helpo.

> 'Rwyf yn cofio grybwyll ohonof . . . nad oedd sgrifennu Nodau ar y ddau Gywydd amgen na gwaith dwyawr neu dair . . . ond, *Duw yn fy rhan,* camgyfri o'r mwyafrif oedd hynny. LlGO. 64.

RHEDEG

1312. AR REDEG. Yn gyflym.

> . . . gŵyr rhai ohonoch fod Cristionogaeth . . . yn mynd yn hytrach yn ôl nag ymlaen yn Affrica a bod Mohamediaeth yn myned rhagddi yno *ar redeg.* EapI. H(2) 13.

1313. RHEDEG AR (RYWUN). Mae dwy ystyr i'r ymadrodd: (1) dod ar ôl rhywun i bwyso arno i dalu dyled neu'r cyffelyb.

> Yna fe ddaeth y clafr ar y ceffylau, a'r rheini'n marw a'r *gusb* neu'r *staggers* i orffen, a chwedi hynny y rhent, a'r

merchant oedd arno arian gwedi mynd i'r mor, ac yna *fe redwyd arnaf* am yr ardreth. HLITN. 36.

(2) adrodd beiau rhywun (neu rywbeth); ei feirniadu'n anffafriol.

Rhedeg ar ei chymdogion yr oedd hi. Yn ôl ei sgwrs hi, fu gan neb erioed rai salach.

Defnyddia W.W. y geiriau mewn ystyr arbennig iddo'i hun a gwahanol i'r un o'r ddau uchod yn y geiriau:

A lluoedd maith y Nef
Yn rhedeg arno'u bryd.

WW. LIEM. 159.

1314. RHEDEG (RHYWUN). Ei ddisodli mewn cariad; mynd â'i gariad oddi arno.

'Roedd Dafydd a Gwen wedi bod yn 'canlyn' ers blynyddoedd. Fedrai fo ddim credu'r peth pan ddaeth rhyw sbrigyn o Sais heibio a'i *redeg o.*

RHEGI

1315. DIM GWERTH EI REGI. Ymadrodd am rywun neu rywbeth gwael iawn ei ansawdd.

1316. RHEGI A RHWYGO. Defnyddio iaith gref ac arddangos tymer gynddeiriog.

Rhegai a rhwygai gweision, ac wylai morynion y Plas Onn mewn gwan obaith am gael eu cyflog gorddyledus. DO. GT. 273.

RHESWM

1317. DAL PEN RHESWM. Ymgomio, cynnal sgwrs â rhywun.

Rhoddai [Shon Thomas y Tŷ Capel] ryw gyfran bob dydd o ddechrau'r wythnos hyd y Sadwrn i feddwl am y pregethwr ac i gael ei hunan i'r cywair priodol i gyfathrachu â'r gŵr nwnnw ac i *ddal pen rheswm* iddo (gw. 1220). RDW. CT. 39.

RHIFO

1318. DYDDIAU DYN (NEU SEFYDLIAD) WEDI EU RHIFO. Ei oes yn amlwg yn tynnu i'r terfyn anochel. Efallai fod yna adlais o'r geiriau a ymddangos ar galchiad pared neuadd gwledd Belsasar:

Duw a *rifodd* dy frenhiniaeth ac a'i gorffennodd.

Dan. 5. 25.

RHODD

1319. YN RHODD. Atolwg; os gwelwch yn dda.

Yn rhodd a fyddwch cyn fwyned yn y [llythyr] nesaf a gadael imi wybod, pa newydd anghysurus a glywsoch o Gaer Nerpwl. LlGO. 70.

"*Yn rhodd,* Meistr Cwsg." ebe fi, "i ble mae'r drysau yma'n agor?" EW. BC. 56.

RHYCH

1320. RHYCH NA CHEFN. Ymadrodd yw hwn a ddefnyddir wrth fynegi anhawster i wneud synnwyr o rywbeth.

Y mae llu o fân gofnodion fel yna yn y dyddiaduron cynharaf a rhai . . na allaf wneud na *rhych na chefn* ohonynt erbyn hyn. THP-W. P. 29.

Termau'n ymwneud ag aredig yw'r rhain. Amrywia eu hystyron o le i le ac o bryd i'w gilydd. Yma saif 'rhych' am y gŵys sydd newydd ei throi a'r 'cefn' am y darn heb ei droi (wrth aredig â cheffylau cerddai un ceffyl yn y rhych a'r llall ar y cefn). Yr oedd y cae i gyd naill ai'n rhych neu gefn, ac felly ystyr yr ymadrodd 'methu gwneud rhych na chefn' o rywbeth oedd methu gwneud dim [synnwyr] ohono o gwbl. Gw. yr erthygl nesaf.

1321. RHYCH NA GWELLT. (Gw. yr erthygl flaenorol). Dyma ymadrodd eto yn cyfeirio at dermau aredig, ond yn hwn eir â ni'n ôl yn fwy pendant at gyfnod aredig ag ychen. Cyfetyb 'gwellt' yma i 'cefn' yn (1320). Cerddai un o'r wedd ychen yn y rhych ac oherwydd hynny gelwid ef yn '*rhychor*'. Cerddai'r llall ar hyd y gwellt (y darn oedd eto heb ei droi) a gelwid ef y *gwelltor*. Yr oedd y cae i gyd naill ai'n rhych neu'n wellt, ac y mae 'methu gwneud rhych na gwellt' o rywbeth yn gyfystyr â methu gwneud dim ohono.

Ni fedrai Nel wneud *rhych na gwellt* o stori Doris ar y teliffon. 'Roedd ei chwaer yn rhy gythryblus ei theimladau, a'i llais yn rhy floesg i Nel allu deall yn iawn beth oedd wedi digwydd. JEW. RhC. 121.

Ceir ymadroddion eraill, (1) RHYCH NA RHAWN (2) RHYCH NA PHEN (3) RHYCH NA RHESWM, yn cael eu defnyddio yn yr un ystyr â (1230) a (1231) ond anodd gweld ystyr *resymegol* ynddynt yn eu ffurf bresennol. Amlwg fod cymysgu ffurfiau wedi digwydd. Pwy bynnag a luniodd yr olaf o'r tri, mae'n siŵr fod ymadrodd fel 'methu gwneud rheswm' yn ei feddwl a'i fod wedi cydio hwnnw wrth 'rhych' yn y ddau ymadrodd

arall a chael 'rhych na rheswm'. Yr oedd bod cyseinedd (rh . . .rh) rhwng y ddeuair yn help i'w priodi â'i gilydd. Ond sut y cafwyd y ddau arall?
Noder i ddechrau fod ar gael ymadrodd arall, eto fyth, o'r un ystyr â'r pedwar a nodwyd eisoes, sef (methu gwneud) PEN NA CHYNFFON (o rywbeth). Nid oes yn hwn sôn am rych nag aredig. At anifail, wrth gwrs, y mae'r cyfeiriad. Rhwng y pen a'r gynffon ceir yr anifail yn gyfan. Unwaith eto yr hyn a gyfleir yw methu gwneud synnwyr *o gwbl* o'r peth dan sylw. Gellir dyfalu ddyfod 'rhych na phen' drwy gymysgu 'rhych na gwellt (neu gefn)' a 'pen na chynffon'. Beth am 'rhych na rhawn'? Defnyddid *rhawn* gynt fel=cynffon. (Gw. I.W. P.K.M. 171). Tybed a fu ymadrodd rywdro, 'rhawn na phen' a bod *rhawn* o hwnnw wedi ei gysylltu, â help cyseinedd, wrth *rhych* o'r lleill?
Am enghr. arall o gymysgu ymadroddion gw. (1170).

1322. YN FY RHYCH FY HUN. Yn fy maes arbennig fy hun.

> Pe cawsit [:Carnhuanawc] dy eni yn 1898 yn lle 1787, buesit yn hafal i odid yr un ohonynt. [=ysgolheigion diweddarach] *yn dy rych neilltuol dy hun.*

Defnyddir 'rhych' fel=cwys (S. *furrow*) sef y rhimyn o dir a droir drosodd gan yr aradr ar un siwrnai o dalar i dalar. Defnyddir 'cwys' hefyd, fel 'rhych' yma, yn ffig. i olygu 'gyrfa' neu 'fywyd' dyn. Gw. (627).

SACH

1323. SACHLIAIN A LLUDW. Arferai'r Iddewon wisgo sachliain amdanynt a rhoi lludw ar eu pennau fel arwydd o alar neu edifeirwch. Math o ddeunydd cwrs oedd sachliain neu sachlen wedi ei weu o flew camel neu afr.

> Mordecai a rwygodd ei ddillad ac a wisgodd *sachliain a lludw* ac a aeth allan i ganol y ddinas ac a waeddodd â chwerw lef uchel. Esther 4. 1.

> . . . pe gwnelsid yn Tyrus a Sidon y gweithredoedd nerthol . . hwy a edifarhasent . . mewn *sachliain a lludw.* Math. 11. 21.

Yn ffig. bellach defnyddir yr ymadrodd i ddynodi edifeirwch dwys.

SAITH

1324. Ar wahân i'w ystyr blaen fel rhifol, ac efallai dan ddylanwad y syniad amdano fel rhif cyfrin a rhif perffaith (yn enwedig yn y Beibl) fe'i defnyddir fel gair amhenodol yn golygu 'llawer'.

Dywedodd [Nebuchodonosor] am dwymo y ffwrn *saith* waith mwy nag y byddid arfer o'i thwymo hi. Dan. 3. 19.

Os drwg cynt, mi aeth yn *saith gwaeth* wedyn.

gŵr ieuanc tal a glandeg iawn, a'i wisg yn *saith wynnach* na'r eira. EW. BC. 84.

Curai (y parrot) ei adenydd yn erbyn parwydydd ei wieildy gan weiddi "pregethwr" "pregethwr," a dylanwadai hynny drachefn ar Shôn a Beti nes eu gwneud yn *saith prysurach*. RDW. CT. 43.

SANG

1325. (O) DAN SANG. DAN EI SANG. Yn llawn dop o bobl.

Pan ddeuai dydd mawr yr ŵyl byddai Capel Mawr Bethesda *dan ei sang* yn llawn gyforiog o famau a thadau a phlant. IW. MI. 27.

SATHR

1326. AR SATHR RHYWUN. Ar ei ôl, ar ei drac, ar ei drywydd.

Os gwyddoch pa le y mae, rhowch fi *ar sathr* y brawd Llewelyn Ddu. LLGO. 20.

'Ôl' yw'r marc a wna troed dyn neu anifail; ei 'sathr' yw'r lle y mae'n sathru, gan wneud *ôl*. Hollol gyfystyr felly, yn y cychwyn o leiaf, yw 'ar sathr' ac 'ar ôl'.

SAWDL

1327. RHOI TRO AR FY SAWDL. Rhoi tro sydyn, crwn, fel pe bawn yn defnyddio'r sawdl fel colyn i droi arno. Ymadael yn swta.

"Syr" ebe Jones, "yr ydych wedi anghofio rhoi eich wig am eich pen". Tynnodd Sharp Rogers ei law dros ei ben a chafodd fod hynny yn ffaith . . . a throdd ymaith *ar ei sawdl* ddihosan. DO. YDr. 142.

1328. WRTH SAWDL (RHYWUN neu RYWBETH). Yn ei ddilyn yn union o'i ôl, yn llythr. neu'n ffig.

Ni welid mo'r cipar fyth na fyddai ei gi *wrth ei sawdl*.

Gorchfygais y demtasiwn . . . ond *wrth ei sawdl* yr oedd un arall. RB. DC. 6.

SBON

1329. NEWYDD SBON. Newydd hollol. S. *brand new.* Daw 'sbon' o'r S. *span(-new)*, yr un gair ag yn *spick and span.*

O ddal ati, [wrth ddringo] caiff y corff ail wynt ac egni *newydd sbon.*
RW. 31.

Wedi ail osod ac ail gychwyn y peiriant, nid oedd sŵn pereiddiach dan y nef i'm clustiau i na'r clecian clir a *newydd sbon* i'w glywed yn dod o'i berfedd.
THP-W. M. 36.

Ymadroddion eraill o'r un ystyr yw 'newydd danlli' neu 'newydd grai'. Weithiau i bwysleisio'r newydd-deb tu hwnt i amheuaeth defnyddir y tri yn un llinyn: rhywbeth *newydd sbon danlli grai.* Tanlli=tanllif, tanlliw. Yn syth o'r tân neu'r ffwrnais.

SEBON

1330. SEBON MEDDAL. Gweniaith. Mae sebon meddal yn hawdd i'w daenu, ac fel y mae sebon yn meddalu croen caled felly fe all gweniaith ystwytho ambell deip o bobl, a'u gwneud yn haws dylanwadu arnynt ac ennill ffafrau ganddynt.

Ond pa Gristion ddichon ddal
Moddion y *sebon meddal*?

SEFYLL

1331. SEFYLL AT (A)SENNAU rhywun. Defnyddir yr ymadrodd hwn, ar lafar fel arfer, mewn brawddeg fel, "Fe *saif hwn at dy sennau di*" i ddisgrifio bwyd maethlon o'i gyferbynnu â rhyw fwydydd ffansi. Fe'i defnyddir hefyd yn ffig. am faeth i'r meddwl: "Rho heibio i ddarllen sothach a thro at lyfrau *a saif at dy sennau.*"

1332. SEFYLL YN FY NGOLAU FY HUN. Yn llythr. sefyll yn y fath fodd fel ag i'm rhwystro fy hun gael goleuni, e.e. i wneud fy ngwaith; yn ffig. gweithredu fel ag i beri anfantais a cholled i mi fy hun.
Yn yr un ystyr gall dyn SEFYLL YNG NGOLAU RHYWUN arall, trwy fod yn rhwystr iddo ennill rhyw fudd neu ddyrchafiad neu'r cyfryw.

SEITHFED

1333. Y SEITHFED NEF. Yn ôl yr Iddewon a'r Mohometaniaid yr oedd saith nef. Hwy yw'r 'nefoedd'. Yr oedd pob un yn rhagori ar y llall o'i blaen. Y seithfed (nef y nefoedd) oedd perffeithrwydd gwynfyd. Bod yn y seithfed nef felly yw bod ym Mharadwys, mewn cyflwr o ddedwyddwch perffaith.

Digon ydyw dweud fod Miss Trefor wedi addaw priodi Enoc Huws, yr hyn a'i traws-symudodd ar unwaith i'r *seithfed nef*.
DO. EH. 312.

SGAWT

1334. AR SGAWT. Ar ryw dro ymchwilgar.

Toc aeth ci ar hanner trot heibio. *Ar* ryw *sgawt* yr oedd yntau. THP-W. Y. 21.

O'r Saesneg yn ddiamau y daeth 'sgawt' i'r Gymraeg; 'on (the) scout'='spying or watching in order to gain information' (SOED). Daeth i'r Saesneg o Hen Ffrangeg, a'i benthyciodd o air Lladin yn golygu 'gwrando', yn enwedig gwrando yn ddirgel, ar y slei. Erbyn hyn collodd, yn Gymraeg, bron yn llwyr ei arlliw o chwilio a chael allan.

SGÎL

1335. YN SGÎL (RHYWUN neu RYWBETH). Yn llythr. y tu ôl iddo, yn enwedig wrth farchogaeth, ddau ar yr un ceffyl.

Ni godwn fory cyn torri gwawr
Marchogwn ymhell dros y Marian Mawr . . .
Cei dithau ddyfod yn *sgîl* dy dad.
WJG. YH. 31.

Yn ffig. golyga yng nghysgod rhywun, e.e.:

Fel Llywydd y Cyngerdd cafodd fy nhad fynd i mewn drwy'r drws yn nghefn y neuadd. Cefais innau fynd *yn* ei *sgîl*.

Neu gall olygu 'yn dilyn rhywbeth, yn ganlyniad iddo'.

O'r ochr arall daw aroglau teilo ar y croen* ar gae ar ddiwrnod oer sych yn Ionawr a llawer atgof melys *yn ei sgîl*. MH. Mn. 14.

*croen, yma = *tir glas*.

NODIAD: Daw 'sgîl' o ddau air, is+cil. 'Cil'=cefn. Ym Mreuddwyd Rhonabwy ceir y frawddeg hon, 'Ac oddyna Iddawg a gymerth Rhonabwy *is ei gil'*. h.y. y tu ôl iddo ar

ei farch. Mae gan y diweddar Athro Melville Richards nodyn diddorol wrth sôn am y frawddeg hon. "Cael *sgil* a wnaem y grots pan roem droed ar echel ôl beic a phwyso'n dwylo ar ysgwyddau'r marchogwr. Defnyddir y gair yn y dafodiaith Saesneg hefyd (ardal Castell Nedd), 'give us a skeel'!"
(MR. BRh. 47).

SGWRFA

1336. RHOI SGWRFA I RYWUN. Rhoi curfa iddo. Daw "sgwrfa" o 'sgwrio'=glanhau rhywbeth drwy ei rwbio'n galed. Defnyddir y ferf a'r berfenw yn yr un ystyr e.e. Mi *sgwria* i'r cena' bach. "'Roedd eisiau *sgwrio'r* dyn am wneud tro mor sâl." Nid dyma'r unig ymadrodd yn golygu "rhoi cweir" a sylfaenwyd ar weithgareddau gwraig y tŷ. Mae "crasfa" (o *crasu*) yn derm cyffredin yn y Deau am 'gurfa'. Cyn crasu rhaid pobi, a chlywais fam yn bygwth "pobi" plentyn anystywallt! Mewn rhannau o Wynedd hyd heddiw sonnir am rywun wedi cael ei *olchi,* h.y. wedi cael ei guro.

> 'Rwan Ifan, gollwng Wil mewn munud, neu mi *golcha* i di.
> Winnie Parry, mewn stori, 'Dros Foel y Don'. Cymru. Ionawr 15fed, 1902.

SIARAD

1337. SIARAD FEL MELIN BUPUR. Siarad yn ddi-stop.

1338. SIARAD TRWY FY HET. Siarad yn ffôl. Ymadrodd a fenthyciwyd o'r S. ond a ddaeth i Loegr o'r Amerig a hynny'n gymharol ddiweddar, fe ymddengys. Yn ôl DHS tua 1900 y bu hynny.

SIAWNS

1339. PLENTYN SIAWNS. Plentyn a enir y tu allan i briodas. Plentyn anghyfreithlon. Enw arall a roir arno: plentyn llwyn a pherth.
Cf. brawddeg gyntaf 'Enoc Huws' (Daniel Owen).
"Mab llwyn a pherth oedd Enoc Huws." (DO. EH. 14).

SILFF

1340. AR Y SILFF. Defnyddir am ferch heb ragolygon am briodi; am ei bod, megis, wedi ei rhoi o'r neilltu fel y dodir rhywbeth ar y silff na bydd galw amdano.

SIÔN

1341. SIÔN BOB SWYDD. Disgrifiad, braidd yn fychanus fel rheol, o ddyn sy'n ymgymryd ag amryfal fathau o waith, er nad ydyw (fel y dywed y fersiwn Saesneg o'r ymadrodd, *Jack of all trades and master of none*), yn arbenigwr ar yr un ohonynt. Trosiad Ellis Wynne o'r ymadrodd yw 'Siôn o bob crefft'. (Gw. EW BC 75). Fe'i defnyddir yn yr ystyr o 'was bach' yn y dyfyniad a ganlyn:

> Aethai William fy mrawd i wasanaethu fel *Siôn-pob-swydd* (pageboy) yn un o blasau'r Brifddinas.
>
> JHJ. GG. 29.

1342. SIÔN-LYGAD-Y-GEINIOG. Cybydd; un gor-gynnil. Un yn edrych yn llygad pob ceiniog h.y. yn craffu'n hir a gofalus arni cyn mentro'i gwario. Enw arall ar y math yma o ddyn yw SIÔN LLYGAD ARIAN.

> Y nesa oedd y Dywysoges Elw a'i llu henffel iselgraff, a llawer iawn o hil *Siôn Lygad Arian* . . . EW. BC. 105.

SIONI

1343. SIONI-BOB-OCHR. Un yn ceisio boddio dwy blaid wrthwynebus ar yr un pryd. Un sy'n trio plesio pawb. Gw. (667) am ymadrodd o gyffelyb ystyr.

> "Ydech chi'n meddwl mai *Shoni-bob-Ochor* ydw i, yn rhoi'r gore i ferch ac wedyn yn rhuthro'n ôl ati â ngwynt yn 'y nwrn (762) ac yn dweud "Sorri fach, doeddwn i ddim yn ei feddwl o"? IFfE. CC. 185.

SIORT

1344. SIORT ORAU. O'r math gorau. Ardderchog. O'r S. *'sort'*.

> Darn allan o long awyr a aeth yn fraced dwbwl *siort orau* i rac y car. RW. W. 44.

SIW

1345. SIW NA MIW. (a) y sŵn ; (b) y sôn, lleiaf.

> (a) Aethant oddi yno ar flaenau'u traed heb wneud *siw na miw*.
>
> (b) Dyma hi'n well (915) na phum wythnos er pan yrrais i Gaergybi, ond eto heb glywed na *siw na miw*.
>
> LlGO. 83.

SNEC

1346. YN SNEC. Ar y slei.

Âi fy mam i edrych amdani [hen wraig a smociai bibell glai] a mynd ag owns o faco yn anrheg iddi, yn *snec bach* felly. KR. LW. 100.

Snec bach. S. *'sneak'* ydyw 'snec', ond heb yr ystyr atgas sydd i'r gair S. Am y gair 'bach' cf. 'distaw bach' (181) ac 'araf bach' (150).

SODLAU

1347. AR FY HEN SODLAU. Wedi mynd yn hen.

Mae'r car wedi bod yn un campus ond y mae o, fel finnau, *yn mynd ar ei hen sodlau* ers tro byd.

Mewn ysgrif awgryma T.H.P.W. mai o'r tu cefn y gwelir gyntaf ar ddyn argoelion heneiddio:

Dyna osodiad y pen ar y gwegil; dyna'r gwegil ei hun yn arbennig; dyna ystum ac osgo asgwrn y cefn. a stad a sgiw y sodlau (Nid yw'n syn fod yr ymadrodd "*ar ei hen sodlau*" mor arwyddocaol). THP-W. M. 97.

At bersonau y cyfeiria'r ymadrodd yn y lle cyntaf, wrth gwrs, ond collodd ei ystyr fanwl-lythrennol a gellir ei gymhwyso, fel yn yr enghr., at bethau hefyd.

SÔN

1348. DI-SÔN-AMDANO. Anenwog, dinod.

Tra bu Mr. Roberts yn Llywydd Cymdeithasfa'r Gogledd yn 1893, cafodd aml i ŵr cymharol *ddi-sôn-amdano* ymysg y cynrychiolwyr ei alw i gymryd rhan yn y gwaith. JPJ. Ysg. 18.

1349. GWNEUD SÔN AMDANAF. Gwneud rhywbeth — annheilwng fel rheol — i beri bod pobl yn siarad amdanaf. S. *win notoriety.*

1350. NA SINC NA SÔN. Tebyg iawn ei ystyr i 'siw na miw'.

Yn amser fy Ewyrth Edward ofnai rhai, a gobeithiai eraill . . . y byddai i'r llwyth ddarfod o'r tir yn gymaint ag mai ef oedd yr olaf o'r epil ac nad oedd *sinc na sôn* ei fod yn meddwl cymeryd gwraig DO. GT. 15.

SOWLDIWR

1351. GYRRU (GWNEUD) (RHYWUN) YN SOWLDIWR. Peri iddo golli pob amynedd. Mynd ar ei nerfau i'r fath raddau fel nad gwaeth ganddo'r mo'r llawer beth a wna; e.e. geill mam helbulus ddweud 'Mae'r plant yma bron a *'ngyrru i'n sowldiwr* efo'u stranciau.' Byddai amodau bywyd milwr — y milwr *cyffredin* — gynt mor enbyd o galed fel nad âi fawr neb i'r fyddin o'i fodd. Rhywbeth a wnâi dyn mewn amgylchiadau diobaith, a phan fyddai pob drws arall wedi ei gau, fyddai mynd yn sowldiwr.

Dynes fydd yn *fy ngwneud yn sowldiwr* ydyw Mrs. Evans. [Siopwr mewn tref wledig sydd yma yn siarad am gwsmer]. Mi fuasai'n licio dweud bod pob dim sydd ar y silffoedd yma yn sothach. Mae hi'n gofyn am bethau na fuasech yn medru eu cael y tu yma i Fortnum and Mason . . . KR. (*Y Traethodydd,* Hydref 1974. 240-1).

STÔL

1352. SYRTHIO RHWNG DWY STÔL. Petruso rhwng dau ddewis posibl, a methu o'r herwydd a chael y naill na'r llall.

'Roedd William yn siarad â Marged ac Ann
Ac yn sôn wrth y ddwy am fodrwy a'r llan,
Ond rywsut neu gilydd aeth si hyd y plwy
Fod William ers amser yn caru y ddwy;
Fe glywodd y merched, a dyna'r ddwy fun
Yn gadael *poor* William heb ddim ond ei hun.
Ac yn dâl am gael dangos ei awydd mor fawr.
Cydrhwng y *ddwy stôl* fe aeth William i lawr.

GM. 84.

STOND

1353. NAID STOND. Eglura'r dyfyniad canlynol ystyr y geiriau:

Byddai'r chwaraeon yn newid i ganlyn y tymor, neidio (naid hir, naid uchel, *naid stond,* sef o'ch sefyll), hwb-cam-a-naid.

TGJ. Bri. 32.

Gw. hefyd yr erthygl nesaf.

1354. SEFYLL YN STOND. Sefyll yn llonydd ddi-symud. S. *stand stock still.* O'r S. *stand* y daeth 'stond'. (Ceir y ffurf 'stont' hefyd). Am 'a' S. yn troi yn 'o' yn Gymraeg cf. *span* yn troi'n 'sbon' (1329) a gw. *stondin* (1356). Sylwer ar y modd y lluniwyd yr ymadrodd: gair Cymraeg i ddechrau ac yna er mwyn pwyslais cydio wrth hwnnw air S. o'r un ystyr. Digwydd hyn yn bur fynych. Gw. (1422).

1355. STOPIO'N STOND. Stopio'n sydyn ac yn llwyr.

Pan o fewn chwe modfedd, mwy neu lai i'r llyn *stopiodd* y llo *yn stond*. ETD. N. 81.

. . . . mi glywais lawer iawn o sibrwd pan oedd y parchus weinidog ar ei weddi — wel, os clywa i un mymryn o hynny eto, mi fydda i'n *stopio'n stond*." [Dr. Thomas Richards, ar ddechrau darlith]. TR. RAC. 122.

STONDIN

1356. SYMUD FY STONDIN neu NEWID FY STONDIN. Symud i fan arall. 'Stondin' wrth gwrs yw'r math o fwrdd gwerthu symudol a geir at werthu nwyddau mewn ffeiriau ac ati. Hen derm S. amdano oedd *standing* a hwn a roes i ni 'stondin'. Diflannodd yr ystyr hon bellach yn S. ond fe'i cadwyd yn Gymraeg. Nodwedd y gwerthwr teithiol oedd (ac ydyw) symud ei stondin o un lle i'r llall gan ddilyn y ffeiriau, etc. Daethpwyd i ddefnyddio'r term yn gyffredinol am newid lle.

"Mae hi'n licio gwledydd pell yna."
"Beth sydd o'i le ar Gymru?"
"Mae o'n lles i rywun *newid 'i stondin*."
KR. TH. 75.

STRIM — STRAM — STRELLACH

1357. STRIM-STRAM-STRELLACH. Yn bendramwnwgl. Gw. (1231). Blith draphlith.

Cydiodd Bob yn Robin [y Glep] gan ei wthio rhyngddo a'r pwll; ac wedi ei gael yn ddigon agos, rhoddodd hergwd iddo nes y syrthiai yn wysg ei gefn, *strim-stram-strellach* a thros ei ben i'r pwll yng nghanol y gwyddau a'r hwyaid. WR. HBHD. 118.

Unig syniad Wil am bacio yw agor bag ar ganol y llawr, a thaflu popeth iddo fel y dônt i'w law, yn grysau, taclau siafio, socs, llyfrau—pob dim ar draws ei gilydd, *strim-stram-strellach*.

SUL

1358. DWEUD (WRTH RYWUN) FAINT SYDD TAN Y SUL. Rhoi rhywun (hy a hunandybus) yn ei le. Rhoi ar ddeall iddo ei fod yn methu yn ei syniad neu ei agwedd.

Mi fu'r ysgogyn yn ddigon di-gywilydd i awgrymu nad oeddwn yn deall fy ngwaith ond fum i fawr o do'n *dweud wrtho faint oedd dan y Sul*.

1359. SUL Y PYS. Gw. (782).

1360. SUL, GŴYL A GWAITH. Ar bob adeg, o un pen blwyddyn i'r llall.

Mi fyddwn, fel bachgen da, yn 'mynychu' pob math o gyfarfodydd yng Nghapel y Tabernacl . . . ar *Sul, gŵyl a gwaith*. THP-W. P. 23-24.

Yr oedd pob diwrnod yn sicr o ddod o dan un o'r tri phen uchod.

SWYDD

1361. YN UN SWYDD. I'r un pwrpas dan sylw. Gyda'r bwriad hwnnw'n unig.

Yr oedd gŵr a'i gartref yn Sandycroft, 6 milltir oddiyma, a gerddai bob prynhawn Sadwrn i'r Wyddgrug *yn un swydd* i wrando Dafydd [brawd Daniel Owen] yn adrodd straes. JJM. HDO. 18.

Ceir y ffurf 'yn unswydd' hefyd. Weithiau clywir 'yn un swydd gwaith' lle y cryfheir y pwyslais trwy ychwanegu at y gair 'swydd' un arall o'r un ystyr. Cf. yr hyn a ddywedir uchod (1354) ond mai Cymraeg yw'r gair a ychwanegir yma.

[NODIAD. Straes=straeon. Dyfynnaf nodyn o IW. ChO: "Nid ll. *ystori* ond ll. *ystoria,* benthyg diweddar o'r [Lladin] *historia.* Yr hen fenthyg yw *ystyr.* O'r ll. ystoryaeu gyda'r acen ar yr *a* y cafwyd *strau,* ar lafar Gwynedd *straus* [=straes] a'r ll. dwbl *straeon*"].

SYCH

1362. SYCH GRIMP. Wedi llwyr sychu. Yn grinsych.

Mae'r gwellt ar yr allt yn wahanol iawn i'r fel yr oedd o'r bore, yn *sych grimp* a'r haul wedi crasu'r clai yn graciau. JGW. PS. 117.

SYMBYLAU

1363. GWINGO YN ERBYN Y SYMBYLAU. Bod yn gyndyn a gwrthnysig, er niwed a cholled iddo'i hun. Ymadrodd o'r ysgrythur ydyw, wrth gwrs.

Caled yw i ti *wingo yn erbyn y symbylau.* Act. 9. 5.

Symbylau=Ll. Swmbwl, y ffon flaenfain a ddefnyddid wrth aredig ag ychen gynt i symbylu'r anifeiliaid ymlaen.

TAERU

1364. TAERU DU YN WYN. Taeru'n ystyfnig a di-ildio.

Yn nannedd pob tystiolaeth fe ddaliodd y cyhuddedig i'r diwedd i *daeru du yn wyn* ei fod yn ddieuog.

TAFLU

1365. TAFLU. Awgrymu.

Y mae'r awdurdodau arbenigol [wrth ymdrin ag Ann Griffiths] yn sôn am Gyfriniaeth, gan *daflu* nad yw pawb yn gwybod yn iawn beth ydyw, ac awgrymu fod rhyw Gyfrinach fawr . . . ynglŷn â'r peth. THP-W. M. 51.

TAFOD

1366. AR DAFOD LEFERYDD. Gwybod rhywbeth *ar dafod leferydd* yw ei wybod fel ag i fedru ei adrodd o'r cof.

Buan y deuthum i'w fedru [Pilgrim's Progress, Bunyan] *ar dafod leferydd* — yn llythrennol felly. RTJ. YDda. 120.

1367. CAEL TAFOD. Cael cerydd neu ffrae;

. . . haeddai yn dda *gael tafod* am ei faweidd-dra.
LIGO. 125.

Yn y De ceir gyda'r un ystyr, CAEL PRYD O DAFOD gan rywun.

1368. GOLLWNG TAFOD (AR RYWUN). Siarad yn hy, megis e.e. plentyn yn ateb ei fam yn ôl.

Paid â *gollwng dy dafod* arna 'i.

1369. RHOI TAFOD DRWG I RYWUN. Siarad yn angharedig a sarhaus ag ef.

Pam na fase fynte [y person] yn *rhoi* pais wlanen i mam yn lle *tafod ddrwg iddi?* DO. GT. 30.

1370. HEB FLEWYN AR FY NHAFOD. Gw. (227).

TALAR

1371. DOD I BEN Y DALAR. Yn llythr. dod i derfyn y gŵys wrth aredig. Talar yw'r rhimyn llydan yn neupen cŵys y mae'n rhaid ei adael yn wag, wrth aredig â cheffylau, er mwyn cael lle i'r wedd droi'n ôl yn y pennau. Wedi gorffen y gweddill o'r cae, troir y dalar drwy aredig yn gylch. Yn ffig. (1) dod i derfyn rhyw orchwyl. (2) dod i derfyn oes.

Siaradai [Ned Smeilar] yn araf mewn llais cryglyd ac anodd oedd gwybod pa bryd y byddai'n dibennu. O thorrid ar draws ei eiriau ai ymlaen yn bwyllog *i ben ei dalar*. RGB. LlD.

Yr oedd yn gwanychu o ddydd i ddydd. Gwyddai ei fod yn *dod i ben y dalar* ac wynebodd angau, fel yr wynebodd fywyd, heb ofn.

TALCEN

1372. FEL TALCEN IÂR. Eglura'r dyfyniad a ganlyn bwynt ac ystyr y gymhariaeth ogleisiol hon.

Os bydd y cig amser cinio yn brin ar yr asgwrn cwynir ei fod *fel talcen iâr,* ac ychydig yw'r maeth a fedrir ei grafu oddi yno, beth bynnag. IW. MSI. 30.

1373. YFED [DIOD] AR EI DALCEN. Ei yfed ar un llwnc heb dynnu'r genau oddi wrth y llestr.

Yr oedd tua hanner llonaid y jwg o de oer; cymerodd yr hen ŵr afael ynddo, bu . . . yn ceisio dyfalu yn hir pa beth a allasai fod . . . O'r diwedd anturiodd ei brofi . . . ac ebe fe . . . "Mae o'n dda gynddeiriog . . ." ac yna yfodd ef i fyny *ar ei dalcen*. WR. HBHD. 95.

TALM

1374. ER YS TALM [ERS TALM] Taf. ERSTALWM, (Y)STALWM. Ers llawer o amser yn ôl.

. . . mae mwy na phum rhan o'r ddaear tan fy maner *i ers talm*. EW. BC. 108.

Wrth basio Singapôr
Fe syrthiodd Mog i'r Mor,
Mae'n canu yn y côr
Ystalwm. Dyf. LlB. D. 118.

TALU

1375. Heblaw'r ystyr sy'n cyfateb i'r Saesneg *to pay* y mae TALU yn golygu hefyd: bod yn werth.

Chwi a *delwch* yn fwy na llawer o adar y to. Math. 10. 31.

h.y. yr ydych yn fwy o werth na llawer o adar y to.

Dacw Gywydd y Farn, fal y mae . . . wedi mynd i Allt Fadawg [i Lewis Morris] i edrych *beth dalo*.

h.y. faint o werth [llenyddol] sydd ynddo.

Beth a *dâl* bygwth?

h.y. faint o werth neu ddiben sydd iddo.

TAMAID

1376. ENNILL TAMAID. Ennill bywoliaeth. Cf. 'Hel fy nhamaid'. Gw. (960).

1377. TAMAID GLAS. Yn llythr. un o'r mannau hynny mewn cae porfa lle mae'r gwellt*glas* yn lasach na'r rhelyw. Yn ffig. rhywbeth mewn llyfr, araith pregeth neu'r cyffelyb sy'n arbennig ei apêl a'i flas.

> . . . ôl y bodio ar y Beibl yn dangos graffed oedd greddf [fy mam] i synhwyro'r ffynhonnau a *thameidiau glasaf* a mwyaf amheuthun (105) y ddau Destament. JHJ. GG. 14.

Y syniad y tu ôl i'r defnydd o'r gair yn y fan yma yw'r Beibl fel maes i "bori" ynddo. Awgrymir darlun arall gan y gair 'ffynhonnau' sef y gwerddonau neu'r "oases" mewn diffeithwch.

1378. TAMAID I AROS PRYD. Gw. (276).

1379. TAMAID PRAWF. Tamaid i'w brofi. Sampl.

> Ond i roi i ti (ddarllenydd ystyriol) *damaid prawf* o'r croesaw sy'n d'aros yn y dalennau rhagwyneb neu megis cip o olwg (504) ar dy ffordd i'r Deyrnas cno dy gil (531) ar y deuddegpeth dilynol hyn.
> [A'r awdur ymlaen i restru 'deuddeg arwyddion gras', chwedl yntau]. EW. RBS. (Rhagymadrodd).

TÂN

1380. AR DÂN. Ffig (a) yn llawn sêl a brwdfrydedd.

> I'r Tad a'r Mab a'r Ysbryd Glân
> Rhof glod *ar dân* heb dewi.
> John Jones, (Sir Gaerfyrddin) LlEM. 480.

(b) Yn ddiamynedd, gan bryder, awydd etc. Cf. S. *consumed with anxiety.*

> Yr oedd arafwch a difrawder y meddyg Huws, pryd y gwyddwn fod Ann, y forwyn, mor wael, a Gwen . . . *ar dân* am iddo ddyfod i'w golwg ym mron wedi peri i mi golli hynny o amynedd oedd gennyf. DO. GT. 200.

1381. FEL TÂN GWYLLT. Yn gyflym dros ben.

> Aeth y newyddion drwy'r ardal *fel tân gwyllt.*

Tân gwyllt=math o gymysgfa o ddefnyddiau hawdd eu tanio ac anodd eu diffodd a ddefnyddid unwaith wrth frwydro ar y môr.

1382. TÂN AR GROEN RHYWUN. Rhywbeth sy'n anodd iawn iddo'i oddef; rhywbeth sy'n atgas ganddo.

Y diwytaf a'r mwyaf gweithgar o feibion gwragedd ydoedd [Williams Pantycelyn] ac yr oedd fel *tân ar ei groen* i weled neb o'i gwmpas, yn enwedig ei blant ei hun, yn ddiog. 'Holl Weithiau Pantycelyn'. (Kilsby Jones) Rhagymadrodd, xii.

Gw. (602).

1383. TÂN MEWN EITHINEN. Darlun o frwdfrydedd byrhoedlog a sêl byr ei barhad.

Nid oedd goel ar d'addaw, Gwen,
Mwy na *thân mewn eithinen*. GTA. 479.

Addawai'r ferch mewn brwdfrydedd ond âi hwnnw heibio yn fuan. Llysg eithinen yn wresog iawn, ond yn gyflym iawn hefyd.

1384. TÂN SIAFINS. Tân o'r un math â'r un yn (1383), — cyflym i gynnau, cyflym i ddiffodd.

TARO

1385. (NID OES ARNAF) FAWR O DARO (AM RYWBETH). Nid oes gennyf fawr o hoffter ohono neu awydd amdano.

Dywedir y bydd cogyddion Ffrengig yn darpar rhai dysgleidiau bychain yn un swydd (1361) er mwyn codi eisiau bwyd ar y bwytawr. O drugaredd nid oes arnom ni yng Nghymru *fawr o daro* am beth fel yna.
(Dyf.) RWJ. JPJ. 280.

1386. TARO AR (RHYWUN neu RYWBETH. Dod i gyfarfod â rhywun, dod o hyd i rywbeth, yn ddamweiniol. S. *come across*.

Doe mi *drewais* ar hen ffrind ysgol i mi.
Digwydd *taro ar* y copi mewn siop lyfrau ail-law a wneuthum.

Geill y 'rhywbeth' fod yn haniaeth e.e. '*taro ar* syniad'= S. *hit upon an idea*.

. . . ac yn wir nid oedd bosibl iddo *daro ar* well Dychymyg.
TE. DPO. 44.

Gw. (1392).

1387. TARO AR.=ffinio ar.

Yr oedd dwy ffarm yn *taro ar* ei gilydd yng nghanol y plwy.

[h.y. â therfyn ganddynt yn gyffredin].

RDW. CT. 7.

1388. TARO ATI. Mynd at orchwyl o ryw fath.

. . . dyma'r holl drysor o hen bregethau Sir y Mwythig agos a darfod; rhaid *taro ati* yn fywiog i weithio rhai newydddion. LlGO. 84.

1389. TARO I'M MEDDWL. Mae'n dod i'm meddwl (y funud yma). Cf. y S. (am yr un syniad) *it strikes me.*

Ond deudwch i mi—mae o'n *taro* i *'meddwl i*—oedd ene ddim ryw Saer maen go glyfar ers talwm o'r enw Indigo Jones?

[Thomas Bartley yn holi Sem Llwyd] DO. EH. 120.

1390. TARO I MEWN (YN RHYWLE). Galw ar ymweliad byr.

Mi *drewais i mewn* yn y llyfrgell wrth ddod o'm gwaith.

1391. TARO'R POST I'R PARED GLYWED. Rhoi cerydd anuniongyrchol. Weithiau teimlir angen am geryddu rhywun neu rywrai ond bod rhesymau (diplomatig efallai) yn rhwystr i wneud hynny. Ffordd o gyrraedd y diben yw ceryddu un arall am y camwedd — gan ofalu bod y gwir droseddwr o fewn clyw. Cyrhaeddir felly ddau amcan: derbynia'r troseddwr y neges geryddol, ac ar yr un pryd osgoir ei dramgwyddo'n agored.
Yr ymadrodd cyfatebol yn Ffrangeg yw: *Battre le chien devant le lion,* Curo'r ci yng ngwydd y llew; a gair yr Almaenwyr (meddir i mi) yw 'Curo'r sach gan olygu'r mul'.

1392. TARO WRTH=TARO AR. (1386).

trewais, yn y tren rhwng Llundain a Chaerlleon, *wrth* deulu Cymreig. EapI. E(i) 96.

Dyma fi wedi *taro wrth* lyfr ysgrifen ac ynddaw well (915) na phedwar ugain o gywyddau yr ardderchog fardd D. ap Gwilym. LIM. 4.

TASG

1393. AR DASG. Gweithio *ar dasg*=gweithio a chael tâl yn ôl y gwaith a wneir. S. *piece work.*

Gweithiem *ar dasg* am bitw dirmygus o fychan.

JHJ. GG. 48.

TAW

1394. RHOI TAW (AR RYWUN neu RYWBETH). Peri iddo dewi. S. *to shut him(it) up.*

1395. TAW PIAU HI. Rhybudd i wylio rhag siarad gormod. Ffordd fwy ryddieithol o ddweud neges y cwpled:

A fo doeth, efô a dau;
Annoeth ni reol enau.

neu yn S. *Least said, soonest mended.*

Pob parch i Sion Ifan, a phob un o'i fath
Pan glywai ryw chwedlau, am arfer ffon llath;
'Roedd ef cyn y coeliai'r un hanes yn glir
Yn mesur yr helynt â llathen y gwir;
Tae pawb yr un fath pan ddôi chwedlau i'w mysg,
Cai cywion celwyddau eu claddu'n eu plisg!
Mae'n werth inni gofio'r hen air hyd ein hoes,
Taw pia hi, boys, Taw pia hi, boys.

GM(2). 83.

'Pia' yw'r ffurf lafar.

TELYN

1396. WYNEB Y DELYN. Pres, arian.

Gyda mi a Harri yr oedd arian yn bethau prinion enbyd — anaml y gwelem *wyneb y delyn* o law 'F Ewyrth Edward [h.y. y caem arian ganddo]. DO. GT. 50.

Pam wyneb y delyn? Cylchredai yng Nghymru arian Gwyddelig yn dwyn stamp y delyn, arwyddlun Gwyddelig. Hyn a roes fod i'r dywediad *"dimai goch y delyn"*, coch, wrth gwrs, am mai pres oedd y deunydd. ('Arian cochion' yw *copper coins* o hyd). Tebyg mai'r dernyn hwn yw'r 'ddimai Werddonig' y sonia Goronwy amdani. (LlGO. 90).

TENNYN

1397. DOD I BEN FY NHENNYN. Wedi cyrraedd terfyn eithaf fy adnoddau, fy nioddef, neu fy mywyd.

Am rai wythnosau wedi i Robert [Robyn y Sowldiwr] ddychwelyd o'r fyddin, gelwid arno yn fynych i swpera gyda'i hen gyfeillion, er mwyn iddynt ei glywed yn adrodd hanes ei frwydrau . . . Pa fodd bynnag daeth Robert yn fuan i *ben ei dennyn,* ac aeth ei hanes o dipyn i beth (1403) yn ddiflas cyn i'w ystumog golli ei harchwaeth.

DO. RL. 40.

'Tennyn' yw cortyn (neu'r cyffelyb) a ddefnyddir i rwymo anifail (ceffyl, gafr, etc.) wrth bost, gan ei atal rhag symud ymhellach na hyd y cortyn. Wedi dod *i ben ei dennyn* ni all fynd ymhellach.

TESNI

1398. DYWEDYD TESNI. Rhagfynegi'r dyfodol.

Arferai hen wrach . . . fynd o gwmpas Llŷn ac Eifionydd

yr adeg honno a chael tâl gan fenywod ehudion y ddau ryw am *ddywedyd tesni* — deud ffortiwn chwedl ninnau heddiw. JHJ. M. 11.

Llygriad, meddir, o'r S. *destiny* (=tynged) yw tesni. 'Dweud ffortiwn' rhywun yw dweud ei dynged.

TEW

1399. TRWY'R TEW A'R TENAU. Trwy amgylchiadau ffafriol ac anffafriol.

Buom yn ffyddlon i'n gilydd am flynyddoedd, *trwy'r tew a'r tenau.* IW. MI. 47.

TÌN

1400. (O) DAN DÎN. Llechwraidd a bradwrus.

Mae'r ddau frawd yn elynion i mi, ond tra mae John yn agored yn gweithio'n yn f'erbyn, hen genau *dan din* ydyw William.

Ddaru o ddim gwrthwynebu'r cynllun yn y Cyngor agored, ond mynd ati *dan din* i droi pobl yn ei erbyn o.

Ymddengys fod yr ymadrodd wedi newid peth ar ei ystyr er y ddeunawfed ganrif. O leiaf y mae Goronwy Owen yn ei ddefnyddio i olygu rhywbeth tebyg i 'o'r golwg' neu 'trwy ffordd gudd':

Mi safaf wrth gefn fy nghydwladwyr (*o dan dìn* fel y dywedant). But I would not be known or seen as an ally. LlGO. 113.

Yr oedd Sibli wrth holi ac ymofyn, wedi cael gwybod *o dan din* pa ddiwrnod y byddai'r gad. LlGO. 89

1401. TÎN Y SACH. Gwaelod y sach, h.y. diwedd adnoddau rhywun.

Os ewch i *din y sach*
Cyn mynd i grafanc angeu,
Ni bydd ond colled bach
A chwithau heb ddim yn dechrau. GGG. (CF). 71.

TIPYN

1402. Defnyddir *tipyn* mewn ystyr chwareus-fychanus weithiau:

. . . bûm yn pryderu, ac yn petruso'n hir a gasglwn i fyth *fy nhipyn prydyddiaeth* at ei gilydd.
MH. Cor. (Cyflwynair).

Symundwn beth eto, siawns, yn gytûn,
Y tipyn pac a myfi fy hun. THP-W. Ll. 96.

Ar dro bydd yr elfen chwareus yn gwisgo'n denau a mwy o flas coegni ar y ffordd y defnyddir y gair.

Wrth fynegi bod yr Achosion Seisnig mewn lleoedd Cymreig wedi bod yn achos i lawer golli eu *tipyn crefydd,* nid wyf ond dywedyd "geiriau gwirionedd a sobrwydd".
Eapl. E(1) 57.

1403. O DIPYN I BETH. Yn raddol, yn araf deg (ond yn mynd ar gynnydd). S. *little by little.*

O fyw'n hir yng nghwmni polyn teligraff dywedir y deuir i'w garu *o dipyn i beth.* THP-W .Y. 7.

Tipyn=y mymryn lleiaf posibl — dim ond ei fod. Peth =rhywbeth sylweddol, pa mor fychan bynnag.
Gw. (1250).

TIR

Rhestrir isod nifer o idiomau'n cynnwys y gair TIR. Y mae i'r cwbl, bron, ystyr lythrennol, ond ni chrybwyllir honno mewn unrhyw achos. Rhoddir enghrau. o'r defnydd ffigurol, ac eglurhad yn dilyn pob un:

1404. AR DIR.

A ydych *ar dir* i dderbyn y swydd?

h.y. a ydych mewn safle i'w derbyn.

Mae'r gŵr *ar dir* i dderbyn iawndal.

h.y. y mae'n dod i fyny â'r amodau gofynnol.

1405. AR Y TIR.

Dadleuai Mr. Jones na ddylid penodi neb i'r swydd *ar y tir* nad oedd ymgeisydd cymwys.

h.y. am y rheswm (yn ei farn ef) nad oedd etc.

1406. AR YR UN TIR.

Mae pawb *ar yr un tir* ger bron y gyfraith.

h.y. mae pawb yn yr un sefyllfa, yn ymdaro o dan yr un amodau.

1407. COLLI TIR.

Bu'n ddylanwadol iawn yn y dref yma unwaith ond mae wedi *colli tir* yn enbyd yn ddiweddar.

h.y. wedi colli mewn gallu a dylanwad. Chwaraeodd Sarnicol ar ddwy ystyr yr ymadrodd yn ei epigram.

Gwell iti atal dy law:
 'Does undyn na wêl yn glir
Fod y neb sy'n lluchio baw
 Yn *colli tir.*

h.y. y mae'n colli dylanwad a pharch. Lluchio baw= gwneud ymosodiadau difrïol ar eraill.

1408. DODI (RHOI) TRAED YN Y TIR.

Pan welws e beth ddigwyddodd
Fe *ddotws 'i drad yn y tir.*

JJW. (O'i gerdd 'Magdalen').

h.y. fe ddihangodd; fe redodd i ffwrdd. Ymadrodd y Deau yw hwn yn cyfateb i 'cymryd y goes' (547), a glywir fynychaf yn y Gogledd.

1409. DAL FY NHIR.

Mae wedi bod yn bur wael, ond mae'n *dal ei dir* yn foddhaol y ddeuddydd diwethaf yma.

h.y. os nad ydyw ei gyflwr yn gwella, o leiaf nid yw'n gwaethygu. S. *hold one's own.*

Fe ymosodwyd arno o bob cyfeiriad am ei safiad annibynnol, ond *fe ddaliodd ei dir* yn wrol.

h.y. nid ildiodd o gwbl i'r ymosodiad, medrodd amddiffyn ei hun a'i safbwynt yn llwyddiannus.

1410. ENNILL TIR.

Mae'r blaid newydd *yn ennill tir* o etholiad i etholiad.

h.y. y mae'n mynd ar gynnydd.

1411. TORRI TIR NEWYDD.

Mae cryn dipyn o *dorri tir newydd* ynglŷn ag addysg y dyddiau hyn.

h.y. y mae pethau yn cael eu gwneud nas gwnaethpwyd o'r blaen; dulliau a syniadau etc., yn cael eu mabwysiadu nas gwelwyd o'r blaen.

TOMEN

1412. AR EI DOMEN EI HUN. Ar ei le ei hun. Ar ei faes ei hun, lle mae ef yn awdurdod.
Defnydd llythr.

Ar ei domen ei hun ac ymysg ei "bobl" ei hun y bydd ceiliog yn canu ddewraf, onide? THP-W. Y. 42.

Defnydd ffig.

Diau fod dyn *un* llyfr yn well o lawer na dyn heb lyfr yn y byd; ond dyn cyfyng ar y gorau, ydyw yntau. *Ar ei domen* fechan ei hun yn unig y mae efe yn gryf.

EapI. H(1). 347-8.

1413. AR Y DOMEN. Ffig. Yn wrthodedig. 'Cael fy nhaflu *ar y domen'*=cael fy nhrin fel rhywbeth di-werth.

Buan y sylweddolodd llawer llanc [yn y fyddin 1914-1918] nad oedd mwyach ond olwyn fechan ddibwys mewn rhyw beiriant anferth. Os craciai o dan y driniaeth . . . gwthid un arall i'w le yn ddiymdroi a theflid yntau'n ddiseremoni *ar y domen*. JHG. CNgh. 34-5.

Y domen yn yr ymadrodd yw'r domen ysbwriel, lle y teflir pethau nad oes mwy o'u hangen a phethau nad oes mwy werth arnynt.

1414. GŴR PEN (Y) DOMEN. Y prif ddyn. Y meistr.

Iarll Beaconsfield oedd *'gŵr pen domen'* y Blaid Doriaid pan oedd Robert Jones [Llanllyfni] yn ei anterth. (122).

Byddai chwarae gan blant ers talwm a elwid 'gŵr pen domen'. Byddai un plentyn yn mynd i ben poncyn, neu domen gerrig neu glawdd neu ryw godiad cyfleus o'r fath. Ef fyddai 'gŵr pen y domen'. Ceisiai'r lleill ei dynnu i lawr o'i safle ddyrchafedig, a'r sawl a lwyddai — âi hwnnw yn ei dro yn 'ben y domen'. Rhaid fod hwn yn hen chwarae, oblegid yr oedd 'tomen' — codiad tir a ffos o'i amgylch — yn rhan hanfodol o gynllun y cestyll cynharaf. (Gw. *Hil a Hwyl y Castell,* W. Ambrose Bebb, a *Cymru'r Oesau Canol,* R. Richards).

1415. GYRRU RHYWBETH TROS Y DOMEN.

Cofiaf glywed un aelod o gyngor lleol na fynnai i lythyr neilltuol fynd â dim o amser y Cyngor, yn cynnig ei fod yn cael ei *yrru dros y domen,* cwrs grymusach o lawer na'i adael ar y bwrdd neu ei daflu i'r fasged.
E.R. *Lleufer,* Gaeaf 1961.

Darlun o fyd y chwarel yw hwn, ac o daflu'r ysbwriel *dros y domen.*

TORCH

1416. RHOI FY MHEN YN Y DORCH. Rhoi fy hun mewn sefyllfa ddyrys.

Mi rydw i chwedi rhoid y *mhen yn dorch* yn sownd o'r diwedd wrth yryd hanes sut fu hi rhynthw i a Mistar i'r Mysere [: Amserau]. WR. LlHFf. 17.

Torch: ffrâm o ffyn a roid am wddf dafad i'w hatal rhag gwthio trwy fylchau'r gwrych a mynd i grwydro.

1417. TYNNU TORCH neu TYNNU'N Y DORCH. Cystadlu neu ymryson. Ymadrodd a ddefnyddir yn aml (ac un campus ydyw) i fynegi syniad y gair S. *rivalry.*

Yr oedd y ddau'n "adroddwyr" uchelgeisiol ac am flynyddoedd bu'n gryn *dynnu torch* rhyngddynt am wobr y Prif Adroddiad yn eisteddfodau'r cylch.

Tybiaf mai o fyd mabolgampau y daeth y term — math o *'tug-of-war'* rhwng dau gystadleuydd. Tynnai'r ddau yn neupen dolen o raff gan geisio llusgo y naill y llall dros linell wedi ei marcio ar y llawr rhyngddynt. Clywais ddefnyddio'r ymadrodd hefyd am y *'tug-of-war'* cyffredin, h.y. rhwng dau griw, er mai 'tynnu'n y rhaff' yw'r term mwy arferol am hwnnw.

TORRI

Heblaw ystyron cyffredin sydd i TORRI (=S. *cut, break*) noder y ddau ddefnydd arbennig a ganlyn:

1418. (1) TORRI=Mynd yn fethdalwr mewn busnes.

Aeth ei lwyddiant cynnar fel masnachwr i'w ben; aeth i fentro'n rhyfygus, collodd arian, a'r diwedd fu iddo *dorri'n* llwyr.

1419. (2) TORRI=Dirywio mewn pryd a gwedd. Mynd i edrych yn hen a gwael a bregus.

Arferai edrych yn llond ei groen ond y mae wedi *torri'n* enbyd yn ddiweddar.

1420. TORRI AR (RYWUN NEU RYWBETH)=LLADD AR. Gw. (1041).

1421. TORRI CYMRAEG (A RHYWUN). Siarad ag ef.

Yr wyf wedi sylwi y gellir teithio am ugain milltir gyda chydymaith ansmygyddol heb *dorri Cymraeg;* ond ni welais erioed hyn yn digwydd mewn "smoking compartment". DO. S. 20.

Gw. (643) a (865) (1).

1422. TORRI CYT. Rhodresa mewn gwisg neu ymddygiad.

Mae nhw [merched y capel] yn *torri cyt* efo'u hen Saesneg yn y capel a phobman, yn cymryd arnyn' fod yn ffrindiau mawr ac yn lladd ar i gilydd efo phobol erill. KR. TH. 73.

Mae *ffurf* yr ymadrodd hwn yn ddiddorol. Yr oedd dau ymadrodd S. yn cyfleu'r syniad o 'ymarddangos', sef *cut a dash* a *cut a figure.* Daeth y ddau i'r Gymraeg. Benthycwyd 'cut a dash' drwy gyfieithu'r gair cyfarwydd 'cut' a chadw'r gair mwy anghyffredin heb ei newid. Felly y cafwyd 'torri dash'.

Nid fel hyn ma' *torri dash*
Yng nghwmdocath Mountain Ash. IJ. CDN. 82.

Gwahanol fu'r driniaeth yn achos *'cut a figure'*. Anghof-

iwyd yr ail elfen yn llwyr a chyfuno *cut* efo'i gyfystyr Cymraeg i roi 'torri cyt'.
[NODIAD: Nid yw'r ail-adrodd pwysleisiol hwn o elfennau cyfystyr yn beth dieithr. Fe'i ceir mewn geiriau unigol fel 'bwystfil' (bwyst — o'r Lladin *bestia*. Cf. S. *beast*+mil. Cf. *mil*gi) a 'boncyff' (o bôn+cyff). Enghr. ddiddorol yw 'saltar halen', yr enw ar y llestr bach, nad yw mor gynefin ar ein byrddau bellach, i ddal halen, S. *salt-cellar*. Cymreigiad yw'n 'saltar' ni o *salt-cellar*. Ond nid yw *cellar* yn hwnnw ond camsbelio (dan ddylanwad y gair *cellar* — stafell dan ddaear) o air a fenthyciodd y S. o'r hen Ffrangeg, *salier* (Ffr. heddiw, saliere= peth dal halen) a ddaeth, yn y pen draw, o'r Ll. *sal*= halen. Yn 'saltar halen' felly ceir *halen* deirgwaith, yn Saesneg, Ffrangeg a Chymraeg!
Enghr. o ail adrodd mewn *ymadrodd* yw 'yn fy *myw oes* neu einioes)' (gw. 379). Cymraeg yw'r ddwy elfen yno ond Cymraeg a S. wedi eu cyfuno (ar yr un patrwm â *torri cyt*) a geir yn e.e. 'diar annwyl', 'bagio'n ôl' (=back back!), 'sefyll yn stond' (gw. 1354) a 'handsio'i ddwylo'. Ymadrodd yw'r olaf a ddefnyddir i ddisgrifio dyn sy'n hoff o chwyfio'i ddwylo wrth siarad, neu areithio neu arwain côr etc.].

1423. TORRI GEIRIAU. Siarad. Gw. (865) (1)).

1424. TORRI I MEWN. Gair yw hwn o fyd y sawl sy'n trin ceffylau. Torri ebol i mewn yw ei ddofi a'i ddisgyblu ar gyfer gweithio. Yn ffig. cymhwysir ef at bersonau.

> Ni allai Enoc beidio canfod ar yr olwg oedd ar Marged ei bod *wedi ei thorri i mewn* i raddau mawr.
> [h.y. wedi ei dofi a'i gwastrodaeth]. DO. EH. 201.
>
> Y mae'n meysydd llafur ni'n rhy drymion i ddyn gael hamdden i edrych dim dros y clawdd [h.y. y tu allan i'w faes ei hun] ond mynnodd Owen Edwards y cyfryw hamdden cyn cymryd ei *dorri i mewn* at weithio mewn rhych.
> [h.y. ei ddisgyblu a'i hyfforddi]. JPJ. Ysg. 35.

Am 'gweithio mewn rhych' gw. (1322).

TORTH

1425. RHANNU'R DORTH YN DEG. Rhoi i bawb ei gyfran ddyladwy o'r adnoddau sydd ar gael.

> Teimlaf hefyd fod ein rhaglenni Cymraeg yn apelio gormod at ddiddordebau'r dosbarth canol, a dim digon at dast y dosbarth gweithiol. Dylid *rhannu'r dorth yn deg*.
> G. Wyn Jones. *Lleufer* Cyf XXV, Rhif 3, 1973.

TRAED

1426. AR FLAENAU FY NHRAED. Defnyddir yr ymadrodd hwn mewn dwy ystyr:
(1)=mewn cyflwr o ddisgwyliad cyffrous.

'Roedd y plant *ar flaenau eu traed* ers dyddiau'n disgwyl eu mam adref.

Darlun a geir yma o rywun yn codi ar flaenau ei draed i geisio edrych dros ben rhywun neu rywbeth sy rhyngddo a'r hyn y mynn ei weld. Mae'r codi ar flaenau'r traed yn arwydd o eiddgarwch ei ddisgwyliad — ac felly'n ddelwedd addas i gyfleu disgwyliad o'r fath.
(2)=ar eithaf fy ymdrech, ar fy ngorau glas.

Os ydyw'r Côr Meibion yn meddwl curo côr y Dref rhaid iddynt fod *ar flaenau eu traed.*

Darlun gwahanol sydd yn hwn rhagor yn (1). Rhywun sydd yma yn ceisio'i wneud ei hun cyn daled ag un arall, neu'n dalach nag ef drwy ymegnïo i godi ar flaenau ei draed i eithaf ei hyd — yr un syniad, er nad yr un darlun, ag a gyfleir gan yr ymadrodd S. *at full stretch.*

1427. CAEL (TEIMLO) FY NHRAED DANAF. Yn llythr. medru sefyll ar fy nhraed (e.e. ar ôl syrthio).

Daeth yr hen ŵr a'r hen wraig allan . . . a beth a welent ond Robin y Glep yn codi fel drychiolaeth druenus o ganol pwll yr hwyaid . . . Pan gafodd Robin *ei draed dano,* ymaith ag ef yn gynt na chynta' y gallai.

WR. HBHD. 118.

Yn ffig. golyga ymsefydlogi, ennill fy lle, dechrau llwyddo.

Ni phallodd unwaith yn ei ymdrech — yr oedd ynddo benderfyniad ystyfnig os tawel . . . Ac o'r diwedd *cafodd ei draed tano.* TGJ. Cym. 33.

Gellir ei gymhwyso at sefydliadau,

Nid oedd yr Eisteddfod "newydd" ond yn dechrau *teimlo'i thraed dani* pan dorrodd y rhyfel. RTJ. YDd. 148.

ac at haniaethau,

Cefais y syniad y buaswn . . . yn rhedeg ar ôl Nhad a dweud wrtho na fedrwn i ddim aros yn y Plas ar fy mhen fy hun . . . Ond cyn i'r syniad *gael ei draed 'tano,* 'roedd ofn arall wedi ei sefydlu ei hun, sef ofn cyfaddef wrth Nhad fod ofn arnaf o gwbl. JGW. MM. 10.

Y darlun yn yr ymadrodd yw plentyn yn dechrau, neu glaf wedi gwaeledd yn ail-ddechrau, cerdded, — yn simsan ar y cychwyn, ond yn ymgadarnhau'n raddol.

1428. CAEL FY NHRAED DAN Y BWRDD (YN Y FAN A'R FAN). Llwyddo i gael y ferch (neu'r weddw) yn wraig, neu wedi ei dyweddïo imi o leiaf. Pan gaf fynd i eistedd wrth y bwrdd bwyd fel un o'r teulu, mae'n arwydd fy mod wedi fy nerbyn a'm cymeradwyo.

1429. CAEL TRAED. Mynd ar goll. Diflannu.

'Welodd rhywun fy sbectol i? Mae hi wedi *cael traed* unwaith eto.

Am bethau difyw (*inanimate*) yn unig y defnyddir yr ymadrodd llafar hwn, sydd mewn cellwair yn priodoli iddynt allu pethau byw i symud ohonynt eu hunain.

1430. DAN DRAED. Defnyddir yr ymadrodd i fynegi nifer o syniadau:

(1) dan orthrwm: yn dioddef anghyfiawnder.

Wrth gynnal gwŷr i dywallt gwaed
Mae rhai *dan draed* yn gwaeddi.
GGG (CF). 75.

(2) mewn amarch neu ddirmyg.

Nid Cymru fydd Cymru a'i choron *dan draed*.
(Crwys)

(3) yn orchfygedig.

A chorff y farwolaeth, sef pechod, *dan draed*.
MRh. LlEM. 240.

(4) dan awdurdod.

Gosodaist pob peth *dan ei draed* ef. Salm 8. 6.

1431. HEL FY NHRAED. Mynd. Cychwyn ymaith.

Mae'n well imi beidio ymdroi yma ar yr iard, ond *hel fy nhraed* mor gyflym ag y gallaf, i lawr y llwybr uwchben y Llyn Cam. JGW. MM. 17.

1432. MAE'N DRAED MOCH ARNAF. Mae yn y pen arnaf. Mae cyn waethed arnaf ag y gall fod.

Yn un o'i lyfrau y mae Syr Owen Edwards yn dyfynnu gyda mwynhad nodweddiadol ohono ef air gwas fferm oedd yn gweld pethau wedi dod i'r pen arno. "Mae hi'n *draed moch* ac yn botas llo arna'i." IW. MSI. 30.

Ond rhag i bethau *fyned yn draed-moch*
Wrth drin hanfodion cenedl yn dy blwy,
Gofala di na chodi di dy gloch
Ac enwi'r iaith yn un ohonynt hwy.
THP-W. DG. 100.

1433. TROI FY NHRAED. (1) Mynd. Rhodio'n rhydd.

Wel, ebr y Brenin cul ofnadwy [Angau yn cyfarch y

Bardd Cwsg] er mwyn fy mrawd Cwsg chwi ellwch fynd i *droi'ch traed* am y tro yma, ond gwyliwch fi'r tro nesaf. EW. BC. 66.

(2) Ymdroi. (Ar lafar yn bennaf).

Tyrd yn dy flaen, wir, yn lle *troi dy draed* wrth bob siop yn y stryd.

1434. TYNNU FY NHRAED ATAF. Marw.

Tynnu ei thraed ati y gwelwn y Gaeleg yn yr Alban. JHJ. GG. 166.

1435. WRTH DRAED (ATHRO). Dan ei hyfforddiant. Daeth yr ymadrodd o'r Ysgrythur. Yr arfer yn y Dwyrain oedd i ddisgyblion eistedd yn gylch wrth draed yr athro. Eisteddai Mair *wrth draed* yr Iesu i wrando ar ei ddysgeidiaeth. (Luc. 10.39). Dywed Paul amdano'i hun (Act 22.3): "Gŵr wyf i . . . wedi fy meithrin yn y ddinas hon [Jerwsalem] *wrth draed* Gamaliel." Er bod y dull o gyfrannu addysg yn wahanol, defnyddir yr ymadrodd o hyd yn ffig. am berthynas disgybl ac athro.

TRANNOETH

1436. TRANNOETH Y DYGWYL. TRANNOETH WEDI'R DYGWYL. Yn rhy hwyr. Wedi i bopeth fynd heibio.

Pan gyrhaeddodd Jones y Plisman yr oedd yr helynt drosodd a'r dyrfa wedi tawelu. Jones druan! *Drannoeth wedi'r dygwyl* oedd hi bob amser yn ei hanes.

Dygwyl=dydd gŵyl. Cyfeiriad sydd yn yr ymadrodd at ddyddiau gŵyl yr Eglwys ers talwm, a oedd hefyd, ac a dyfodd fwyfwy, yn achlysuron miri a rhialtwch seciwlar*. Rhaid oedd gofalu bod yn y Dygwyl mewn pryd — neu golli'r hwyl. Byddai'n rhy hwyr drannoeth. Clywais droeon rai'n defnyddio'r ymadrodd yn y ffurf 'drannoeth wedi'r digwydd'. Gwnâi hynny burion synnwyr — S. *"the day after the event"* — ond nid oes amau mai "dygwyl" ac nid "digwydd" oedd y gair yn wreiddiol.

*Tyst o'r seciwlareiddio a fu ar y gwyliau yw'r ffordd yn S. y troes *holy day* yn *holiday*.

1437. TRANNOETH Y FFAIR. Yn rhy hwyr. Gan mai ar ddyddiau gŵyl (1436) y cynhelid y ffeiriau gynt y mae'r ymadrodd hwn yn gyfystyr â TRANNOETH Y DYGWYL. Mae'n werth nodi un pwynt bach. Benthyciad yw'r gair 'ffair' o'r S. *fair*, a fenthyciwyd o'r Ffrangeg, a'i cafodd o'r Lladin *feria*=gŵyl. Yn y pen draw felly mae 'ffair' a 'dygwyl' yn union gyfystyr!

TREINSIWR (TRENSIWR)

1438. GORMOD AR FY NHREINSIWR. Gormod o ddyletswyddau a gofalon gennyf. 'Treinsiwr' (o'r S. *'trencher'* =plât bren, neu ddarn o bren a ddefnyddid i fwyta oddi arno). Heddiw dywedir (fel yn y S.) *gormod ar fy mhlát.* Cyfetyb yr ymadrodd o ran ystyr i 'gormod o heyrn yn tân'. Gw. (974).

TRO

Y mae llawer arlliw ystyr i'r gair 'tro'. Rhestrir rhai ohonynt, a rhai o'r idiomau sy'n perthyn iddynt:
TRO=y weithred o droi.

1439. RHOI DAU DRO AM UN I RYWUN. Bod yn llawer bywiocach a mwy heini nag ef o ran corff neu feddwl.

Mae mam bum mlynedd ar hugain yn hŷn na mi, ond mi fedr *roi dau dro am un* i mi unrhyw ddiwrnod.

TRO=Amser neu Achlysur.

1440. AMBELL DRO. Yn achlysurol, nid yn aml.

Fe fydd arnaf awydd *ambell dro* . . . penderfynu dewis sedd gyfaddas ar fore Llun yn y Babell orffwys [yn yr Eisteddfod Genedlaethol] a glynu wrthi ac ynddi ar hyd yr wythnos. THP-W. M.48.

1441. AR DRO. O bryd i'w gilydd. Yn awr ac yn y man.

Dôi taflwr llais neu ddau, o Gymry glân, heibio *ar dro,* er mawr ddifyrrwch i bawb, hen ac ieuainc. TGJ. Bri. 26.

Gwahaniaether rhwng hwn ac AR DRO isod (1452).

1442. AR FY NHRO. O bryd i'w gilydd, yn achlysurol yn fy hanes.

Ni fynnwn er dim fyned iddi [=Sir Fôn] ond *ar fy nhrô.* LlGO. 66.

1443. AR FYR O DRO. Ymhen ychydig amser.

Ceir gweld, ceir gweld yr hyfryd dir
Ar fyr o dro yn olau clir. WW. LlEM. 512.

1444. (AR) HYN O DRO. Yn awr. Ar hyn o bryd. Y tro yma.

"Och", ebr finnau, "ai rhaid imi farw"?
Na raid eb yr Hunlle, ni a'ch arbedwn *hyn o dro.*

1445. (AR) HYNNY O DRO. Y tro hwnnw, gan gyfeirio naill at y gorffennol neu'r dyfodol.

1446. DROS DRO. (1) Am gyfnod o amser amhenodol.

Gobeithio er hyned ydyw [fy nhad] y bydd iddo ail ymaflyd â'r byd *dros dro*. Ll.M. 26.

(2) am gyfnod o amser na fwriedir iddo fod yn barhaol. *Pro tempore*.

Mae'n mynd i'r Almaen yn athrawes, ond dim ond *dros dro*. Bwriada ddychwelyd ymhen y flwyddyn.

1447. ERS TRO BYD. (Gan gyfeirio, mae'n debyg, at gylch-dro'r ddaear o gwmpas yr haul). Ers cryn amser.

Mi anghofiais ddeydyd wrtha ti neithiwr am ddwad â dy dad efo thi yma heno; mae arna i chwithdod isio i weld o — welis i mono *ers tro byd* bellach. WR. AFR. 77.

1448. O DRO I DRO. O bryd i'w gilydd. Yn achlysurol. S. *from time to time*.

Bydd f'ewythr yn galw yma o *dro i dro*.

[NODIAD: *Nid* dyma'r ymadrodd a geir yng nghân Eifion Wyn i'r Sipsiwn.

Ac yntau yn chwilio'r nant
Fel garan, *o dro i dro*.

EWyn. CA. 29.

Clywais fwy nag un adroddwr yn dweud y geiriau fel pe bai'n golygu 'o bryd i'w gilydd', yn hytrach nag o 'drofa i drofa'].

TRO=CYFNEWIDIAD.

1449. TRO AR FYD. Newid mewn amgylchiadau.

Dyn wyf i . . . a welodd lawer *tro ar fyd*. LlGO. 133.

"Mae plwc, Robert, [er ein priodas] ond dydwi ddim yn cofio'n gysact" . . . "Oes", ebe Robert, "a llawer *tro ar fyd* wedi bod er hynny". DO. GT. 332.

TRO=GWEITHRED NEU YMDDYGIAD.

1450. TRO GWAEL. Gweithred annheilwng.

Yr oedd yn *dro gwael* deud celwydd wrth gymydog; ond nid ydoedd nac yma nac acw deud celwydd wrth Sais. JPJ. GD. 29.

Cyfystyr â TRO GWAEL yw TRO SÂL a'i wrthwyneb yw TRO DA.

TRO — DIGWYDDIAD.

1451. HEN DRO. Digwyddiad anffodus.

Hen dro i Idwal orfod mynd i'r ysbyty.

TRO=GWEITHREDIAD.

1452. AR DRO. Yn mynd ymlaen. S. *afoot.*

Yr oedd hi [Modryb] wrthi yn tafellu afalau i fowlen wedi ei hulio â thoes. Mi wyddwn beth oedd *ar dro*. Mae'n well gennyf bwdin berwi na dim byd, yn enwedig pwdin afalau. AL. BG. 42.

Gwahaniaether rhwng hwn ac AR DRO uchod (1441).

TROED

1453. AR DROED=AR DRO. (1452). Yn digwydd. Ar fynd. Yn mynd ymlaen. S. *afoot.*

Be fydd gynoch chi *ar droed* nos yfory? DO. RL. 378.

Nid oedd ei wyliau ef [O. M. Edwards] gan mwyaf ddim yn fylchau yn ei dymor llafur, gan y byddai ganddo o hyd rywbeth *ar droed*. JPJ. Ysg. 34.

1454. LLED TROED. Defnyddir yr ymadrodd fel arfer i ddynodi mesur bychan o dir, yn llythr. digon o dir i roi troed i lawr arno.

Ac ni roes [Duw] iddo [=i Abraham] etifeddiaeth ynddo [tir Canaan], naddo *led troed*. Act. 7. 5.

Ni feddaf *led troed ohono* [Cwm Pennant]. EWyn. CA. 30.

1455. RHOI'R TROED GORAU YMLAENAF. Brysio. Cerdded cyn gyflymed ag y sy bosibl.

Os ydych yn bwriadu cyrraedd y noson lawen mewn pryd rhaid i chwi *roi'r troed gorau ymlaenaf*.

1456. TE FEL TROED STÔL. Te cryf iawn. Ni ellid meddwl am well cymhariaeth i ddisgrifio rhywbeth plaen a chryf nag un o draed ffyrfion hen stôl drithroed.

1457. UN DROED YN Y BEDD. Bod ag un droed yn y bedd yw bod yn agos i farw,

"Be sy gan yr hen Mr. Smith i beri bod y merched ifanc yma mor hoff ohono?"
"Deng mil yn y banc ac *un droed yn y bedd*!"

TROL

1458. TROI'R DROL (EFO RHYWUN). Peri tramgwydd iddo.

Mae arna i ofn fy mod wedi *troi'r drol* yn enbyd efo Mrs. Jones, drwy wrthod profi ei gwin ysgaw hi.

1459. RHOI'R DROL O FLAEN Y CEFFYL. Gwrthdroi trefn naturiol a phriodol pethau; ffaelu rhoi'r pethau cyntaf yn gyntaf; rhoi'r effaith o flaen yr achos.

> . . . Y mae hi'n rhewi yn rhywle y funud yma; ac nid yw egluro mai am ei bod yn oer yno yn ddigon o esboniad. Nid y gwresfesurydd sy'n penderfynu pa bryd a phaham y mae hi'n rhewi. *Rhoi'r drol o flaen y ceffyl yw peth* felly. THP-W. OPG. 37.

Ceir yr un ymadrodd yn S. ac yn yr iaith honno, yn ôl y geiriadurwyr, fe geir y syniad mewn ffurf arall. Mewn hen draethawd ar 'Euogrwydd Cydwybod' dros chwe chanrif yn ôl sonnir am athrawon crefyddol yn rhoi'r 'aradr o flaen yr ychen'. Yn wir dyna a geir yn y Ffrangeg o hyd: *Mettre la charrue devant les boeufs*. Mae'n werth nodi mai o'r gair Lladin am yr un syniad, *praeposterus* y daeth y gair S. *preposterous*.

1460. Y DYN BIAU'R DROL. Enw a roir ar y perchennog neu'r rheolwr, y prif ddyn, mewn unrhyw fusnes neu fenter. Trol yw gair y Gogledd am 'cart' y Deau.

TRWSIAD

1461. YN FY NGLÂN DRWSIAD. Yn fy nillad gorau. Mewn dillad glân. Trwsiad=gwisg, dillad. Dyn trwsiadus= dyn wedi ei wisgo'n dda.

> Pan oeddynt yn sefyll o amgylch y bedd . . . digwyddodd Wil godi ei ben, a phwy a welai yn *ei lân drwsiad*, ar ei gyfer ond Thomas Bartley. DO. EH. 345.

TRWYDDI

1462. DYFOD TRWYDDI. Ymdaro'n foddhaol, dod i derfyn llwyddiannus.

> Ont oes gynthom ni berson i bygethu inni? . . . Os gnawn ni fel mae o'n deud, mi *ddown trwyddi hi* o'r gorau. WR. HBHD. 105.

TRWYN

1463. [CADW] TRWYN RHYWUN AR Y MAEN. Ei gadw'n gweithio'n galed a didor. Y maen yw'r maen llifo neu'r maen hogi. Nid gwaith ysgafn oedd dal yr erfyn a hogid yn dynn ar wyneb y maen, a byddai'n rhaid i'r sawl a wnâi'r gwaith hwnnw fod â'i drwyn bron ar y maen ei hun.

A ma o'n pechod hefyd i beidio cymyd y pethe gore medrwch chi cael mewn bywyd—a tynnu gwyneb hir 'run fath a dae'ch *trwyn chi ar y ma'n* llifo pob amser. [Mr. Brown y Person yn ei Gymreag chwithig].

DO. EH. 269.

1464. DAN FY NHRWYN. "A minnau'n gweld y peth yn digwydd!" Weithiau ni olyga'r ymadrodd fawr mwy nag "yn fy ymyl ond heb imi sylwi". Ond gan amlaf cyfeiria at weithred, a rhyw ias o ddirmyg neu ddi-gywilydd-dra'n ei nodweddu, a honno'n cael ei chyf-lawni'n agored a di-gêl ym mhresenoldeb rhywun.

Yr oedd hen ŵr yr Hafod yn bur anesmwyth . . . eisiau i Bob briodi Miss Evans. Dywedai wrtho "Pam na phriodet ti hi? Mi eith rhywun â hi oddi arnat *o dan dy drwyn* di mi gei di weled. WR. HBHD. 142.

1465. TALU TRWY FY NHRWYN. Talu pris afresymol. Ni fedrais gael eglurhad boddhaol ar darddiad yr ymad-rodd. Yn hynny o beth mae'n ymddangos fy mod yn yr un cwch â'r Saeson a roes inni'r ymadrodd yn y lle cyntaf.

1466. TROI TRWYN AR RYWUN neu RYWBETH. Ei ddiystyru; edrych gyda dirmyg arno.

Nid oedd yn iawn i blant gwyllt y wlad . . . geisio *troi eu trwynau* na chau eu llygaid (458) ar yr arwydd digamsyniol hwn [Y Stesion] o sicr gerddediad dynoliaeth tuag ymlaen.

THP-W. Ll. 73.

Rhyfedd fel y mae gan y trwyn ran mor amlwg mewn mynegi dirmyg. "HEN DRWYN" yw'r term am y snob *ffroen*uchel.

1467. TROI TRWYN RHYWUN. Ei drechu yn ei fwriad.

Biti . . . na fasa gin mistres ddigon o bres *i droi trwyn* gŵr y *Swan* cyn y sêl. RDW. CT. 93.

Ar faes y Sasiwn lle 'roedd hynny'n saff
Heriaist y diafol a chlodforaist Grist;
A fuost ti'n tagu gan fwg y fagddu ryw dro?
A d*roist ti drwyn,* a sgydwaist ti farf y fall?

RWP. CG. 79.

1468. TRWY FY NHRWYN. Yn groes i'm hewyllys.

Ystyrid Susan Trefor yn ferch ieuanc hynod o brydferth. *Trwy eu trwynau* y cydnabyddid hi felly gan y rhai nad oeddynt yn ei hoffi. DO. EH. 94.

Cf. (1465).

TWSU

1469. GWRTHOD NA THWSU NA THAGU. Bod yn anhydrin ac ystyfnig. Fel ceffyl, neu ful, yn gwrthod mynd ymlaen wrth gael ei *dwsu* (=tywysu, arwain) na mynd yn ôl wrth ei dynnu, hyd at ei *dagu*, gan y cortyn am ei wddf, dim ond nogio'n benstiff yn ei unfan.

> Weithiau, pan fyddai rhywun wedi troi'r drol (1458) âi Dafydd i'w ful yn lân. Âi'n hollol wrthnysig, ac ni wnai na *thwsu na thagu*, ond gwrthod yn glir wneud *dim* a ofynnid ganddo.

Mynd i'w ful=sorri. Cf. (1171) 1176).

TYWYLLU

1470. TYWYLLU DRWS (TWLLU). Ffordd gref o fynegi'r syniad o ddod ar hiniog tŷ rhywun h.y. fel ymwelydd. Yn y cyfnod pan luniwyd yr ymadrodd, pan oedd ffenestri tai'r cyffredin yn fychain ac anaml, trwy'r drws y deuai goleuni i'r tŷ i fesur helaeth. Pan safai rhywun yn y drws yr oedd, yn llythrennol, yn ei *dywyllu*.

> Credwn yn sicr y byddai i rai o bobl y capel ddyfod i edrych amdanom . . . ond . . . fel y dywedai fy mam, "Ddaru neb *dwllu'r drws* drwy'r dydd" . . . DO. RL. 122.

Estynnir y ffigur i gynnwys lleoedd heblaw tai.

> Bu Harriet farw cyn bedyddio'r plentyn, na'i derbyn yn ôl i'r gorlan, ac ni faddeuodd Huw Edward byth i'r capel bach. Ni *thywyllodd ddrws* yr addoldy o hynny allan. AL. CT. 24.

Aeth 'tywyllu'r drws' yn gyfystyr â 'dod trwy'r drws' a'r cam nesaf oedd ychwanegu 'trwy' at 'tywyllu' ei hun, yn union fel petai'n golygu 'dod trwy', a'i gymhwyso at agoriadau heblaw drysau.

> Gobeithio na *thwllith neb drwy'r giat* yna nes bydda i wedi golchi'r clwt dwaetha ar y llawr yma. KR. OGB. 21.

Ac yn olaf beth amdano yn y frawddeg ganlynol?

> Trist yw adrodd na byddaf byth bellach yn *tywyllu* Lerpwl. RTJ. CFf. 28.

Yma fe welir bod 'tywyllu'=ymweld â.

UN

1471. TAN UN. Gw. DAN UN (685).

UNAIR

1472. YN UNAIR. Yn gytûn eu tystiolaeth.

Dyma'ch dau lythyr [W. Morris] wedi dyfod, ac un oddiwrth bob un o'r ddeufrawd eraill, a phob un *yn unair* yn dywedyd yr un newydd cysurus. LlGO. 89.

Gw. (867).

UNDYDD

1473. UNDYDD UNNOS. Ymadrodd i gyfleu cyfnod byr.

Nid mewn *undydd unnos* yr adeiledir y Castell Coch. LlGO. 100.

UNION

1474. YN UNION DEG. Yn fuan wedyn.

Mi 'rydw i'n cofio Cadws ein iddi hi briodi, a 'doedd yr un bincen falchach na hi yn y wlad yma, ond chwedi iddi unweth gael gŵr, mi ollyngodd 'i hun yn chwiaden fudur, anolygus, yn *union deg*. WR. AFR. 290.

Cf. (1265).

WYNEB

1475. DERBYN WYNEB. Rhoi parch neu ffafr i rywun nid er haeddiant, ond ar gyfrif ei safle neu ei gyfoeth; bod yn bartïol.

Canys yr Arglwydd eich Duw chwi yw Duw y Duwiau . . . yr hwn ni *dderbyn wyneb* ac ni chymer wobr. Deut. 10. 17.

WYTHNOS

1476. WYTHNOS GWAS NEWYDD. Ymadrodd a ddefnyddir am rywun yn dechrau ar swydd newydd. Mae'r newydd-ddyfodiad yn selog a brwdfrydig a gweithgar am gyfnod ar y cychwyn, ond fel yr â amser ymlaen cyll ei eiddgarwch dechreuol. Mae yn y geiriau rybudd rhag ffurfio barn ry ffafriol, na chodi gobeithion rhy uchel, ar bwys argraffiadau cyntaf. Cymhwysir yr ymadrodd nid at unigolion yn unig, ond hefyd at gorff o bobl, e.e. cyngor neu lywodraeth yn cychwyn ar eu tymor mewn swydd.

Cf. y S. *a new broom sweeps clean.*

YMAFLYD

1477. YMAFLYD CWYMP. Ymafael codwm. S. *Wrestle.*

[Angau] . . . y gŵr a aeth i *ymaflyd cwymp* ag Arglwydd y Bywyd ei hun, ond ychydig a 'nillodd ynte ar yr ornest honno. EW. BC. 55.

YMGELEDD

1478. YMGELEDD CYMWYS. Ymadrodd ysgrythurol yw hwn. Fe'i gwelir yn Gen. 2. 18-20. Yno cyfeirir at greu Efa: "Nid da bod dyn ei hunan; gwnaf iddo ymgeledd cymwys." Digon naturiol o gofio'r cefndir oedd i'r gair ddyfod i'w ddefnyddio bron fel fformiwla yn golygu 'gwraig'. Yng nghofiannau duwiolion y ganrif ddiwethaf, cael 'ymgeledd gymwys' y byddai'r 'gwrthrych' bron yn ddieithriad, onid arhosai'n hen lanc diymgeledd! Dyma ddwy enghraifft o'r ymadrodd ar iws, un o nofel a'r llall o gofiant. Am bregethwyr y sonnir yn y ddau achos.

Llygadodd efe Elin Wyn fel un dra thebyg o wneud cymar bywyd ac *ymgeledd gymwys* iddo. DO. GT. 329.

Yn niwedd y flwyddyn 1876 gwnaed y gwagle yn ei deulu i fyny drwy i Miss Williams . . . ddyfod iddo yn wraig. Bu hi yn *ymgeledd gymwys* iawn iddo.

Cofiant Francis Jones (D.W. Williams).

Er mai 'ymgeledd cymwys' a geir yn y Beibl (gair gwrywaidd yw *ymgeledd*) sylwer mai 'ymgeledd gymwys' yw'r ffurf yn y fformiwla, a hawdd deall — gan mai at *wraig* yr oeddid yn cyfeirio — sut y digwyddodd y newid.

Ceir enghreifftiau o ddefnyddio'r ymadrodd mewn cysylltiadau eraill, yn gellweirus fel rheol. Yn y dyfyniad a ganlyn am ellyn (*rasal* ar dafod ac ar ruddiau'r werin) y mae'r awdur yn sôn.

Buom yn ffyddlon i'n gilydd am faith flynyddoedd, trwy'r tew a'r tenau. (1399). Bu hi yn *ymgeledd gymwys* i mi yng ngwir ystyr y gair; weithiau, wrth gwrs, yn torri i'r byw, ond fel rheol yn crafu'n ysgafn ac effeithiol. IW. MI. 47.

YSBARDUN

1479. YSBARDUN A FFRWYN. Rhannau o gyfarpar marchogaeth yw'r rhain. Pwrpas yr ysbardun ar esgid y marchog yw symbylu'r march i fwy o gyflymder. (Dyna pam y mae *sbardun* yn derm mor rhagorol yn Gymraeg am *accelerator* modur). Yn ffig. defnyddir y gair i ddynodi unrhyw beth sy'n cymell rhywun i fwy o frys, bywiogrwydd, uchelgais, gweithgarwch, etc. Ar y llaw arall, gwaith y ffrwyn yw rheoli'r march a chymedroli (ar brydiau) ei awydd am fynd yn rhy gyflym. Felly'n ffig. defnyddir ffrwyn i olygu unrhyw ddylanwad sy'n cadw eiddgarwch o fewn terfynau. Gwelir y ddau air a'r ddau ddefnydd yn y dyfyniad a ganlyn:

> Arferai Didymus dalu ymweliad â Dafydd Dafis. Ac nid anfuddiol fyddai'r ymweliadau hynny i'r ddau fel ei gilydd, oblegid yr oedd angen ar Dafydd am *ysbardun* ac angen, weithiau ar Didymus am *ffrwyn*. DO. EH. 299.

h.y. yr oedd y naill yn tueddu at fod yn rhy araf a'r llall at fod yn rhy fyrbwyll.

TRI NODYN ATODIADOL

1480. BYS YN Y BRYWES. Nid yr un peth yn union yw 'brywes' ym mhob ardal. 'Sgotyn' yw enw Arfon ar y bwyd a ddisgrifiais i. I wneud brywes ohono byddai'n rhaid chwanegu ato fara ceirch wedi ei falu'n fân. Yn ardal fy nghartref 'brywes bara cerch' y gelwid hwnnw. Yn un o ysgrifau Syr Ifor Williams sonnir am fath arall wedyn: "brwes, sef broth ar ben bara ceirch tew." (IW. IDdA. 21).

1481. PRIC PWDIN. Bellach nid wyf mo'r sicr o'r esboniad a roddais o darddiad y term hwn yng nghorff y llyfr, er imi ei gael "o ben da" chwedl Goronwy Owen, ac er ei fod yn un digon naturiol a rhesymol. Erbyn hyn mi ffeindiais fod *pudding prick* yn hen, hen derm yn S. ac mae'n sicr braidd, mai Cymreigiad ohono yw 'pric pwdin'. Ystyr 'pudding prick' oedd 'skewer' (dernyn main blaenllym o bren neu fetel a ddefnyddid i gadw pwdin *cig* rhag chwalu wrth ei ferwi. Rhestrir yn ODEP ddiharebion S. yn cynnwys y gair ond yr un, hyd y sylwais, o gyffelyb ystyr i'r ymadrodd Cymraeg dan sylw.

1482. RHYCH NA CHEFN. Ychwaneger at yr ymadroddion a restrir o dan y pennawd hwn un arall cyfystyr, sef RHAWN NA BWGAN.

> Pan fyddwch *chi* yn pygethu, syr, [Thomas Bartley, yn cyfarch yr Athro, yng Ngholeg y Bala] yr ydw i'n eich dallt chi yn champion, ond a deud y gwir yn onest, fedrwn i wneud na *rhawn na bwgan* o'r *students* fu acw. DO. RL. 375.